張繼豪編

鍼灸經穴辭典

伍憲子題

文史哲出版社印行

鍼灸經穴辭典 / 張繼豪編. -- 初版. -- 臺北市
：文史哲，民84
面；　公分.
ISBN 957-547-981-5(平裝)

413.91

鍼灸經穴辭典

編　　者：張　　繼　　豪
出　版　者：文　史　哲　出　版　社
登記證字號：行政院新聞局局版臺業字五三三七號
發　行　人：彭　　　　正　　　　雄
發　行　所：文　史　哲　出　版　社
印　刷　者：文　史　哲　出　版　社
台北市羅斯福路一段七十二巷四號
郵撥〇五一二八八一二彭正雄帳戶
電話：三　五　一　一　〇　二　八

實價新台幣六〇〇元

中華民國八十四年十一月初版

鍼灸經穴辭典

目　錄

繼豪醫師

功同良相

江陵張知本題

繼豪醫師

良術濟世

黃國書題

是乃仁術

傳家醫師

萬耀煌題

功同
瓦相

繼豪醫師

汪道淵題

妙手回春

徒弟醫師

郎修漢敬題

濟世活人

徒弟藥師

錢雲階敬題

佛生家美

從五家醫師

沈家志題

發揚國粹

從事大醫師

田亞丹題

精研醫學

懸壺國手

李瑑仁 題

上醫醫國

從眾醫師

白如初 題

醫貴醫德

繼豪醫師

王汝洋題

業精岐黃

從豪醫師

艾時收題

今之華陀

继承大医师

朱为松敬题

生耳龙酒

继承大医师

郭宗汾敬题

仁心仁術

繼承家醫師

蕭先蔭 叔 題

懸壺濟世

繼立水醫師

王宜聲 敬題

繼承醫師

仁術超羣

表o浮題

發揚國粹

繼承學師

何容梣收題

繼豪宗師

仁術敬人

劉漢傑題

繼承宗師

華佗再世

王娥嫒題

編者序

　　內經一書，其中經脈十二，孔穴三百六十有五，且正經穴之外，又有奇經、奇穴，統計十四經，與奇經奇穴，約有五六百穴，常用者，約二百穴而已。三代以降，遞相授受，奉爲圭臬，秦漢而還，精於醫者，莫不先從詳諳經穴入手，無奈各家所說，多有差異，且按每一經脈位置全數強記不易，致奇經奇穴檢查亦廢時。夫鍼灸治療之便，取效之速，遠勝於任何醫療之上，故鄙人搜集經穴，以筆畫多少順次編排，定名《鍼灸經穴辭典》，專供學習時檢查利便之用，缺漏與錯誤自多，尚望海內外同志指正，幸甚。

編　例

(1)　本書所收經穴約共五百二十二穴，每穴詳說位置、解剖、主治、
　　　手術、考證、附錄，並繪圖點穴，一目瞭然。

(2)　本書按每經穴之首一字，筆畫多少順次編排，容易檢查。

(3)　經外奇穴亦編列入本書內。

(4)　圖中穴位有。者禁針，有▲者禁灸，有●者可針可灸，有□者禁
　　　針禁灸。

(5)　本書爲利便檢查針灸、經穴參考之用。

檢　査　表

二　畫

二間（又名）間谷

〔位置〕在食指內側　本節前陷中

〔解剖〕總指伸筋附着部　循指背動脈及頭
　　　　靜脈分布橈骨神經

〔主治〕喉痺　頷腫　肩背痛　振寒　鼻衄
　　　　血　多驚　齒痛　目黃　口干　口
　　　　渴　急食不通　傷寒水結

〔手術〕針一分至三分　灸三壯　握拳側置取之

〔考證〕席弘賦：牙疼腰痛幷咽痺　二間陽谿疾怎逃　百症賦：
　　　　寒慄惡寒　二間疎通陰部暗　天皇秘訣：牙疼兼喉痺
　　　　先刺二間後三里　玉龍歌：牙疼陣陣苦相煎　雜病穴法
　　　　歌：二井兩商二三間　手上諸風得其所　行針指要歌：
　　　　或針結針着大腸二間穴　甲乙：多睡善睡　身熱喉痺如
　　　　梗　目眥傷寒振肩痛　二間主之

〔附錄〕此穴爲手陽明大腸經　所溜爲滎

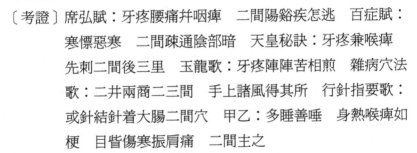

二白

〔位置〕掌後橫紋中　直上四寸　在筋內兩
　　　　筋間　間使放一寸　一在筋外與筋
　　　　內穴並立　相隔二三分

〔解剖〕在橈骨尺骨之中　長掘拇筋與淺屈
　　　　拇筋間　循尺骨動脈　分布正中神
　　　　經

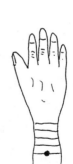

〔主治〕痔瘡　脫肛

〔手術〕針三分　灸三壯　伸手取之

〔考證〕診則：二白主陽癬痔漏　玉龍歌：痔漏之疾最可憎　表
　　　　裏急重最難禁　或痛或癢或下血　二白穴在掌後尋

〔附錄〕每手兩穴　左右共四穴

八邪（又名）八關

〔位置〕在手五指歧骨中

〔解剖〕在五指之總指伸筋腱中及
　　　　骨間指背動脈

〔主治〕頭風　牙痛　手臂痛　大
　　　　熱眼痛睛欲出

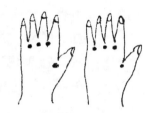

〔手術〕針二三分　灸二三壯　握
　　　　拳取

〔考證〕素刺瘧論：諸瘧而脈不見　刺十指間出血　血去必已
　　　　先刺身　如赤小豆者盡取刺之　（晝夜不息）　刺十指
　　　　出血　謂之八關大刺　醫大煩熱症　詳保命集　外台
　　　　唐論：若手指本節間疼痛入臂者　宜灸七壯

〔附錄〕本穴每手四穴　兩手八穴　靈經脈篇：手陽明之大絡
　　　　起於五指中　上合肘中

八風（又名）八沖

〔位置〕足五指歧骨間

〔解剖〕在總趾伸筋腱中　循足背
　　　　足背動脈　分布趾神經

〔主治〕腳氣　腳背紅腫

〔手術〕針一二分　灸五壯

〔考證〕素刺瘧論：刺瘧者　必先問其病之所先發者先刺之　先
足瘀疼痛　先刺足陽明　十指間出血　大成　八風治腳
背紅腫

八髎

〔位置〕上髎在十八椎下　去脊一寸與膀
胱俞平行　次髎在十九椎下　去
脊一寸　中髎在二十椎下　去脊
一寸少　下髎在廿一椎下　任背
陷中與白環俞穴平行

〔主治〕肺癆

〔手術〕針三分　灸三壯

十指尖（又名）十宣穴　參看十宣條

〔位置〕在十指尖頭正中

十宣

〔位置〕在手十指頭　去爪甲
一分

〔解剖〕手十指頭　總指伸筋
附着部　循手背動
脈

〔主治〕乳娥

〔手術〕取三稜針出血

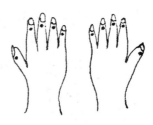

〔考證〕千金：凡小兒風病火動　手足瘛瘲　盡灸手足十指端
又脾風占喉不出　當灸十指頭　次灸人中大椎　外台：
急療卒症　面張目反折者　灸手足趾甲後十四壯　餘以
五毒諸膏散　有巴豆者良　乾坤生意：凡初中風跌倒
暴風痰涎　牙關緊閉　藥水不下　急以三棱針出血及手
足二十井穴　當去惡血　又治一切惡候　不省人事及絞
腸痧　乃回生妙法　良方集腋：霍亂　胸腹絞痛　悶亂
上吐不能　下瀉不能　最危症也　急刺　十指出血
再將病人腿腕橫紋上　用溫水拍打　又紫紅紋見　以針
刺出紫血立愈

〔附錄〕每指各一穴兩手共十穴

十井

〔位置〕在手十指頭

〔解剖〕爪廓發生根部　循指掌動脈
分布尺骨神經指掌紋

〔手術〕三棱針出血能治諸穴病

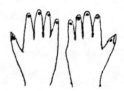

十三鬼穴

〔位置〕1.鬼宮（即人中穴）

　　　　2.鬼信（手大指爪甲下
　　　　　一分）

　　　　3.鬼壘（足大趾甲下二
　　　　　分）

　　　　4.鬼心（即太淵穴）

　　　　5.申脈（火針七鋥二三下）

　　　　6.鬼枕（大椎上入髮一寸）

在十三鬼穴
位置內說明

7.鬼牀（耳前髮際穴）

8.鬼市（承漿穴）

9.鬼營（即勞宮穴）

10.鬼堂（上星穴　火針七鋥）

11.鬼莊（陰下縫穴　灸七壯）

12.鬼臣（曲池火針）

13.鬼封（舌下一寸縫）

〔主治〕鬼邪十三鬼穴仍針間使

十七椎穴

〔位置〕在十七椎

〔主治〕軵胞椎痛

〔手術〕灸五十壯

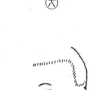

人迎（又名）天五會

〔位置〕結喉旁一寸五分　當頸大動脈
應手之處

〔解剖〕有胸鎖乳咀筋前緣瀉部　有咽
頭喉頭瀉部通內頸動脈　分布
舌下神經穿行枝及上頸皮下神經

〔主治〕吐逆　霍亂　胸滿　喘急不得怠　咽頭癰　瘰癧

〔手術〕禁灸　針三分　引頸取之

〔考證〕甲乙：頷腫刺足陽明胃經　足少腸動脈立己不已　按經
刺入人迎立已　千金：瘰癧方灸五里人迎各五十壯

〔附錄〕此穴爲胃經膽經之會　外台：灸之不幸殺人　素註：刺
太瀉殺人　甲乙：禁灸　按本穴當大動脈上　如刺此穴
以小針淺刺　初學者更宜小心　慎勿妄刺

三　畫

三間（又名）少谷

〔位置〕在食指內側　本節紋　第二掌骨之凹中

〔解剖〕固有示指腱之外緣　循指掌及頭靜脈　分布橈骨神經

〔主治〕喉痺　咽塞　氣喘多唾口干　唇焦　目眥急病　吐食　善臥　腸鳴腹滿塞熱瘧　傷寒氣熱　善驚

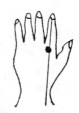

〔手術〕針三分　灸三壯

〔考證〕席弘賦：更有三間腎俞妙　善治肩背浮風勞　雜病穴法歌：兩井兩商二三間　手上諸風得其所　百病賦：目中瞙瞙即尋攢竹三間　捷經：治身熱氣喘　口干　千金：寒熱　口干　喘息　目急痛　善驚　喉痺　咽如梗　三間主之

〔附錄〕此穴爲手陽明大腸明大腸經　所注爲俞

三里（又名）手三里

〔位置〕曲池下二寸　銳肉端

〔解剖〕在橈骨上緣後部　膊橈骨筋與長外橈骨筋間

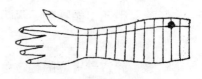

〔主治〕霍亂　失音　手痛　頷腫　瘰癧　手臂不仁　中風口癖

　　　　　遺失　　手足不隨

〔手術〕針三分　　灸五壯　　屈肘取之

〔考證〕席弘賦：手足上不針三里　　食癖氣塊憑此取　　肩連臍痛
　　　　不休　　手中三里更須求　　百症賦：且如兩臂頑麻　　少海
　　　　就傍與三里　　雜病穴法歌：頭風目眩　　項屈強　　申脈金
　　　　門手三里　　甲乙：腸寒腰痛不得臥　　外台：主齒痛頷腫
　　　　圖翼：主治中風口癖　　五癆虛乏　　衰瘦霍亂　　失音
　　　　手足不仁

三里足（名）下陵　鬼邪

〔位置〕犢鼻下三寸

〔解剖〕脛骨上端與

　　　　腓骨尖頭關

　　　　節部下方

　　　　循前脛動脈

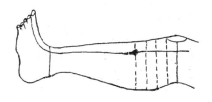

　　　分布瀉腓骨及脛骨神經

〔主治〕胃中寒　　心腹脹滿　　腸滿　　臟氣虛憊　　眞氣不足　　腹痛
　　　　食不下　　大便不通　　心悶　　心痛　　腰痛　　小腸氣　　水氣
　　　　蠱毒　　鬼擊疰癖　　膝脛痠痛　　目不明　　產婦血暈　　五
　　　　癆七傷　　氣上冲喘　　腹有瘀血　　小腹堅腫　　傷寒熱不已
　　　　熱病汗不出　　善嘔　　口苦　　壯熱　　身反拆　　乳腫　　喉
　　　　痺不能言　　久泄泄　　食不化　　脅下滿　　膝痿寒　　狂言笑
　　　　恐怒大罵　　失氣　　小便不利　　陽厥　　惡寒　　腳氣

〔手術〕針五分至一寸　　灸三壯至百壯垂足取之

〔考證〕百症賦：中邪霍亂尋陰谷三里之程　　席弘賦：虛喘須尋
　　　　三里中　　手足上下針三里　　食癖氣塊憑此取　　又三里又

積刺璇璣　三里助多人不知　氣瀉長能醫五淋　更針三
里隨呼吸　耳內蟬鳴腰欲折　膝下明存三里穴　又男子
疝癖三里灸　女子曨骨腿疼　三里鳥　倘者膀胱氣未散
更宜三里穴中尋　天星秘訣：者是胃中停宿食　後尋
三里起璇璣　又牙疼腰痛幷咽痺　先針二間後三里　傷
寒過經不出汗　期門三里先後看　玉龍歌：寒濕腳氣不
可熬　先針三里後陰交　又忽然喘多攻胸膈　三里瀉多
須用心　馬丹陽十二穴歌：能通心腹脹　善治胃中寒
腸鳴泄瀉　腿腫腫膝痠　傷寒羸瘦損氣蠱及諸般　年過
三旬後　針灸眼更寬　雜病穴法歌：霍亂中脘可入瀉
三里內庭功無比　又痢疾合谷三里宜　泄痢腹內諸般疾
三里內庭瀉幾許　又腳膝諸痛羨行間　三里申脈金門
後　冷風濕痺針環跳　陽陵三里燒針尾　小便不通陰陵
泉　三里瀉下溺如注　勝玉歌：兩膝無端腫如斗　膝眼
三里艾當施　通玄指要賦：三里却五癆之羸瘦　靈光賦
：陰陽二蹻與三里　諸穴一般治腳氣　行針指要歌：或
針痰　先針中脘三里中　四總穴歌：肚腹三里留　秦承
祖：諸病皆治　華院註　五癆羸瘦　七傷靈乏　胸中瘀
血乳癰　醫說：者要安三里莫要乾患風疾人　宜灸三里
者　五臟六腑之溝渠也常宜通即無風疾　衞生寶鑑：治
乳腫痛　諸藥不能止痛者　三里針五分　其痛立止如神
　千金：三里內庭治肚腹病妙　風勞腳痛刺五分　補之
灸五十壯　神農經：治心腹脹滿　食不化　氣塊　吐血
腹內諸疾　五癆七傷　灸七壯　捷法：治食不充飢
〔附錄〕此穴爲胃經　所入爲合　又回陽九針之一．凡暴亡　諸

陽欲脫者　均宜治之　外台：凡年三十以上者　不灸三

里　冷人　氣上眼闇故三里下氣也　神農經：小兒忌三

里三十外方可灸　不爾反生疾

三陰交（又名）承命太陰

〔位置〕內踝上三寸　骨掌陷中

〔解剖〕脛骨紋內側後脛骨筋　及長

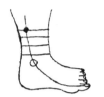

總趾伸筋間　循後筋動脈

分布薔薇神脛骨神經

〔主治〕脾胃虛弱　飲食不化　心腹

滿　糖尿　膝內痛　足痿　疝氣　四肢不舉　身重痺痛

陰莖痛　遺尿　膽虛　遺精　霍亂　肢冷臍下痛　小

兒客忤　臨經行房　月事不調　橫生逆產　惡露不行

去血過多　不省人事

〔手術〕針三分　灸七壯

〔考證〕百症賦：針三陰於氣瀉　專司白濁泄遺精　百症賦：冷

嗽先宜補合金　須却瀉三陰交　腳痛膝腫針三里　懸鐘

二陵三陰交　雜病穴法歌：干吐下法未有他　合谷列缺

內關陽交忤　又二陵二蹻與二交　頭項手足互相與冷嗽

即宜補合谷　三陰交瀉即時住　又死胎陰交不可緩　大

成：宋太子出宛　逢妊婦診曰女　徐文伯診曰一男一女

太子性急欲覷　文伯瀉陰交補合谷　胎應針而下　果

如文伯之診　通玄指要賦：文伯瀉死胎與陰交　應針而

殞　勝玉歌：陰交針入下胎衣　甲乙：足下熱痛　不得

久坐　驚不得眠　善斷水氣　上下五臟　尤氣也陰交主

之　肘後方：治霍亂　先手足冷者　灸內踝骨尖上反三

陰交　又女人漏下赤白及血灸五十壯治　失欠頰車　蹉
方灸百壯三根之　夜夢洩精灸三十壯　勞淋灸百壯　經
云：肺夾賢合後吐水　謂之水瘤　灸之陰隨年壯　又主
髀中痛　脛寒不得臥　又主兩丸騫　外台　集驗灸丈
夫夢泄法：灸此穴二十七壯　主濕痹不能行　腹中熱
苦膝寒心痹氣逆　溏泄飲食不化　脾胃肌腐痛入門　傷
寒下法：針入三分　男左女右　用針盤旋右轉　六陰數
畢用　口鼻閉氣　吞鼓腹中將瀉　插一下　其人即泄
鼻吸手瀉之六偏方　開口鼻之氣　圖翼　千金云：三陰
交灸五壯至五十壯　主欬逆五勞寒　損憂恚筋骨掌疼
腸痔　疝氣　痔血　鼻血　陰急　大小便澀　鼻干煩
滿狂惕走氣等　凡二十種病　皆當灸之也　乾坤生意：
兼大敦治小腸疝氣　針灸則　臁瘡不愈　灸七壯至卅壯
再不復發　眼科錦囊：上臉低垂　輕症者灸三陰交
〔附錄〕此穴爲脾經　肝經　腎經　三陰之會　故名曰三陰交
又回陽九針之一　凡暴亡諸陽欲脫者　切宜治之　圖翼
：姙娠禁刺

三焦俞

〔位置〕在十三椎下　去
　　　　脊橫開二寸
〔解剖〕第一二腰椎棘上
　　　　突起外側上層爲
　　　　闊背　下爲若骨
　　　　脊柱筋　及方形
　　　　腰筋　背椎神經等

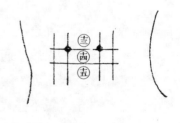

〔主治〕精聚脹滿　羸瘦不食　傷寒　頭痛　吐逆　肩背急　水
　　　　穀不化泄注　下痢　目眩

〔手術〕針五分　灸三壯　正坐取之

〔考證〕甲乙：頭痛　食不下　腸鳴欲嘔時　泄三焦主之　千金
　　　　：長胞　小便不得　心腹滿　腰背痛　寒熱往來　少氣
　　　　灸隨年壯　小腹積堅如大盆　婦人瘕聚　灸百壯　壽
　　　　世保元：灸三七壯　治黃疸病神效

〔附錄〕此穴爲足太陽膀胱經脈氣所發

三陽絡（又名）通間

〔位置〕在腕後四寸支溝上一寸

〔解剖〕橈尺二骨之中　總指與
　　　　小指伸筋中　循骨間幼
　　　　脈　分布橈骨神經　及
　　　　下膊皮下神經

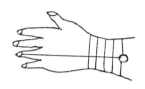

〔主治〕暴瘖耳聾　嗜臥　四肢疲倦

〔手術〕禁針　灸三壯　伸手取之

〔考證〕甲乙：嗜臥四肢不欲動　大溫內傷不足　三陽絡主之

三白

〔位置〕在掌紋橫紋上四寸　手厥陰脈也
　　　　　兩脈相並一在筋中　又一在筋
　　　　中　又一穴在大筋外

〔主治〕痔漏　下血癢

〔手術〕針三分　瀉二吸　灸三壯

〔附錄〕兩手共四穴

下廉

　　　〔位置〕上廉下一寸　即腕

　　　　　　後六寸　微向外側

　　　　　　曲池下四寸

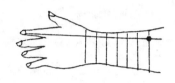

　　　〔解剖〕橈骨小尖前下部

　　　　　　循橈骨及外膊皮下神經

　　　〔主治〕飱泄癆瘵小腹滿　小便黃　便血　狂言狂走　偏風冷痺

　　　　　　小腸氣不足　痃痺　腹滿食不化　喘息　乳癰　唇乾

　　　〔手術〕針五分　灸五壯　屈肘取之

　　　〔考證〕甲乙：主溺黃　目痛　千金：主狂言　圖翼：頭風痺痛

　　　　　　食不化　氣喘涎出　乳癰　又下廉在犢下九寸　清胃

　　　　　　氣針三分　灸三壯

下巨墟（又名）下關　足下廉

　　　〔位置〕在三里下五寸　條口下一寸

　　　〔解剖〕脛腓二骨間　長總趾伸筋

　　　　　　有長腓動脈　分布腓骨神經

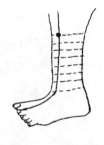

　　　〔主治〕小腸氣不足　偏風腿瘻熱

　　　　　　風冷痺　喉痺　腳氣無汗

　　　　　　髮焦　傷寒胃中熱不欲食

　　　　　　泄膿血　胸脅小腹痛　狂言暴驚　乳癰　足肘不收跟痛

　　　〔手術〕針三分　灸三壯　垂足取之

下脘（又名）幽門

　　　〔位置〕建里下一寸　臍上二寸

　　　〔解剖〕上腹部白條淺中　循上腹動脈　分布

　　　　　　筋間神經　內容胃臟

　　　〔主治〕厥氣　胃脹　腹痛　六腑寒熱　水穀

不化　大便赤　**翻胃痞塊**　連臍

〔手術〕針七分　灸五壯

〔考證〕靈光賦：中脘下腹治腹堅　百症賦：腹內腸鳴　入腹還
　　　　出　下脘主之　勝玉歌：冷胃下脘却爲良　甄權云：主
　　　　小便赤

〔附錄〕此穴爲脾經任脈之會　圖翼：當胃下口腸之上口　孕婦
　　　　不可灸

下關

〔位置〕耳前動脈下廉　客主人下合口有空
　　　　開口則閉

〔解剖〕下顎骨踝突起　前云　顴骨下端　有
　　　　顳顬筋及咀嚼筋

〔主治〕聹耳　偏風　口斜牙車脫凹　牙齦腫痛

〔手術〕禁灸　針三分　閉口取之

〔考證〕甲乙　耳鳴　聾　牙痛　千金：治久風　卒風　圖翼：
　　　　偏風　口目斜歪　耳疾　痛癢出膿　牙車脫血

〔附錄〕此穴爲胃膽二經之會　甲乙：耳中有乾屎抵不可灸

下都

〔位置〕在手小指本節後岐骨間

〔解剖〕尺骨腕骨之關節部　有總趾伸筋
　　　　循腕側背動脈　分布紋下膊神
　　　　經尺骨橈骨神經之後枝

〔主治〕手背紅腫

〔手術〕針一二分　灸五壯

下腰

〔位置〕在八膠之正中央脊骨上　各三宗
　　　　骨　即二十椎骨上

〔解剖〕第二三荐骨部　上有腰背筋　下
　　　　有荐骨筋

〔主治〕瀉痢　下膿血

〔手術〕灸三壯

下極

〔位置〕在十五椎　名下極俞

〔解剖〕第二三腰椎　橫突起　外方
　　　　有腰背筋膜

〔主治〕腹痛　腰痛　膀胱飲癖　注
　　　　下　小腹急痛

〔手術〕灸隨年壯　正坐取之

下膠

〔位置〕在二十一椎之下　反環俞之內
　　　　旁

〔解剖〕第一二荐骨部　上有腰背筋
　　　　下有荐骨脊柱筋

〔主治〕大小便不利　腸鳴泄痢　內傷大便下血　腰痛引睪丸
　　　　女子淋濁不止　小腹急痛

〔手術〕針三分　灸三壯　伏取

大巨（又名）液門

〔位置〕外陵下一寸　石門旁二寸

〔解剖〕直腹筋外緣　循下腹壁動脈　分
　　　　布下腹及鼠蹊神經

〔主治〕小腹脹滿　煩渴　積疝小便難　偏枯四肢不收　驚悸

〔手術〕針五分　灸五壯

〔考證〕甲乙：癲疝大巨地機中都主之　又主偏枯四肢不收

〔附錄〕穴爲足陽明胃經脈氣所發

大都

〔位置〕大趾本節前內側　白肉際陷中

〔解剖〕在拇趾第一節之前　外轉拇筋之
　　　　停止部

〔主治〕小腹脹滿　煩渴　熱病汗不出
　　　　身骨痛　不得臥　傷寒腹滿　善
　　　　嘔　煩熱悶亂　目眩胃心痛　小兒客忤

〔手術〕針三分　灸三壯

〔考證〕席弘賦：氣滯腰痛不能立　橫骨大都宜救急　百症賦：
　　　　熱病汗不出　千金：大便難　汗不出且厥　又霍亂下痢
　　　　不止　灸七壯　甲乙：瘧不知所苦　風逆四肢暴腫　濕
　　　　滯唏然　肘後方：霍亂下痢不止　灸大都七壯

〔附錄〕此穴爲脾經　所溜爲滎

大橫（又名）腎氣

〔位置〕與臍平去中行三寸五分

〔解剖〕內外斜腹筋部　循腹壁動脈
　　　　分枝分布腸骨下腹神經

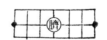

〔主治〕大風逆氣多寒　善怨　四肢不舉　多汗　泄痢

〔手術〕針三分七分　灸三五壯

〔考證〕百症賦：反張悲哭　伏天冲大橫須精　千金：刪繫療中
　　　　焦虛寒　四肢不舉　多汗　洞泄　灸隨年壯

〔附錄〕此穴爲足太陰　脾經　陰維脈之會

大包

〔位置〕在淵液下三寸　腋窩下
　　　　六寸

〔解剖〕側胸第九肋間　前大鋸
　　　　筋中　內容肺臟　右與
　　　　肝臟接近

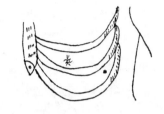

〔主治〕胸脅痛　喘氣

〔手術〕針三分　灸三壯　舉手取之

〔考證〕甲乙：大氣不得息　息則胸脅痛　實則身寒　虛則百節
　　　　疼痠

〔附錄〕此穴爲脾經之大絡　圖翼：統陰陽諸絡由脾灌漑五臟取
　　　　法：屈肘肘尖到處　此穴脾之絡　四肢百節皆

大迎（又名）髓孔

〔位置〕曲頷前一寸三分
　　　　頰下骨陷中

〔解剖〕在第二大血齒下三
　　　　角頭筋及咬筋存在
　　　　處

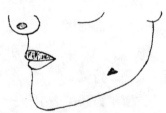

〔主治〕風痙　口噤不開
　　　　唇吻潤動　牙疼　頰腫　寒熱瘰癧　口喝數欠　舌強
　　　　目痛不能視　面腫

〔手術〕針三分　灸三壯

〔考證〕百症賦：目潤兮　顴髎大迎　勝玉歌：牙顋疼緊大迎全
　　　　甲乙：口噤　牙痛　大迎主之　圖翼：主中風　牙關

不開　失音　口目歪斜　牙疼失欠車牙脫臼　灸七壯

炷如小麥

〔附錄〕此穴為大腸經及胃經脈氣所發

大杼

〔位置〕第一椎之下　去脊旁二寸

〔解剖〕第一胸椎棘上突起兩傍　上為僧帽筋

　　　下如菱形筋　及後上鋸筋

〔主治〕膝痛　傷寒　汗不出　筋攣癲疾　腰

痛　胸中熱悶　頭風

〔手術〕針三分至五分　灸三壯

〔考證〕席弘賦：大杼若連長強尋　小腸氣痛即行針　勝玉歌：

五瘧寒多熱更多　間使大杼真妙穴　千金：主僵仆不能

久立　煩滿裏急　外台：主瘧瘡　傷寒　喉痺　氣喘

胸鬱　身熱　目眩　項強　總病論：太陽與少陽并病頭

眩時　如結胸心下必堅　肺俞大杼慎不可發汗　圖翼：

凡刺瘧疾　脈滿大者刺此　并譩譆穴出血不已　刺委中

風門立已　陳修園：前板取齒干燥可灸此穴　明堂云：

大杼禁灸　若非板齒干之症　毋得灸也

〔附錄〕此穴為手太陽小腸經　膀胱經　督脈到絡　三脈之會

又骨之會　凡骨病統治之　明堂：禁灸資生　非大急不

灸

大腸俞

〔位置〕在第十六椎之下　脊骨旁二寸

〔解剖〕第四五腰椎橫突起外側　循腰

動脈背枝　分布腰神經紋後

〔主治〕脊强　腰痛　腹中氣痛繞臍切痛　二便不利

〔手術〕針三分　灸三壯　伏取

〔考證〕靈光賦：大小腸俞　大小便行針　指

　　　　要賦：或針結　針着大腸二間穴　千金：治風　食多身

　　　　瘦　腸腹腫暴　泄喜飮　食不下　外台：主大腸脹氣

　　　　按如覆杯　不食善吐　腹脫而腫　腰痛　是精液所生病

　　　　者　喉痺肩痛　大小指不用氣有餘　則腫虛則寒慄　李

　　　　東垣：中燥治在大腸俞

〔附錄〕此穴爲風中燥症者皆治之

大鍾

〔位置〕在跟紋踵中　約太谿之下五分

　　　　大骨上兩筋間

〔解剖〕阿斯利氏腱內側陷中　有長腓骨

　　　　筋　循紋脛動脈　分佈脛骨神經

　　　　紋枝

〔主治〕嘔吐　胸悶　便難　小氣淋酒

　　　　腰强痛　嗜臥　口熱多寒　舌干　食咽不下　喉鳴咳吐

　　　　煩悶　驚恐不樂

〔手術〕針三分　灸三壯

〔考證〕百針賦：倦言嗜臥　通理大鍾而明　標山賦：大鍾　治

　　　　心理之廣呆　甲乙：瘧多寒少熱　喘氣不足息　腹滿大

　　　　便難　口舌吸吸　善驚　咽痛　神氣不足　千金：主舌

　　　　本出血　驚恐畏人

〔附錄〕此穴爲腎經之終別入膀胱經　素刺禁論：刺陰股下三寸

　　　　內陷　令人遺溺

大赫（又名）陰維　陰關

〔位置〕氣穴下一寸　中極旁五分

〔解剖〕恥骨上方直腹筋部　循下腹動脈

　　　　分布腸骨鼠蹊神經

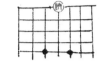

〔主治〕虛癆失精　男子陰縮莖痛　婦人

　　　　帶下　目赤痛

〔手術〕針三分　灸三壯　臥取

〔考證〕千金：男子失精　陰上縮莖中痛　灸三十壯

〔附錄〕此穴爲腎經督脈之會

大陵（又名）心主　鬼心

〔位置〕在手腕橫紋兩筋陷中

〔解剖〕腕關節前面橫紋正中凹陷部　迴前

　　　　方筋之下緣　橫腕韌帶　尺骨動脈

　　　　分布正中神經

〔主治〕熱病汗不出　煩心掌熱臂痛　液腫善笑不休　悲驚　目

　　　　赤　目黃　小便如血　嘔吐無度　狂言身熱　頭痛　氣

　　　　短　胸脅痛　瘡癬疥

〔手術〕針三分　灸三壯　伸手取之

〔考證〕玉龍歌：腹中疼痛亦難當　大陵外關可消詳　心胸之病

　　　　大陵瀉氣　攻胸腹一般針　勝玉歌：身熱口臭　大陵驅

　　　　　神農經：治胸中疼痛　胸前瘡疥　灸三壯　通玄指要

　　　　賦：心胸之疾　求掌紋之大陵　十二經治症主客原絡訣

　　　　　包絡爲病手攣急　臂不能伸痛如屈　心煩心痛掌熱極

　　　　　大陵外關可消釋　千金：吐血　嘔逆灸五十壯　霍亂

　　　　嘔不止　灸七壯　主頭痛如破　目如脫　欬血寒熱瘧

目黃　振寒遊風熱毒疾　但覺有熱異　即急灸之五壯
患左灸右　患右灸左　當中者兩手俱灸　保命集：嘔噦
無度針手厥陰大陵穴

〔附錄〕此穴爲心包絡經　所注爲俞　亦即原也　又十三鬼穴之
一　統治一切癲狂病

大敦（又名）水泉　大順

〔位置〕在大趾端外側爪甲紋叢毛中　按
之有陷　一云內爲隱白　外爲大
敦

〔解剖〕第一趾骨第二節外側　爪甲之發
生根部短伸拇筋腱中

〔主治〕五淋七疝　小便不禁　陰頭痛　陰縮　睪丸偏大汗出
腹脹痛　善寐　尸厥　血崩不止　陰挺

〔手術〕針一二分　灸三壯

〔考證〕玉龍歌：七般疝氣取大敦　又腎强疝氣發甚頻　氣上攻
心似死人　關元兼刺大敦穴　此法眞傳始得眞　席弘賦
大便秘結大敦燒　百症賦：大敦臺照海患寒疝而善觸
通玄指要賦：大敦去七疝之偏墜　勝玉歌：灸罷大敦
除疝氣　靈光賦：主治溺偏墜　甲乙：卒心痛汗出　大
敦出血立已　陰跳連臍痛　小便難而痛　寒疝　陰疝
臍腹痛　尸厥不知人事　大敦隱白主之虛則病　諸癲癇
實則癃閉　小腹熱善寐　千金：氣頹灸大敦　右灸左
左灸右　小兒陰腫灸七壯　遺尿灸三壯　主尿血時癢
灸百壯　五淋灸三十壯　外台　集驗：卒疝暴痛方灸大
敦　男左女右立已　保命集：治陰頭中痛不忍　及婦人

陰痛　乾坤生意：兼三陰交　治小腸疝氣　圖翼：凡疝
氣腹脹足腫者　宜皆灸之　驗方新編：婦人血崩不止
燈心點油在大敦穴　燒一下　倘止復崩即在原處燒之
若起泡　將泡挑破燒之無不止矣　此治崩症神效第一方
也
〔附錄〕此穴爲足厥陰肝經　所出爲井　圖翼：孕婦胎前產後皆
不宜灸

大椎（又名）百勞

〔位置〕在第一椎上與
　　　　肩相平

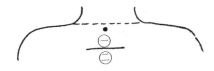

〔解剖〕第七頸椎與第
　　　　一胸椎間　棘
間靭帶及僧帽筋起始部　循橫頸動脈骨枝　分布副神經
及背椎神經
〔主治〕肺脹膽滿　嘔吐上氣　五癆七傷　乏功　溫瘧　痎瘧
　　　　氣注背膊拘急　頸項强不得回頭　風癆食氣　骨熱齒燥
〔手術〕針五分　灸五壯　俯而取之
〔考證〕玉龍歌：滿身發熱痛爲虛　盜汗淋漓漸損軀　須得百勞
　　　　椎骨穴　行針指要歌：或針勞須向膏盲及百勞　肘紋歌
　　　　：瘧疾寒熱眞可畏　須知虛實可用意　間使宜透支溝中
　　　　大椎七壯合聖治　甲乙：傷寒熱盛　煩嘔脊强風時寒
　　　　火氣滿喘　胸鬱氣熱　僵仆裏急　又灸寒熱之法　先
　　　　取大椎以年爲壯數　千金：小兒羊癇　喜揚目吐舌　主
　　　　短氣　外台：備急療障瘧方灸大椎四五十壯　無不瘥者
　　　　膏盲灸法　百勞穴在大椎上針主瘧　衞生寶鑑：水積

入胃　名液飲滑泄　渴能飲水　水下復泄　泄而大渴
此爲無證　當灸大椎　以年爲壯　神農經：治小兒急慢
驚風　灸寒熱法　先大椎長強　灸隨年壯　一云治鼻衄
不止　灸三十壯　斷根不發　竇太師：治諸瘧　寒熱灸
此　俗傳以此治百病　壽世保元：治瘧如神　令人跣足
平立　用繩一條　自腳板周近截斷　却將項前搬過背後
　兩繩頭盡處　脊骨中是穴　待將發時　急以火灸三七
壯　其熱病自止　此法曾遇異人傳授　妙不可言　背藍
穴也　治疗彙要：如疗生於督脈經行之地　以及頭面
如患對口項不能轉側者　刺後片刻　即能活動　再刺委
中穴　毒必解而轉腫　宜用三稜針　擠出紫血　隨以生
油生鹽擦穴上　俾毒可透溲
〔附錄〕此穴爲手太陽小腸經　大腸經　三焦經　足太陽膀胱經
　　胃經　足少陽　膽經　督脈共七脈之會

大骨空

〔位置〕手大指中節　屈指當骨尖上
〔解剖〕屈指伸筋上　指靜脈及橈骨尺骨之神經枝
〔主治〕目痛　翳膜　內障　眼
　　　癬　冷眼淚　珠赤
〔手術〕禁針　灸五壯　屈指取
　　　之

〔考證〕圖翼：主治內障及火痛及吐瀉灸二七壯　禁針　千金：
　　　目卒　生翳　灸大指節橫紋三壯　在左灸右　在右灸左

大指甲根

〔位置〕在大拇指近甲一分

〔主治〕雙娥

〔手術〕腓刺三針

〔附錄〕重者一日再刺

上巨墟（又名）上廉

〔位置〕三里下三寸

〔解剖〕脛骨與髀骨之間　循前脛動脈
分布瀉腓骨神經

〔主治〕臟氣不足　偏風　腳氣　手足
不仁　大腸冷　食不化　勞瘵
俠臍腹痛　氣上冲　胸煩滿
喘息　傷寒　胃熱

〔手術〕針五分　灸七壯　垂足取之

〔考證〕甲乙：頭風　腳腫　上巨圩　氣常冲胸　喘不能止　狂
妄走　善欠巨圩主之　千金：治虛勞　冷骨疼痛　失力
灸七壯　素水熱穴論：氣街上廉下廉三里　此八者瀉胃
中熱也

〔附錄〕此穴爲胃經所發　與大腸經集合處　又上廉在犢鼻下六
寸針三五分　灸三壯

上髎

〔位置〕在十八椎下　脊骨旁八
分

〔解剖〕第一紋荐骨孔部　有腰
筋膜及荐骨脊柱筋

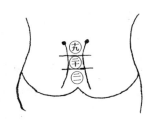

〔主治〕積聚脹滿不嗜食　傷寒
頭痛吐逆　脊強　下痢

　　　　目眩　水穀不化

〔手術〕針三分　灸五壯　伏取

〔考證〕甲乙：熱病汗不出　腰足痛　千金：絕子　寒熱　瘧痙
　　　　背反折　大理趙患腳風足膝不隨針　上膠環跳陽陵巨
　　　　墟下廉　凡日穴　即能跳起　圖翼：婦人絕嗣　陰癢挺
　　　　赤白帶下

上脘（又名）胃脘上紀　胃管上管

〔位置〕巨闕下一寸　臍上五寸

〔解剖〕上腹部白條線中　循上
　　　　腹壁動脈　分布肋間神
　　　　經穿行枝　主胃之賁門

〔主治〕腹中雷鳴　食不消化
　　　　腹病刺痛　霍亂吐痢

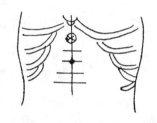

　　　　　身熱汗不出　腹脹氣滿　悸驚　翻胃吐血　心痛痰多
　　　　風癎奔脈　伏梁黃疸　積聚虛勞等

〔手術〕針七分　灸五壯　仰臥取之

〔考證〕玉龍歌：九種心痛及脾痛　上脘穴內胃神針　百症賦：
　　　　發狂奔走　上脘同起於神門　勝玉歌：心疼脾痛先上脘
　　　　神農經：治積塊心痛　嘔吐　灸十四壯　甲乙：頭眩身
　　　　熱　汗不出　心痛有三蟲　多羨不得反側　五臟胸脅支
　　　　滿痛上脘主之　千金：心堅積聚冷痛　灸百壯三報之
　　　　又霍亂吐不止　兩手陰陽脈俱數者　灸中脘及臍下三寸
　　　　各六七十壯　又五尸者　飛尸　遁尸　尸注　風尸　沉
　　　　尸　其狀腹脹氣急上衝　心胸不得息　或傍攻兩脅及塊
　　　　壘湧起　牽引腰背灸十壯　又五毒痓不能飲食　百病灸

　　　　心下三寸　甄權云：上管主心風驚悸　心膈嘔吐血　目

　　　　眩　太乙歌：兼豐隆治心疼　嘔吐　捷經：主風癇　熱

　　　　病　疣蟲　心痛

〔附錄〕此穴爲足陽明胃經　手太陽　小腸經　任脈三脈之會

　　　　千金：日灸至百壯三報之　孕禁灸

上星（又名）神堂　鬼堂　明堂

〔位置〕直尖直上入髮際

　　　　一寸

〔解剖〕在前頭骨筋中

　　　　循鼻前頭動脈

　　　　　分布前頭神

　　　　經

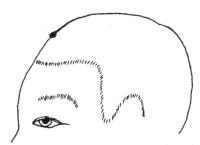

〔主治〕面赤　頭風

　　　　頭面虛腫鼻中　息肉振寒汗不出　目眩睛痛　目翳　口

　　　　鼻出血

〔手術〕針二分　灸三壯

〔考證〕勝玉歌：頭風眼痛上星專　玉龍歌：鼻流清涕　及鼻淵

　　　　先瀉後　補疾可痊　荐是頭風幷眼痛　上星穴內刺　無

　　　　偏　雜病穴法歌：衂血木膠與上星　千金：鼻中息肉灸

　　　　上星二百壯　瘧疾灸上星大椎　至發時令滿百壯　炷如

　　　　麥火　凡口鼻出血不止　名腦衂灸五十壯　鬼魅　百壯

　　　　　圖翼：鼻衂上星一壯即止　一日須七七壯　少則不能

　　　斷根

〔附錄〕此穴爲督脈所發　又十三鬼穴之一　治一切癲狂病　甄

　　　　權云：不宜灸銅人　灸七壯後　以三稜針洩諸陽熱氣

無論上冲頭目

上都

〔位置〕手食指中指岐骨間　本節之後

〔主治〕手背紅腫

〔手術〕針一二分　灸五壯　握拳取之

上關（又名）客主人　太陽

〔位置〕耳前起骨上廉　開口有空

〔解剖〕顳顬　顴骨　蚨虷骨三骨
　　　之關節部有顳顬筋

〔主治〕口目喎斜青盲迷目眯眯
　　　齒痛惡寒　耳鳴　耳聾
　　　瘈瘲　吐沫　瘈骨痛

〔手術〕禁針　灸三壯　張口取之

〔考證〕甲乙：主瘈瘲沫出　青盲耳疾　圖翼：口眼歪斜瞑耳
　　　目眩　齒痛　口噤

〔附錄〕此穴爲手少陽三焦經　膽　胃三經之會　素刺禁論：刺
　　　客主人內陷中脈爲漏如聾　甲乙：刺太瀉令人不聞　明
　　　德：針一分　素註：針三分　銅人：禁針　考以諸說不
　　　一如必要時宜以小針淺刺

小海

〔位置〕在肘內側大骨
　　　外　肘端五分

〔解剖〕鶩咀突起紋側
　　　尺骨筋起始

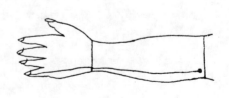

循尺骨側動脈　分布尺骨神經枝

〔主治〕頸強　肘臂痛　寒熱　風眩　頷腫　小腹痛　羊癲　瘲瘲　耳聾　目黃

〔手術〕針三分　灸三壯　屈肘取之

〔考證〕千金：治癲疾羊癇　吐舌　外台：主寒熱　牙痛　頭痛　肘癱項痛　引液　腰痛引小腹痛　四肢不舉　口痛

〔附錄〕此穴爲手太陽　小腸經　外台：不宜灸

小骨空

〔位置〕手小指第二節尖骨上

〔解剖〕在屈指伸筋與指靜脈及橈骨尺　骨二骨神經枝

〔主治〕目痛　翳膜內障　手節疼爛　弦風眼

〔手術〕灸七壯　屈指取之　以口吹火

〔考證〕診則主眼經腫　白膜翳障　耳瞶無聞　核瘰無憂　松心堂筆記：治身上生瘤方　男左女右　針微刺出黃水　一日即愈　針紋不可洗手　洗則復發

小腸俞

〔位置〕第十八椎下　去脊橫開　二寸

〔解剖〕第一二荐骨棘突起外側　第五腰椎橫突起荐骨翼　間

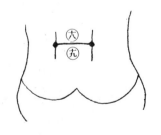

〔主治〕頭痛　口渴液少　小便黃　赤淋瀝遺溺　小腹脹滿　泄痢五色　足腫　五痔　婦人帶下

〔手術〕針三分　灸三壯　伏取之

〔考證〕靈光賦：大小腸俞　大小使　甲乙：小腹滿　控睪疝痛
　　　冲心腰强溺　黃赤　口干　腹痛　小便不利　又治消
　　　渴　口干不忍者　灸百壯　外台繫冊扁鵲曰：十八椎下
　　　各小腸俞　小腹脹滿虛乏　灸隨年壯　圖翼：主津液少
　　　便赤不利　淋瀝遺尿　瀉痢　心煩　短氣　五痔　婦
　　　人帶下

子宮

〔位置〕臍下四寸　中極旁開三寸
〔解剖〕恥骨軟骨接合部　上方有內
　　　外　斜腹筋右邊　當盲腸之
　　　下部
〔主治〕婦人久無子
〔手術〕針三分灸三壯

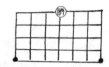

子戶

〔位置〕關元右旁
〔解剖〕胞衣不下　子死腹中　腹中積
　　　聚　腹痛
〔手術〕針一寸

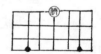

女膝

〔位置〕在足後跟赤白肉交接處
〔解剖〕腓腸節與比目魚筋附着部　跟
　　　骨之中央
〔主治〕骨槽風
〔手術〕灸五壯至七壯至五十壯
〔考證〕漢藥神效方：片蒼鶴陵日　元周嘗從一老翁　授治失心

驚悸　癲狂風逆等秘灸　足之後跟赤白肉　接界　灸五

十壯　獲驗頗多　　此即女膝穴　近安藩松某　某患骨

槽風左頷　穿一孔　濃血不絕　淋漓已三年　余教之曰

灸女膝穴　一月而痊

中府（又名）膺中俞　肺募　府中俞

〔位置〕乳上三肋間　云門下

　　　　六分

〔解剖〕前肋壁外上端　大胸

　　　　筋上部　通腋窩動脈

　　　　　分布肋間神經及胸

　　　　廓神經

〔主治〕傷寒尸注　肺寒熱　膽熱咳嗽上氣　喘氣　自汗不麻

　　　　肩背痛　肢腫癭瘤

〔手術〕針三分　灸五壯

〔考證〕百症賦：胸滿更加噎塞　中府意舍　所行　千金：奔豚

　　　　腰腹　連痛氣短　食不下　又煩熱刺中府　圖翼：主肺

　　　　急　胸滿喘逆　欬吐濃血　肺風面腫　喉痺少氣　飛尸

　　　　道注背痛　濁涕

〔附錄〕此穴爲手太陰肺經　脾經之會　肺之募也　宜淺刺否則

　　　　喘氣

中膂俞（又名）脊內俞　中膂內俞

〔位置〕二十椎下去脊橫角二寸

〔解剖〕第三四荐骨假棘突起外

　　　　側　有膜背筋膜　循上

　　　　膂動脈　分布荐骨神經

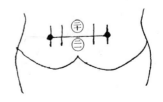

　　　　　後枝

〔主治〕腎虛消渴　腰痛　赤白痢　脅痛　腹脹

〔手術〕針三分　灸三壯

〔考證〕雜病穴法歌：痢疾合谷三里宜　甚者必須兼中膂　外台
　　　　：主治寒熱　瘈反拆　腋腫　背痛　內引心脊椎俠臍痛
　　　　　灸之立已　圖翼：主消渴　赤白　痢疝痛　汗不出
　　　　脅腹脹痛

中注

〔位置〕在肓俞下一寸陰交旁五分

〔解剖〕恥骨上方直腹筋部　循下腹壁脈
　　　　分布鼠蹊神經

〔主治〕目內皆赤爛　小腹熱　大便堅
　　　　泄氣　腰痛　月事不調

〔手術〕針五分至一寸　灸五壯

〔考證〕千金：治小腹熱　大便堅

〔附錄〕此穴爲足女陰腎經冲脈之會

中髎（又名）中空

〔位置〕第十二椎下　距脊約八分

〔解剖〕第三後荐骨孔部有膜背筋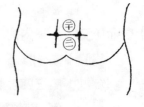
　　　　膜　循荐骨動脈　分布荐
　　　　骨神經之後枝

〔主治〕大小便不通　五癆七傷
　　　　殄泄之極下痢　帶下　月
　　　　事不調

〔手術〕針三分　灸三壯　伏而取之

〔考證〕勝玉歌：腰痛中空穴最奇　甲乙：小腸痛大便難　腰尻

痛氣窿　女子赤瑤時白月事少　中膠主之

〔附錄〕此穴爲足厥陰肝經膽經之會

中封（又名）懸泉

〔位置〕內踝前陷中大筋內然谷上寸許

〔解剖〕第一楔狀骨內側　舟狀骨上部

前脛骨筋外側

〔主治〕痰瘧　振寒　立淋寒疝　小便

閉微熱　不欲食　身體不仁　痿痺腹痛

〔手術〕針三分　灸三壯

〔考證〕勝玉歌：若人行步苦艱難　太冲中封針便痊　甲乙：色

滄滄然太息將死之狀　振寒溲白便難　陰痛腰腹連痛

中封主之　又主氣不食　踝前痛　女子少腹大　乳難

千金：失精陰縮　腹相引痛　灸五十壯　喉腫厥逆　五

淋膨脹　灸二百壯　外台：千金翼淋痛法　灸三十壯

圖翼：能止汗出

〔附錄〕此穴爲足厥陰肝經之郄

中都（又名）中郄太陰

〔位置〕內踝上七寸脛骨內附着部

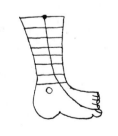

〔解剖〕脛骨部有筋　循脛動脈分枝

分布脛骨神經

〔主治〕積疝小腹痛　脛寒崩　中產後

惡露不絕

〔手術〕針三分　灸五壯

〔考證〕甲乙：陽癖崩中腹上下滿　千金：主癩疝　陰暴敗痛

〔附錄〕此穴爲肝經之郄

中渚（又名）下都

〔位置〕無名指小指本節後陷中液門上一
寸

〔解剖〕第四掌骨之前下方小指側之骨間
陷中　循第四骨動脈　分布尺骨
神經

〔主治〕熱病汗不出　目眩頭痛　久瘧咽
腫耳聾　目生醫膜　五指不能屈伸

〔考證〕玉龍歌：手臂紋腫連腕痛　液門穴　內用針明　更有一
穴名中渚　灸瀉中間疾自輕　席弘賦：久患傷寒肩背痛
但針中渚得其宜　肘後歌：肩背諸疾中渚下　勝玉歌
：脾痛心疼中渚瀉　雜病穴法歌：脊間心後稱中諸　通
玄指要賦：脊間心後針中渚而立輕　勝玉歌：五指不伸
中渚取　千金：主目眺眺無見風寒　五指不伸　外台：
中渚主熱病頭痛　耳聾　目痛　喉痺

〔附錄〕此穴爲手陽明三焦經　所注爲俞　針三分灸三壯　握拳
取之

中極（又名）氣原　玉泉　膀胱募

〔位置〕臍下四寸　關元下一寸

〔主治〕冷積冲心　腹熱臍下結塊奔豚
陰汗水腫　小便數　失精絕子
惡露不行　胎衣不下　脈不
調　陰痒　陰腫痛　尸厥　飢不能食　臨經行房羸瘦
寒熱轉浮血塊

〔手術〕針七分　灸三壯至五壯　臥取之

〔考證〕玉龍歌：婦人赤白帶下雜難　只因虛敗不能安　中極補
多宜瀉少　通玄指要賦：以見越人尸厥於維會　隨手而
甦　標幽賦：　太子暴死如厥　越人針繼窘復甦　甲乙
：疝繞痛連臍息　息小氣　尸厥　煩痛時富之後　丈夫
失精　女子陰癢腹熱痛　子門不端　經閉　陰卵偏大

〔附錄〕此穴爲足太陰脾經　腎經　肝經　任脈四脈之會　又膀
胱之募也　外台禁灸索刺論：刺小腹中膀胱溺出　令人
小腹大　查本穴考證　項中　通玄指要賦與標幽賦所載
之維會考諸堂註中　亦即此穴耳

中瀆

〔位置〕在髀膝外屈膝橫紋外角直上五
寸與環跳直對

〔解剖〕大腿外側股銷與外股筋中　循
外廻旋動脈　分布外股皮下及
上臂神經

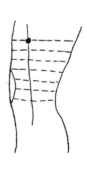

〔主治〕寒氣容於分肉間　上下痹不仁
攻痛上下中瀆主之

〔手術〕針五分　灸三壯　垂足取之

〔附錄〕此穴爲足少陽膽經之絡　別走入肝經

中脘（又名）太蒼　胃募　中管

〔位置〕在臍上四寸　上脘下一寸　居
岐胃與臍之中央

〔解剖〕上腹部白條線中　循上腹壁動
脈　分布肋間神經　前穿行枝

　　　　　內通腹膜容胃

〔主治〕喘氣　噯氣中惡　脾痛飲食不進　食不化　赤白痢　翻
　　　　胃伏梁　天行傷寒　溫瘧　霍亂腹痛

〔手術〕針七分至一寸二分　灸七壯　仰臥取之

〔考證〕玉龍歌：若是脾病中脘補　肘後歌：傷寒腹痛蟲覓食
　　　　吐蛈烏梅可難攻　十日九日必定死　中脘廻環胃氣通
　　　　雜病穴法歌：霍亂中脘可瀉入　脹滿中脘三里揣　靈光
　　　　賦：主手中積利　行針指要歌：或針痃　先向中脘三里
　　　　間　或針吐　中脘氣海膻中補　甲乙：心下大堅　胃腹
　　　　滿痛　鼻聞焦香　大便難　寒中傷胞　小胞熱　溺難
　　　　疝氣　冲胃死不知人　虛癆吐血　中脘主之　外台：肘
　　　　後療　霍亂腹痛　灸十四壯　狂癇吐舌　腹脹不通　出
　　　　泄不止　溫病汗不出　心腹痛　往來上下總病論：傷寒
　　　　飲水過多　腹脹氣喘刺中脘　扁鵲心堂黃帝灸法：氣厥
　　　　尸厥　灸百壯　急慢驚風　灸四百壯　產後血暈　無
　　　　故風搐發昏　嘔吐不食　灸五十壯　竇材灸法：瘕乃冷
　　　　物積聚而成　不過十日半月自愈　若涎系不絕　久則之
　　　　氣脫盡而死　灸中脘左命關各百壯　醫學入門：中脘主
　　　　傷內經脾胃　心痹痛　捷經　治食噯　陳修園：服涼藥
　　　　能食而熱可灸此穴

〔附錄〕此穴為小腸經　三焦經　胃經　任脈　四脈之會　又胃
　　　　之募腑之會也　凡腑病統治之　又回陽九針之一　凡暴
　　　　亡諸陽欲脫者　均宜治之　圖翼：孕婦不可灸

中庭（又名）龍頷

〔位置〕在膻中下一寸六分

〔解剖〕在胸骨體部　當左右肋之中央

〔主治〕噎塞　胸脅支滿　飲食不嘔吐　吐乳　乳娥

〔手術〕針三分　灸三壯　仰臥取之

〔考證〕千金：心痛冷氣上　灸百壯

　　　　灸龍頷百壯　不可刺

〔附錄〕此穴爲任脈氣所發

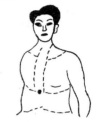

中樞

〔位置〕在十七椎下

〔解剖〕第十及十一胸椎間　膜背筋膜

　　　　起始部　循後肋動脈　分布神

　　　　經後枝

〔手術〕針三分　灸三壯

〔考證〕素氣穴論：背與心相引痛所治天突與十椎　千金：眼痛

　　　　灸二百壯　眼痛椎多椎佳至驗　圖翼：一傳此穴進飲

　　　　食　灸三壯常動

〔附錄〕此穴爲督穴所發　各書俱無其名　惟王氏註有載　故列

　　　　入參考　故主治從略不錄

中泉（又名）池泉

〔位置〕在手背腕中　居陽谿陽池之中

〔解剖〕尺腕二骨關節部　有總指伸筋

　　　　循腕尺背動脈　分布紋下膊

　　　　皮下及橈骨神經

〔主治〕心痛　諸氣疼不可忍

〔手術〕灸五壯至七壯　側置取之

〔考證〕圖翼：氣滿胸中不得臥　肺脹滿目中白翳　掌中熱　胃

　　　　　氣下逆　　唾血　　心腹諸氣痛

天府

〔位置〕腋窩橫紋頭直下三寸臂內廉動
　　　　脈中　直對尺澤相去三寸

〔解剖〕上膊骨內側上部　二頭膊筋中
　　　　及上膊動脈分枝

〔主治〕暴痺　口鼻出血　身脹不得臥
　　　　汗出喘息　恍惚嗜臥　千金：
　　　　中意　風邪氣鬼語癭氣　灸五十壯　惡痓　飛尸
　　　　遁尸主治瘧病

〔附錄〕此穴爲肺經脈氣所發　甲乙：針不可灸　灸則令人氣逆
　　　　素至眞要大論：天府絕死不治

天樞（又名）長谿　谷門　大腸募循際長谷

〔位置〕臍旁二寸　滑肉門下一寸

〔解剖〕直腹筋外緣　循下腹壁動脈
　　　　分布肋間神經前穿行枝

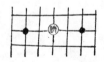

〔主治〕泄瀉　赤白　痢疾　腹脹氣上冲胸　食不下　久積冷氣
　　　　繞臍痛　霍亂　嘔吐　寒熱狂言　多飲氣喘　癥瘕血塊
　　　　漏下赤白　月事不調　痃瘧氣疝

〔手術〕針五分　灸五壯

〔考證〕百症賦：月潮違限　天樞水泉細詳　玉龍歌：脾泄之症
　　　　別無他　天樞二穴刺休差　勝玉歌：腸鳴大便時泄瀉
　　　　臍旁二寸灸天樞　標幽賦：虛損天樞而可取　千金：久
　　　　疝及婦人癥瘕　腹痛泄痢　又霍亂先下痢者　男左女右
　　　　灸十四壯　泄痢不嗜食　灸五十壯　圖翼：治俠臍疼

　　　　痛　腹中氣塊　久瀉不止

　　〔附錄〕此穴爲腎經冲脈之會　又胃經脈氣所發　大腸之募也

　　　　圖翼　千金云：魂魄之所不可　孕婦禁灸

天池（又名）天會

　　〔位置〕乳頭外旁一寸　腋下三寸

　　〔解剖〕在四五肋間　有大胸筋及前大鋸筋　分布肋間神經

　　〔主治〕上氣胸膈　煩滿熱病　頭痛

　　　　四肢不舉　腋腫　痰癧目昏

　　〔手術〕針三分　灸三壯　側臥取之

　　〔考證〕百症賦：委陽天地　液腫而速

　　　　散　千金：治頭漏瘰癧　灸百壯

　　〔附錄〕此穴爲心包絡經　膽經之會　素刺禁論　刺腋下脅間內

　　　　陷令人咳

天宗

　　〔位置〕在秉風後　大骨下　即肩頜向

　　　　內斜上一寸七分

　　〔解剖〕肩甲骨之棘下筋部淺層有僧帽

　　　　筋　循橫肩甲骨動脈

　　〔主治〕肩臂痠痛　肘痛　頜腫

　　〔手術〕針三五分　灸三壯　舉手取之

　　〔考證〕甲乙：肩痛　手臂不舉　天宗主之　外台：主欬逆　煩

　　　　滿　搶心

　　〔附錄〕此穴爲手太陽小腸經脈氣所發

天窗（又名）窗籠

　　〔位置〕在頸大筋前曲頜下　扶突後即天容下一寸

〔解剖〕胸鎖乳咀之前方　循內頸動脈

　　　　分布鎖骨上神經及下頸下神

　　　　經

〔主治〕痔漏　項痛　肩不得回頭　耳

　　　　聾　暴瘖不能言　口噤　中風

　　　　癭瘤

〔手術〕針二三分　灸三壯　直項取之

〔考證〕甲乙：頜腫痛　頸瘈天窗臑會主之　千金：中風不能言

　　　　緩瘲不能遂　先灸天窗　後百會畢　仍灸天窗　各五

　　　　十壯　若先灸百會　則風氣不得伸　內攻五臟起閉伏

　　　　仍失音也重者　三百壯大效　又主瘈風痛癮疹　灸七壯

　　　　外台：耳聾無聞　喉痛暴瘖　項強　圖翼：主治頸癭腫

　　　　痛　頰項齒噤　耳聾鳴　喉痛

天容

〔位置〕耳下曲頰後　下顎之直紋五分

〔解剖〕在胸鎖乳咀筋部　耳下線存在處

　　　　循後頭及內頸動脈

〔主治〕喉痺寒熱　癭瘤頸癰　胸滿痛嘔

　　　　吐　耳聾鳴　齒噤

〔手術〕針二三分　灸三壯

〔考證〕甲乙：疝積胸中痛　肩痛不舉　千金：主喉痺寒熱　耳

　　　　疾欬逆嘔沫

〔附錄〕此穴爲手少陽動所發　按圖翼　屬手太陽經　經脈圖考

　　　　言灸不言針　用針者當慎重無忽

天柱

〔位置〕在頸紋髮際外廉中風府旁七分

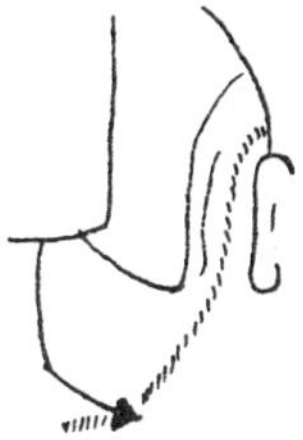

〔解剖〕在項線下僧帽筋停止部外側　循後頭動脈　分布大後頭神經

〔主治〕足不任身　身背痛　目不明　項如拔　腦如脫　頭眩　鼻塞

〔手術〕禁灸　針三分　俯頭取之

〔考證〕百症賦：目覺䀮䀮　頭旋腦痛急取養老天柱　甲乙：熱病汗不出　頭重痛　狂見鬼眅項强　掌足不仁　身痛欲拆　瘖瘨疾互引　天柱主之　總病論：刺項太陽而汗出止天柱　可刺五分瀉之

〔附錄〕此穴爲足太陽膀胱經脈氣所發

天谿

〔位置〕胸鄉下寸六分　去膻中旁六寸

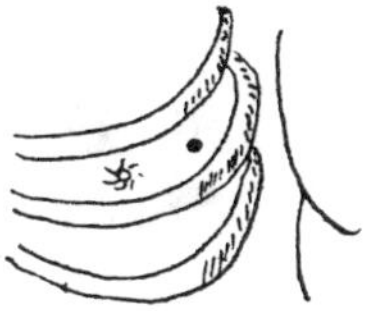

〔解剖〕第四五肋間有前大鋸筋　大胸筋及內外肋間筋

〔主治〕胸脅滿痛　上氣咳逆　喉鳴乳腫　㿉㾬

〔手術〕針三分　灸三壯　臥取

〔附錄〕此穴爲足太陰脈所發

天泉（又名）天溫

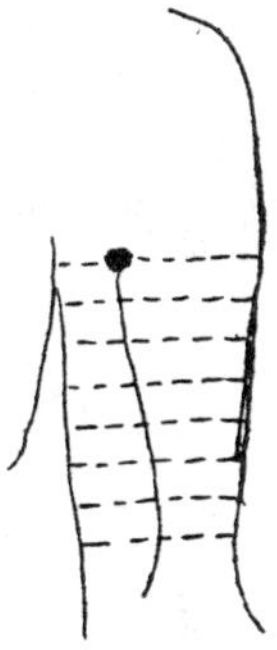

〔位置〕在臂內側　曲腋下二寸與曲澤成直線

〔解剖〕膊骨前內側三頭膊筋部　循上膊動脈　分布內膊皮下神經

〔主治〕目視不明惡風　胸脅支滿咳逆

　　　　胸背痛　引臂內廉
　〔手術〕針五分　灸三壯　舉臂取之
　〔考證〕甲乙：石水天泉　主足痛不收外台：天泉主胸滿　心痛
　　　　臂背痛　引臂內廉

天井

　〔位置〕在肘外大骨後肘
　　　　尖上一寸兩筋陷
　　　　中
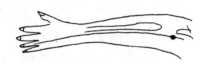
　〔解剖〕橈尺二骨之中
　　　　鷺咀突起　上方三頭膊筋內緣　循關節動脈網　分布內
　　　　膊皮下神經
　〔主治〕心滿　咳逆上氣　短氣　不能語　唾膿　寒熱　驚悸不
　　　　得臥　五癇風痺　耳聾咽干　咽腫痛　目銳眥痛耳紋廉
　　　　痛　腰疼　大風不知所痛　悲不樂　腳氣上攻瘰癧
　〔手術〕針三分至五分　灸五壯　屈肘取之
　〔考證〕勝玉歌：瘰癧少　海天井邊　玉龍歌：如今隱疹疾多般
　　　　好手醫人治亦難　天井二穴多着艾　縱生瘰癧皆安　雜
　　　　病穴法歌：胸痺心痛　灸天井　瘧疾時發　心痛悲傷不
　　　　樂　瘻痺癲疾　吐血　神農經：治欬逆上氣　風臂肘痛
　　　　可灸七壯　　圖翼：瀉一切瘰癧瘡腫癭疹
　〔附錄〕此穴爲三焦經脈所發

天髎

　〔位置〕在鎖骨上窩部　曲垣之前　約肩井內一寸　即缺盆上陷
　　　　些有起肉處
　〔解剖〕肩甲骨上部有僧帽及肋上筋　循紋肩甲動脈　分布肩甲

神經

〔主治〕寒熱　胸煩滿痛　肩背痠重

　　　　汗不出　頸强急

〔手術〕針五分　灸三壯

〔考證〕甲乙：身熱汗不出　胸中煩滿　千

　　　　金：主肩重不舉　外台：主治肩肘痛引項寒熱　缺盆痛

〔附錄〕此穴爲手少陽　三焦經　膽經　陽維　三脈之會　銅人

　　　　：當缺盆陷上突起之肉　針之　若誤針　陷處傷人五臟

　　　　氣令人卒亡

天牖

〔位置〕頸大筋外缺盆　上天客後

　　　　風池前　完骨下　即天

　　　　柱與天容中

〔解剖〕顴顬骨乳咀突起紋下部

　　　　循頭動脈分枝　分布小紋

　　　　頭及頸椎神經

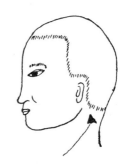

〔主治〕暴聾　夜夢顛倒　面黃腫頭風項强　目不明。

〔手術〕禁灸針三分

〔考證〕甲乙：肩背痛　瘰癧繞頸　耳目不用風眩　喉痺　千金

　　　　：主目淚　目不明　缺盆痛　乳癰

〔附錄〕此穴爲三焦經脈所發　銅人　不宜補　不灸　灸則令人

　　　　眼合面腫　先取譩譆　後取天容風池　即瘥若不針　譩

　　　　譆其病難療

天衝（又名）天衢

〔位置〕耳上入髮際一寸　率谷後三分

〔解剖〕耳上翼根後部　顬顬筋上緣

　　　　即蛾蝶骨乳樣之縫合際

〔主治〕癲疾　風瘂　牙痛　頭痛

〔手術〕針三分　灸三壯

〔考證〕百症賦：反張悲哭仗天冲大橫須精　癲疾　頭痛　驚悸

〔附錄〕此穴爲膀胱經　膽經之會

天突（又名）玉戶天瞿

〔位置〕在甲狀軟骨下四寸　厚結喉下四寸陷中

〔解剖〕胸骨頸截痕上際中央　左右胸鎖乳咀筋中間　瀉部有氣

〔主治〕上氣咳逆　暴喘　咽腹喉聲如

　　　　水難　喉瘡　嘔吐　咯膿血

　　　　心酸　多睡　咳嗽　哮喘

〔手術〕針三分至五分　灸三壯至五壯

〔考證〕玉龍歌：哮喘之症最難當　夜

　　　　間不睡氣遑遑　天突妙穴宜尋

　　　　得　膻中着艾便安康　勝玉歌

　　　　：更有天突與筋縮　小兒吼閉自然疏　席弘賦：誰自天

　　　　突治喉風　靈光賦：天突治喘痰　神農經：氣喘　咳嗽

　　　　灸七壯　扁鵲心堂：一人患喉痺　氣上攻　喉閉塞

　　　　灸五十壯即可進粥　服羌汁湯一劑而愈　圖翼：主治一

　　　　切癭瘤　初起灸之妙。

〔附錄〕此穴爲任脈　陰維二脈之會　銅人：針三分　留三呼灸

　　　　不及針　針宜直下　得氣即瀉　勿低手　低手則入五

　　　　臟氣　令人壽短

天鼎（又名）天頂

〔位置〕頸部缺盆上扶突直下一寸

〔解剖〕在濶頸筋中　循橫頸及外項

動脈　分布頸皮下神經

〔主治〕暴瘖氣硬　喉痺嗌腫　不得

息　飲食不下

〔手術〕針三分　灸三壯

〔考證〕百症賦：天鼎間使失音而休

遲

〔附錄〕此穴爲手陽明　大腸經脈氣所發

〔部位〕離甲狀軟骨（即結喉）三寸五分再下一寸　即頸筋下肩

井內。

天庭（又名）神庭

〔位置〕鼻尖直上入髮五分

〔解剖〕前頭骨部　循前頭動脈

分布前頭神經

〔主治〕登高而歌　棄衣而走　弓

角反張　吐舌　頭風　目

眩　流清涕　嘔吐　煩滿

喘渴

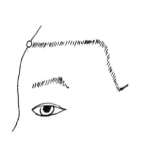

〔手術〕禁針灸三壯　正頭取之

〔考證〕玉龍歌：中風不語最難醫　髮際項門穴要知　頭風嘔吐

眼昏化　穴取神庭始不差　儒門事親：目顠　目翳　針

神庭　上星　顖會　前頂　百會五穴出血翳者可使立止

腫可能立消　昧可立立己前五穴　非徒治目疾　至於

頭痛脊强　腎囊痒出血皆愈　凡針此勿瀉　瀉恐傷骨

〔附錄〕此穴爲膀胱經　胃經　督脈三脈之會　甲乙：禁針　針

令人目失精　癲疾　銅人：禁針　使人發狂　目失精

天門（又名）日月　膽募　神光

〔位置〕期門下五分　微斜向內些

〔解剖〕上腹部外斜筋中長胸動脈

分布上胸神經末端

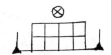

〔主治〕太息善悲　少腹熱　言語

不正　四肢不舉　吞酸嘔吐善悲

〔手術〕針三分至五分　灸三壯

〔附錄〕此穴爲足太陰　脾經　膽經　陽維三脈之會　又膽之募

也

尺澤（又名）鬼受　鬼堂

〔位置〕肘後紋之中央

曲肘筋骨罅中

肘窩橈側　凹

窩內

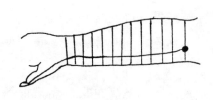

〔解剖〕橈骨與上膊骨

之關節部　當二頭膊外緣之起始部

〔主治〕汗出中風　痎瘧寒熱　風痺　短氣喘滿　瘈熱　嘔吐

口干　手肩不舉　心疼　肺脹脊強　小便數慢　驚風

〔手術〕禁灸針三分　伸臂取之

〔考證〕席弘賦：五般肘痛　尋尺澤　雜病穴法歌：吐血尺澤功

無比　通玄指要賦：尺澤去肘之疼緊　靈光賦：吐血定

喘補尺澤　勝玉歌：尺澤瀉刺去不仁　甲乙：振寒瘛瘲

手不伸曲　氣膈逆　卒欬逆　尺澤出血則已　千金：

治喉腫　胸脅支滿百壯　五臟一切諸什候　瘧疾　短氣
干嘔　尺澤主之　圖翼：小兒慢驚風　可灸一壯

〔附錄〕此穴爲手太陰肺經所入　爲會毒至眞要大論：尺澤絕死
不治　素刺禁論：刺肘中內陷氣歸之　爲不屈伸　宜以
小針淺刺

太淵（又名）鬼心　太泉

〔位置〕掌後寸口前橫紋上接連經渠
〔解剖〕內橈骨筋腱外側　舟吠　骨結節外
上部　循橈骨動脈　分布外膊皮下
神經橈骨神經

〔主治〕乍寒乍熱　狂言　咽干　目赤痛
白翳　咳嗽　嘔噦　咳血　嘔血　掌心熱　背痛　引缺
盆　胸痺肺脹　心痛　溺變色遺矢　煩悶不眠
〔手術〕針二分　灸三壯
〔考證〕席弘賦：氣刺兩乳求太淵　玉龍歌：寒痰　咳嗽　肺有
風　列缺二穴最攻　攻先把太淵穴一瀉　多加艾火即收
功　靈光賦：氣刺兩乳　求太淵　十二經治症主客原絡
訣：太陰多氣宜少血　心胸氣脹　掌發熱　喘哮缺盆痛
莫禁　咽腫喉干　身汗越所生病者何穴求　太淵偏歷與
君說　千金：主胸滿心痛　胃氣上逆　神農經：治牙疼
手腕痛失力　可灸七壯
〔附錄〕此穴爲手太陰肺經　所注爲兪　凡肺病統治之　毒氣交
變論：太淵絕死不治

太乙

〔位置〕幽門下一寸　中脘旁二寸

〔解剖〕小腸外部有外斜及直腹筋上
　　　　腹動脈　分布肋神經間穿行
　　　　枝

〔主治〕癲疾狂走　心煩吐舌
〔手術〕針五分　灸五壯
〔考證〕甲乙：癲狂疾　心煩
〔附錄〕此穴爲足陽明胃經脈所發

太白

〔位置〕是大趾本節紋內側赤白肉中
〔解剖〕第一蹠骨末端內側　楔狀骨結
　　　　節上陷凹中

〔主治〕身熱氣逆　煩滿食不化　嘔吐
　　　　陰氣　上冲體重瀉膿血　腰痛　大便難　霍亂抽筋　胃
　　　　心痛　膝胻痠骨痛
〔手術〕針三分　灸三壯　正坐垂足取
〔考證〕通玄指要賦：太白宣通於氣冲　甲乙：熱病不得臥　胸
　　　　脅滿痛　腸鳴切痛身重骨痿　便難　中諸太白主之　千
　　　　金：主暴泄　心痛尤甚　食不化　善嘔泄膿血　頭痛霍
　　　　亂　逆冷
〔附錄〕此穴爲足太陰脾經所注爲俞　亦即原也

太谿（又名）呂細

〔位置〕在足內踝後五分
〔解剖〕內踝與跟骨陷中　循後脛動脈
　　　　分布脛神經後枝

〔主治〕久瘧不食　咳逆吐血　心痛手

　　　足寒　喘息　吐黏痰　口如膠

　　　　疝氣　煞瘧　嗜臥　咽腫痃

　　　癖　腹脅疼痛　溺黃　齒痛

〔手術〕針三分　灸三壯

〔考證〕玉龍歌：腿腫足紅草難風　須把崑崙二穴攻　申脈太谿如再刺　神醫妙訣現疲症　雜病穴法歌：兩足麻痠起太谿　通玄指要賦：牙痛呂細堪治　肘後歌：足膝經年痛不休　內外踝邊用意求　穴號崑崙幷呂細　十二經治症主客原絡訣：臉黑嗜臥不欲糧　目不明兮發熱狂　腰痛足疼步難履　若人捕獲難躲藏　心膽戰競氣不足　更兼胸結與身黃　若欲除之無別法　太谿飛揚最取良　甲乙：熱病汗不出　欲臥　便黃心痛如銳　又少陰瘧　令人嘔吐　甚多寒少熱　其病難已取　太谿主痃瘧　心悶不能臥　瘄瘧　霍亂　泄出不如暴疝　神農經：治牙疼灸七壯　紅腫者瀉之　又陰股濕痒生瘡便毒先補先瀉　濟陽綱目：嘗治一男女喉痺　於此穴刺出黑血而愈

〔附錄〕此穴爲足少陽膽經所注爲俞　又回陽九針之一　凡暴亡諸陽欲脫者　均宜治之

太衝

〔位置〕在行間後一寸五分大次趾岐後

〔解剖〕第一二蹠骨與楔狀骨關節部　長與短伸拇筋之間

〔主治〕肩腫肉傷　瘟疫虛癆　面自浮腫難　便囊縮　遺溺　胸脅支滿　肝心痛　便血淋漓　疝氣　嘔吐血　口干　內踝前

　　痛　臍痛　腰痛引小腹　兒童卒疝　女子漏下不止　羊

　　癇驚風　馬刀瘍瘻

〔手術〕針三分　灸三壯

〔考證〕席弘賦：手連背脊痛難忍　合谷針時要太冲　又咽喉最

　　　　急先百會　太冲台海及下陰交　百症賦：太冲瀉唇窩於

　　　　速愈　玉龍歌：行步艱難疾轉加　太冲二穴效堪誇　標

　　　　幽賦：寒熱痺痛開四關　而已之　心胸腹脹針太冲　而

　　　　心除　通玄指要賦：行步難移太冲最奇　勝玉歌：若人

　　　　行步苦艱難　中封太冲針便瘥　肘後歌：腳膝腫起瀉太

　　　　冲　馬丹陽十二穴歌：動脈知生死　能醫驚癇風　咽喉

　　　　幷心脹　兩足不能行　七疝偏墜腫　眼目似雲朦　亦能

　　　　療腰痛　千金：太冲二穴針灸隨便治馬黃　黃疸　瘟疫

　　　　毒病　凡上氣發冷　腹鳴灸五十壯　又產後出汗不止

　　　　刺太冲補之　保命集：小腸疝氣痛當刺太冲穴　神農經

　　　　：治寒濕腳氣痛難步　灸三壯

〔附錄〕此穴爲肝經所出　爲原毒眞至要大論：太冲絕死不治

太陽

〔位置〕在眉後陷中太陽紫脈上

〔主治〕眼紅腫痛及頭

〔手術〕用三稜針刺出血　其出血之法

　　　　用帛一條　緊扭其頭紫脈　即

　　　　見却于紫脈上刺出血極效　取

　　　　法以中指或食指　按病者之眼梢眉梢　平向鬢髮移動四

　　　　寸許地位　覺有一凹陷者　即是太陽穴　穴在目外眥角

　　　　與眉梢之間　向髮際一寸五分之處

少商（又名）鬼信

〔位置〕在大指內側　白肉際去爪甲角二
　　　　三分

〔解剖〕拇指第二節前內側　爪甲之發生
　　　　根部　在拇指內轉筋　循橈骨神
　　　　經之前枝

〔主治〕痎瘧　咳逆　汗出而寒　頷腫喉閉　煩心　善噦　口干
　　　　引飲食不下　胸滿　手攣掌熱　小兒乳娥

〔手術〕禁灸　針一分

〔考證〕百症賦：少商曲澤血虛口渴同施　玉龍歌：乳娥之症少
　　　　人醫　必用金針疾治　徐如若少商出血後即時安隱　免
　　　　災危天皇秘訣：指痛攣急少商好　肘後歌：剛柔二脛最
　　　　秉張口噤眼合面紅粧　熱血流入心肺腑　須用金針刺少
　　　　商　勝玉歌：頷腫喉閉少商前資生　咽中閉塞水粒不
　　　　針此穴立愈　甲乙：瘧寒熱厥　煩心善噦　心滿汗出
　　　　吐沫肺漲　上氣引飲　咳逆痹痛　嘔吐膨脹　然手肘不
　　　　仁　少商主之　聖濟總錄：唐刺史成君焯　忽頷頤腫
　　　　喉閉塞　三日水粒不下　甄權以三稜針刺少商立愈　瀉
　　　　五臟熱也　乾坤生意：此為十井穴　凡初中風　暴卒昏
　　　　沉不省人事　痰涎壅盛　藥水不下急以三稜針刺之　及
　　　　少冲　中冲　少澤　商陽使血氣流行　乃起死回生妙穴
　　　　　圖翼：治頸腫　喉痹　小兒乳娥

〔附錄〕此穴為肺經所出為井　又十三鬼穴之一　統治一切癲狂
　　　　病　甄權云：此脾之候不宜灸　按本穴屬禁灸之例　然
　　　　治邪崇病鬼魅每有灸之

少衝（又名）經治

〔位置〕在小指內側　去爪甲如菲菜

〔解剖〕當第五指第三節內側　爪甲之發生
　　　　根部

〔主治〕寒熱熱病　煩滿上氣　嗌干目黃
　　　　肘後廉痛　胸心痛　多痰悲驚
　　　　肘痛不伸

〔手術〕針一二分　灸三壯

〔考證〕百症賦：發熱伕少冲曲池之津　玉龍歌：膽寒心虛病如
　　　　何　少冲二穴功最多　乾坤生意：此爲少商穴同治　外
　　　　台：主熱病煩心　乍寒乍熱　大成張潔古治前陰臁臭
　　　　瀉汗行間　後於此穴治其標

〔附錄〕此穴爲手少陰心經出爲井

少澤（又名）小吉

〔位置〕小指外側去爪甲角如菲菜

〔解剖〕第五指第三節外側爪甲之發生根部
　　　　　有外轉小指筋　循尺骨動脈指背
　　　　枝

〔主治〕瘧疾寒熱　喉痹口干　心煩咳嗽
　　　　吐涎項强　頭痛目生翳　手臂痛

〔手術〕針一分　灸二壯　中風不省人事　急以三稜針刺出血

〔考證〕玉龍歌：婦女吹乳痛難消　吐血風痰稠似膠　少澤穴內
　　　　明補瀉　千金：耳聾不得眠　刺小澤補之　外台：主瘖
　　　　瘧寒熱　圖翼：主目生翳　婦人無乳　先瀉後補

〔附錄〕此穴爲手太陽小腸經所出爲井

少府

〔位置〕在小指本節後　骨縫陷中直勞宮

〔解剖〕有指掌動脈與尺骨神經指掌枝

〔主治〕痎瘧久不愈　振寒煩滿　少氣胸
　　　　痛　悲恐畏人　臂痠肘攣　陰挺
　　　　陰痒　遺尿偏墜　小便不利

〔手術〕針三分　灸三壯

〔附錄〕此穴爲手少陰脈所溜爲滎火　主治心胸痛　肘後歌：心
　　　　胸有病少府瀉

少海（又名）曲節

〔位置〕在肘內廉大骨後　去肘尖五分

〔解剖〕鷺咀突起　外側小指屈筋停止部

〔主治〕寒熱齒齲痛　目眩發狂　健忘嘔吐　順强肘攣　腋下痛
　　　　頭風痛　氣逆瘰癧　心疼手顫

〔手術〕禁灸針三分　屈肘取之

〔考證〕席弘賦：心疼手顫少海間　百症
　　　　賦：且如兩臂顫麻　少海就傍於
　　　　三里　雜病穴法歌：心痛手戰少
　　　　海求　勝王歌：瘰癧少海天井邊
　　　　　千金：少海主氣逆　呼吸唾嘔
　　　　又主腋下瘰癧　風痺搔漏　屈
　　　　不能伸　刺三分留七呼瀉五吸

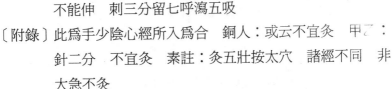

〔附錄〕此爲手少陰心經所入爲合　銅人：或云不宜灸　甲乙：
　　　　針二分　不宜灸　素註：灸五壯按太穴　諸經不同　非
　　　　大急不灸

五里（又名）尺之五間

〔位置〕肘上三寸　行間些內曲池之直上

〔解剖〕上膊頭外側　三頭膊筋外緣　循
橈骨側副動脈　分布後膊皮及橈
骨神經

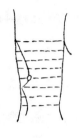

〔主治〕風癆驚恐　吐血咳嗽　肘痛筋急
心脹胸滿　痃癖瘰癧　目視不明

〔手術〕禁針灸三壯　拱手取之

〔考證〕百症賦：五里臂俞生癧瘡而能治　甲乙：痃癖上氣少氣
又矇目不明　左取右　右取左　灸五壯　千金：灸癧
方　五里人迎各五十壯

〔附錄〕此穴在天府下五寸

五處

〔位置〕眉頭直上入髮際一寸
上星旁半寸

〔解剖〕前頭骨部筋中　循鼻
前頭動脈　分布前頭
神經

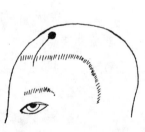

〔主治〕脊強反拆瘈瘲　頭風
熱　目眩頭痛　目不明時嚏不已

〔手術〕針二三分　灸三壯

〔附錄〕此穴爲膀胱經脈所發

五樞

〔位置〕帶脈下三寸微向內些

〔解剖〕在腸骨前上棘部　循迴腸

動脈　分布腸骨下腹神經

〔主治〕疝癖　男子寒疝　陰卵上

縮　腹痛赤白帶下

〔手術〕針五分　灸五壯　側臥取之

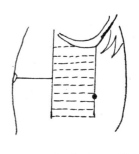

〔考證〕玉龍歌：五樞亦治腰間疼

得穴便知疾須輕　甲乙：男

子疝兩丸上下　小腹痛　赤白帶下　裡急瘛瘲　五樞主

之

〔附錄〕此穴爲膽經帶脈之會

五虎

〔位置〕在食指與無名指第二節

尖尖上

〔解剖〕伸指總筋與橈骨神經之

枝佈達

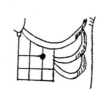

〔主治〕五指拘攣　灸主禁瘊

〔手術〕灸三五　壯握拳取之

〔附錄〕每手兩穴　兩手共四穴

不容

〔位置〕幽門旁一寸五分

〔解剖〕在第八節胸肋軟骨下緣　有

外斜及直腹筋　循上腹壁動

脈　分布肋間神經前穿行枝

〔主治〕腹滿疝癖　吐血胸痛　心肩引痛　口干喘痰　疝瘕

〔手術〕針二分　灸三壯

〔考證〕甲乙：嘔吐　脅與胸引痛　眼科錦囊　小兒疳眼及雀目

　　　　者　天樞天容灸之皆效

　　〔附錄〕此穴爲足陽明胃經脈氣所發

水道

　　〔位置〕大巨下一寸　關元旁二寸

　　〔解剖〕在小腸部有外斜及直腹筋　循

　　　　　　下腹壁動脈　分布肋間神經穿

　　　　　　行枝

　　〔主治〕腰強急　膀胱寒　三焦結熱　小腹痛引陰中子門寒　大

　　　　　　小便不通

　　〔手術〕針三分　灸五壯至五十壯

　　〔考證〕玉龍歌：水疾之疾最難煞　腹滿虛脹不肯消　先針水分

　　　　　　並水道　後針三里及陰交　千金：膀胱腎中熱氣　灸隨

　　　　　　年壯

　　〔附錄〕此穴爲胃經脈氣所發

水突（又名）水門

　　〔位置〕頸大筋骨人迎氣舍之中

　　〔解剖〕甲狀軟骨下緣外方　循後外

　　　　　　頸動脈瀉部內頸動脈　分布

　　　　　　舌下神經下行枝　當迷走神

　　　　　　經之路附近

　　〔主治〕咽喉癰腫　喘息　咳逆

　　〔手術〕針三分　灸三壯　引頸取之

　　〔考證〕甲乙：欬逆上氣　氣短喘不通　水突主之

　　〔附錄〕此穴爲足陽明胃經脈氣所發

水分（又名）中守分水

〔位置〕臍上一寸　中脘下一寸

〔解剖〕上腹部白條線中　循上腹動脈

　　　　分布肋間神經前穿行枝　內容橫

　　　　行結腸

〔主治〕水病腹堅腫轉筋　不嗜食　繞臍疼痛　脊強腸胃虛弱

　　　　鬼擊鼻衄　小兒顋陷

〔手術〕灸十壯　禁針　臥取

〔考證〕百症賦：陰交水分　去水腫之臍盈　勝玉歌：腹脹水分

　　　　多得力　雜病穴法歌：水腫水分與復溜　靈光賦：水腫

　　　　水分灸即安行　針指要歌：或針水水分使臍上邊取　甲

　　　　乙：痙脊強裏緊腹中拘痛　水分主之　外台：療霍亂

　　　　轉筋欲死　方灸臍上一寸十四壯　神農經：水腫可灸十

　　　　四壯至廿一壯　又集驗反胃吐食　灸二十一壯　圖翼：

　　　　洞泄脫肛者　須灸百壯　內服溫藥補之自愈

〔附錄〕此穴為任脈所發　圖翼：當小腸之下口至是　而秘清濁

　　　　水液入膀胱　渣滓入大腸　故曰水分　銅人：針八分

　　　　水病灸大良　又云：禁針之水盡即死　明堂：水病灸七

　　　　七壯　針五分　留三呼資生　不針為佳　甄權云：孕婦

　　　　不可灸　考以上諸說本穴之禁針專指水病而言之

水溝（又名）鼻人中鬼宮鬼客廳鬼市

〔位置〕鼻下溝之中央近鼻孔陷中

〔解剖〕鼻柱筋與口唇之中央　口輪匝筋中　循上唇動脈　分布

　　　　顏面頰枝　及上眼窩神經

〔主治〕消渴飲水無度　水氣

　　　　身腫　癲癎乍哭乍笑

中風口噤中惡鬼擊
黃疸瘟疫

〔手術〕針三分　灸三壯　正
面取之　又說禁灸

〔考證〕百症賦：原夫面腫虛浮須仗水溝前頂　玉龍歌：偏補曲池瀉人中　挫閃腰亦可攻　又中風之症病非輕　中冲二穴可安寗　先補後瀉無不應　再刺人中立便輕　口臭之疾最可憎　勞心只爲苦多情　大陵內穴人中瀉　心得清涼氣自平　靈光賦：水溝間使治癲邪　神農經：治小兒急慢驚風　灸三壯　通玄指要賦：人中治脊間之疼痛　席弘賦：人中治癲功最高　甲乙：寒熱頭痛取水溝　水腫人中盡滿唇者死　癲疾互引　贈目鼻衄不得息　不知香臭　衄血不止　水溝主之　肘後方：救卒死令抓病人之人中穴使醒　不惺者捲其手　灸隨年壯　卒死尸厥七壯　又針人中至齒　此是扁鵲法　即趙太子之患客　忤者中惡之類也　此多於道門外得之　今人必腹絞痛　氣冲心胸　不即治亦殺人　急灸人中三十壯　以粳米取斗一二升飲之　千金：治風治癢　刺痛鼻涕不止　灸三壯　卒邪魅恍惚振噤　灸人中及手大指爪角灸各七壯或十四壯　又治卒邪魅死無脈陰陽俱脫　故也針間使百餘息又灸人中水溝　主口窩不能言　又治鬼擊病方灸人中一壯即愈　外台：文仲療卒死方灸三壯　圖翼：主中惡中風　口噤不開　耳緊不省人事　癲狂水氣瘟疫　口窩斜等　俱宜治之　若風水面腫　針此穴水盡即愈　又云：水腫病針此一穴徐徐出之　以瀉水氣　若針他穴出水盡

即死。

〔附錄〕此穴為大腸經　胃經　督脈三脈之會　又十三鬼穴之一
　　　　統治一切癲狂病。

水泉

〔位置〕在足內踝後　太谿下一寸

〔解剖〕跟骨節結內側前上凹陷部　有
　　　　長伸拇筋　循後脛動脈　分布
　　　　脛骨神經

〔主治〕目不能視　月事不調或　下則心多悶痛　陰挺　小便淋
　　　　瀝　腹痛腳痛

〔手術〕針三分　灸三壯

〔考證〕百症賦：月潮違　限天樞水泉細詳　甲乙：主月水來而
　　　　不多　心下悶痛　目䀮䀮千金：主不孕　陰挺　淋瀝

〔附錄〕此穴為少陰足腎經之郄

內庭

〔位置〕在足次中趾之中　腳叉縫盡處
　　　　陷中

〔解剖〕第二趾第一節前外部　長短總
　　　　趾伸筋健中　循第一骨間足背
　　　　動脈　分布淺瀉腓骨神經

〔主治〕振寒傷寒　汗不出　不欲食　四肢厥逆　腹脹數欠　咽
　　　　痛　齒齲　鼻衄石蠱　皮膚痛

〔手術〕針三分　灸三壯　垂足取之

〔考證〕玉龍歌：小腹脹滿氣攻心　內庭二穴要先針　天星秘訣
　　　　：寒瘧面腫及腸鳴　先取合谷後內庭　馬丹陽十二穴歌

：能治四肢厥　喜靜惡聞聲　癮疹　咽喉痛數欠及牙疼
　瘧疾不能食　針着便惺惺　雜病穴歌：霍亂中脘可入
瀉　三里內庭瀉幾許　泄　瀉肚腹諸般疾　三里內庭功
無比　通玄指要賦：腹膨而脹奪內庭兮　而休遲　捷經
：治石蠱　大便不通　宜瀉此　甲乙：腹熱痙痛厥熱
皮痛　惡聞聲　目急喘滿寒慄　不嗜食　內庭主之　圖
翼：一傳治久瘧併腹脹

〔附錄〕此穴爲胃經所溜如榮

內關

〔位置〕在掌後二寸大陵直上兩筋中

〔解剖〕橈尺二骨中間　循前骨動脈分布
正中神經

〔主治〕中風矢志　心痛肘攣　目赤　實
則暴痛　虛則頭痛

〔手術〕針五分　灸三壯

〔考證〕玉龍歌：腹中氣痛甚難當　穴法宜向內關防　八法又名
陰維穴　腹中之疾永安康　雜病穴法歌：汗吐下法未有
他　合谷內關陰交忤　又舌裂出血　尋內關　胞衣台海
內關尋　百症賦：建里內關掃盡胸中苦悶　又胸腹滿痛
刺內關　蘭江賦：胸中三病內關擔　四百太冲宜細詳
八法歌：中滿心脹氣惶惶　腸鳴泄瀉脫肛　食難下隔酒
來傷　積塊堅橫脅撐　婦女協心痛　結胸裡結難當　傷
寒不解結胸膛　瘧疾內關獨當　神農經：心痛腹脹腹內
諸疾　可灸七壯　甲乙：面赤皮熱　中風　目赤黃　心
痛煩心　心惕不能動　失音內關主之　捷經：主胃脘不

快　兩肋刺痛　嘔吐氣虛痞塊不散　大便難用力　脫肛

便血不止　五痔五癇　口吐涎沫發狂痴呆　悲驚錯亂

不知親疎　神鬼不安　中風不省人事　心虛膽寒　按

以上諸症　先以內關主治　後隨症加各穴分治之

〔附錄〕此穴爲手厥陰心包絡經之絡　別入手少陽三焦經　緊握

拳取之

內迎香

〔位置〕在鼻孔中

〔解剖〕上顎骨犬齒喎上方　鼻孔之筋

中

〔主治〕目熱暴痛目赤

〔手術〕取蘆管子　向鼻孔中刺出血

〔考證〕外台：肘後卒後方成先有病痛

或居常仆臥倒　奄忽而絕　皆是中惡之類　療方以葱

刺鼻令入數寸　須使目中出血佳　一云耳中出血佳　儒

門事親：目暴赤發痛不止　以草莖刺鼻中出血最妙

內踝尖

〔位置〕足內踝上

〔解剖〕內踝尖　循後脛動脈　分布脛骨

神經分枝

〔主治〕牙痛　足內廉轉筋

〔手術〕灸五壯

〔考證〕治小兒四五歲不語　方各灸三壯　扁鵲：治卒中惡風

心悶煩毒欲死　內踝筋急不能伸縮行走　灸四十壯內踝

灸內　外踝急灸外　立愈　醫說岐伯灸法：療腳擂筋時

發不可忍者　灸踝上各一壯　診則內踝尖主牙痛　喉痹

吸吐雙痹鵝喉

內太衝

〔位置〕在足掌之側太冲內旁隔大

　　　　筋　陷　中

〔解剖〕第一蹠骨與楔狀骨之關節部內

　　　　側　有外轉及長伸拇筋

〔主治〕氣不宜通疝氣上冲

〔手術〕針二分　灸三壯　側足取之

內崑崙

〔位置〕足內踝後陷中

〔主治〕轉筋胕痛

〔手術〕針三分　氣到瀉之

支正

〔位置〕腕後五寸　陽谷直上與小海直對

〔解剖〕尺骨後面中央筋中　循尺骨動脈

　　　　分布尺骨神經

〔主治〕癲疾　驚恐　五痨虛弱十指痛

　　　　咽干　頭痛　風瘧

〔考證〕百症賦：目眩兮支正飛揚　千金

　　　　：主熱病　腰痛　頭痛　目眩

　　　　圖翼：五痨肘臂不伸　振寒　癲

　　　　狂驚風　頷腫　四肢無力　口干　腰背痠痛

〔附錄〕此穴為手太陽小腸經之絡別入手少心經

支溝（又名）飛虎

〔位置〕腕後三寸兩筋中

〔解剖〕橈尺二骨之中　總指伸筋與尺骨筋間　循間動脈分布正
　　　　中神經

〔主治〕傷寒結胸熱病　汗不出肩背痠
　　　　痛　四肢不舉　霍亂　嘔吐
　　　　牙關不開　暴瘖　心悶卒痛
　　　　鬼擊　喎瘡疥癬　婦人產後血
　　　　暈任脈不通　目赤痛

〔手術〕針三分　灸三壯　伸手取之

〔考證〕雜病穴法歌：大便虛閉補支溝　玉龍歌：若是脅痛幷閉
　　　　結　支溝奇穴效非常　勝玉歌：疼悶秘結支溝穴　肘後
　　　　歌：飛虎一穴通痞氣　祛風引氣使安寧　兩手兩脅痛難
　　　　伸　飛虎神到灸七壯　甲乙：欬面赤熱　目痛馬刀瘰瘤
　　　　　心痛逆氣口噤　多汗目赤　千金：治諸風灸七壯　圖
　　　　翼：治霍亂嘔吐　口噤暴瘖卒心痛　產後血昏　三焦火
　　　　盛及大便不通　脅筋痛者　俱宜瀉之

〔附錄〕此穴為三焦經所行如經

公孫

〔位置〕大趾本節後內側赤白肉陷中

〔解剖〕第一蹠骨末端內側　楔狀骨結節
　　　　之陷中

〔主治〕身熱氣逆　煩滿食不化　腹脹嘔
　　　　吐　瀉膿血　腰痛　大便難　霍
　　　　亂　抽筋　腹中切痛　骨痛　膝胻痠心　胃痛多飲太息

〔手術〕針三分　灸三壯

〔考證〕席弘賦：肚痛須是公孫妙　標幽賦：陰維陰蹻任冲脈
　　　　去心腹脅肋在裡之疑　雜病穴法歌：腹痛公孫內關爾
　　　　八法歌：九種心疼　涎悶結胸　反胃難停　酒食積聚
　　　　腸胃鳴　水食氣疾膈病　臍痛　腹疼　脅脹　腸風瘧疾
　　　　心疼胞衣不下　血逆心泄瀉　公孫之應截法：能治心
　　　　肝脾胃肺腎諸虛及黃疸　勝玉歌：脾心痛急尋公孫　神
　　　　農經：治腹痛心脹可七壯
〔附錄〕此穴爲脾經之絡　別走足陽明胃經　舉足兩足掌相對取之

心俞（又名）背俞

〔位置〕第五椎下去脊橫開二寸
〔解剖〕第五六胸椎橫突起　外側有僧帽
　　　　筋及菱形荐骨背中筋　循後肋間動脈　分布脊神經後枝
〔主治〕半身不遂　心亂恍惚　中風汗出　發癲癇　悲泣欵　咳
　　　　嗽　鼻衄吐血　嘔吐黃疸　目昏健忘　不欲食　心氣不
　　　　足　夢遺精　小兒數歲不語
〔手術〕針三分　禁灸　正坐取之
〔考證〕玉龍歌：遺精白濁心俞治　勝玉歌：膽寒尤是怕心驚
　　　　遺精白濁實難禁　夜夢鬼交心俞治　白環俞治一般針
　　　　席弘賦：婦人心痛心俞穴　千金：治諸風灸七壯　又心
　　　　懊憹微痛煩逆　筋急相引　灸百壯　外台：主治瘰癧
　　　　神農經：小兒數歲不語　灸五壯　圖翼：此穴主瀉五臟
　　　　之熱與五臟俞　同又療心虛遺精盜汗　心虛見黑屍鬼者
　　　　心俞以毛針刺之　得氣留神補即醒
〔附錄〕此穴爲足太陽之會　毒刺禁論：刺中心一日死　其動爲
　　　　意　甲乙：禁灸　按本穴古堂中原系禁灸　唯　外台：

灸三壯　千金：有灸二三百壯　雖如是　吾人仍以小柱
灸之

日月（又名）膽募神光

〔位置〕期門下五分　斜向外些

〔解剖〕上腹部外斜筋中　循上腹壁及長
胸動脈　分布長胸神經

〔主治〕太息善悲　多唾　言語不正　四肢不舉

〔手術〕針三分　灸三壯　臥取

〔考證〕甲乙：太息　善悲　發狂　千金：嘔吐吞酸　灸百壯三
報之

〔附錄〕此穴爲脾膽　陽維三脈之會　又膽之募也

手掌後白肉際

〔位置〕在手掌後白肉際處

〔解剖〕腕關節橫紋陷中有橫腕韌帶

〔主治〕霍亂

〔手術〕灸七壯

手掌後臂間穴

〔位置〕在左掌之後橫紋之上五指許的地方

〔解剖〕橈尺二骨中央長與淺屈拇間筋中

〔主治〕疔瘡

〔手術〕灸七壯

手足髓孔

〔位置〕手髓孔在腕上尖頭骨宛宛中
足的在外踝後一寸

〔主治〕痿風半身不遂

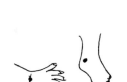

〔手術〕灸百壯

手大指爪甲後

〔位置〕第一指節橫紋頭白內際去爪甲二三分

〔解剖〕拇指第二節前外側　爪甲之發生根部

〔主治〕雀目

〔手術〕灸二壯

手表腕髁骨尖

〔位置〕在手表腕髁骨尖端兩筋之中

〔解剖〕腕關節前面橫紋正中凹陷部

　　　　廻前方筋下緣　循尺骨動

　　　脈分布正中神經

〔主治〕漏下赤白　月水不利

〔手術〕灸三壯

手大指內側橫紋頭

〔位置〕在手大指內側橫紋頭

〔主治〕目生白翳

〔手術〕灸三壯

〔附錄〕兼灸手小指本節尖三壯　主治手五指不屈伸神效

手足小指穴

〔位置〕在手足小趾尖頭去爪甲約二分

〔主治〕食痮消渴

〔手術〕灸隨年壯

〔附錄〕加灸項椎與膀胱　俞橫

　　　　開三寸　各隨年壯　又治癲疝　灸小趾尖七壯　左患灸

　　　　右　右患灸左

手中指第一節穴

〔位置〕在兩手中指背上第一節前有陷凹處

〔解剖〕第三指骨之本節　循第四骨動脈

　　　　分布尺骨神經

〔主治〕牙疼　手痛

〔手術〕灸七壯

中魁

〔位置〕在中指第二節尖上

〔解剖〕總趾伸筋與橈骨枝佈達

〔主治〕風眼　翳膜疼痛

〔手術〕灸五壯　握拳取之

〔考證〕診則：主反胃噎膈崩血　外治壽世方：鼻血用線緊扎中
　　　　指第二節骨處即止　右流扎左　左流扎右　雙流雙扎極
　　　　效

中衝

〔位置〕在中指端去爪甲角二三分

〔解剖〕中指端近爪甲發生根生部外側總指伸
　　　　筋腱之附著部

〔主治〕熱病煩悶　掌心熱　身如火　心痛　舌本痛

〔手術〕禁灸　針一二分

〔考證〕百症賦：廉泉中沖舌下腫疼堪取　玉龍歌：中風之病症
　　　　非輕中沖二穴可安寧　神農經：治小兒夜多哭灸一壯乾
　　　　坤生意此穴爲十井穴治同肺經少商穴

〔附錄〕此穴爲手厥陰心絡包出爲井按本穴古書列入禁灸考明堂
　　　　、甲乙有灸一壯之文如必要時以小煙灸之

五　畫

巨骨

〔位置〕在肩尖上行肩顒　向上斜內
　　　　些　肩甲關節前兩叉骨陷中

〔解剖〕肩骨棘與鎖骨外端上層　為
　　　　三角筋下層　為棘上筋之集
　　　　合部

〔主治〕驚癇　吐血　肩膊　肩胸中
　　　　瘀血　肩臂不仁

〔手術〕針三分　灸三壯　舉手取之

〔考證〕甲乙：肩痛不舉　血瘀不得動　圖翼：主驚癇　吐血
　　　　肩痛

〔附錄〕此穴為手陽明大腸經　陽蹻脈之會　素註：禁針針則倒
　　　　懸一　食頃乃得下針　針瀉之勿補針　出始得臥

巨髎

〔位置〕鼻孔旁八分　直對瞳神

〔解剖〕上顎骨與觀骨中間方形
　　　　上唇筋中　循下眼窩動
　　　　脈　分布顏面三叉神經
　　　　之枝別

〔主治〕瘈瘲唇頰腫痛　目障目
　　　　疾　面風翳覆　瞳子鼻頗腫痛　腳腫　口喎遠視不明

〔手術〕針三分　灸五壯

〔考證〕百症賦：胸膈停留瘀血　腎俞巨膠而徵　甲乙：面目惡

風寒癰腫翳覆瞳子　千金：青盲無見淫膚白膜巨膠主之

〔附錄〕此穴爲胃經陽蹻二脈之會

巨闕（又名）心募

〔位置〕鳩尾下一寸　臍上六寸

〔解剖〕上腹部白條線中　循上腹動脈分

布肋間神經枝

〔主治〕急痰痰飲　咳逆　嘔吐　胸滿

煩熱氣短　一切心痛　霍亂狐疝　驚忡傷寒　發狂　蠱

毒黃疸子上冲心

〔手術〕針五分　灸七壯　仰臥取之

〔考證〕勝玉歌：霍亂　心疼吐涎　巨闕着艾　便安然　標幽賦

：有閒高皇　抱疾未瘳　李氏刺巨闕而甦　甲乙：熱病

胸澹澹　腹滿暴痛　恍惚不知人事　心痛不得息　狂言

惡火罵詈　唾血短氣　霍亂　巨闕主之　千金：小兒驚

癇又卒　腹皮青黑　方以酒和胡椒粉敷上　若不急治

頃刻便死　又灸臍上下左右寸半　并巨闕各三壯　又主

心痛　不可忍欬血　吐血　灸七壯　外台：療亂先吐方

下痢　不止上氣　灸五十壯　又備療卒死　四肢不收

灸巨闕十四壯　臍下四寸臍上三寸　各百壯　良扁鵲心

堂：鬼邪着人　風狂妄語　乃心氣不足　灸七壯　灸瘡

發過再灸三里五十壯　醫學入門：主九種心疼痰飲吐水

神農經：治心腹積氣　灸十四壯　又治小兒諸癇疾

灸三壯柱如小麥

〔附錄〕此穴爲任脈脈氣所發　又心之募也

禾髎（又名）長頻　長顑

〔位置〕鼻孔下外側水溝旁五分

〔解剖〕上顎骨大齒窩部方形上唇中　循下

　　　　眼窩動脈　分布顏面三叉神經

〔主治〕尸厥牙關不開　鼻瘡息肉　鼻衄不

　　　　知香臭

〔手術〕禁灸　針一二分

〔考證〕靈光賦：兩頂鼻衄針禾髎　雜病穴法歌：衄血上星與禾

　　　　髎　　甲乙：鼻中一切疾患　口不開

〔附錄〕此穴爲大腸經脈氣所發　銅人：禁灸

外陵

〔位置〕天樞下一寸陰交旁二寸

〔解剖〕在小腸部　在外科及直腹筋

　　　　分布肋間神經前穿行枝

〔主治〕腹痛下引臍中心如懸

〔手術〕針二分至八分　灸五壯

〔考證〕甲乙：主腹中盡痛　圖翼：治腹痛引下臍中　景岳全堂

　　　　：外陵穴　灸疝立效　永不再發　屢用屢驗

〔附錄〕此穴爲胃經脈氣所發

外關

〔位置〕在腕後二寸　兩筋間與內關相

　　　　對曲手取之

〔解剖〕在總指筋與因有小指筋中　循

　　　　後骨動脈　分布橈骨神經後枝

〔主治〕耳聾　五指盡痛　善笑　掌熱

口辟目痛

〔手術〕針三分　灸三壯

〔考證〕雜病穴法歌：一切寒濕暑邪　頭風發熱　外關起　神農
經：治肘臂不仁灸七壯　蘭江賦：傷寒在表幷頭痛　外
關瀉動自然安　八法歌：四肢節疼　骨痛　半身不遂
頭風背跨內外筋骨　攻頭項眉稜皆痛　手足熱麻盜汗
破傷　眼腫睛紅　傷風　自汗表洪烘獨會外關爲重　十
二經治症主客原絡訣：包絡爲病手攣急　肩不能伸痛如
屈　胸背膺滿脅腫平　心中澹澹心色赤　目黃善笑不肯
休　心中煩痛掌熱極　良醫達士細推詳　大陵外關病稍
釋　甲乙：主治口噤淳焞渾渾　耳聾無聞　捷經：治肩
膊紅腫　支節痛　鼻衄不止　吐血不知人事　氣逆舌强
心煩重　舌口內生瘡　舌縮不能語　瘰癧繞頸連胸
又主目翳膜隱澀難關　目眩迎風流淚　目風腫痛　胬肉
攀睛暴赤　膜腫痛　按以上各症　先以外關主治　後隨
症加各穴分治之

〔附錄〕此穴爲手少陽三焦經之絡別走心包絡經

外邱

〔位置〕在外踝上七寸與陽交相　平
陽交在前　外邱在後　相隔
一筋

〔解剖〕腓骨與腫骨之間　循前骨動
脈　分布淺腓骨神經

〔主治〕胸脹　膚痛　痿痺　惡風寒惡
犬傷毒不出　癲疾　嘔味小兒龜胸

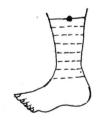

〔手術〕針三分　灸三壯

〔考證〕百症賦：外丘收手大腸　外台：主癲疾嘔沫

〔附錄〕此穴爲足少陽膽經之郄

外踝尖

〔位置〕在足外踝骨尖上

〔解剖〕外踝骨　循外踝動脈　分布脛腓
二骨神經

〔主治〕足外廉轉筋　寒熱腳氣

〔手術〕三稜針出血　灸五壯

〔考證〕千金：治風齒疼痛　灸三壯筋攣不得伸屈卒淋　灸踝尖
七壯

〔附錄〕可酌取內踝尖穴考證　中靈經脈篇：經脈常見者　足太
陽過於外踝之上　故所隱故也

四白

〔位置〕在目一寸　承泣下三分

〔解剖〕下眼窩之下　上顎骨上緣方
形上唇筋中

〔主治〕頭痛目眩　目赤不明　戾目
目瘍生翳　口喎辟

〔手術〕針一二分　灸一二壯

〔考證〕甲乙：目痛　口辟　目赤四白主之　圖翼：主頭痛　生
翳瞤動　流淚　目瘍　口辟不能言

〔附錄〕此穴爲胃經脈氣所發　銅人：凡用針穩當刺太瀉　瀉則
令人目烏色

四瀆

〔位置〕肘前五寸外廉陷中

〔解剖〕在橈骨與尺骨筋間
　　　　循尺骨動脈　總
　　　　趾伸筋　與外尺骨
　　　　筋間　分布橈骨後
　　　　枝下膊皮神經

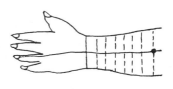

〔主治〕暴氣　耳聾　下齒齲痛

〔手術〕針五分　灸三壯

〔考證〕甲乙：卒聾　牙痛　千金：主暴聾　呼吸短氣　咽中如
　　　　有息肉

四花

〔位置〕在五六七椎之四圍

〔解剖〕在五六七椎橫突起外側　上有肩
　　　　甲及背動脈分枝　下有肋間動脈
　　　　分枝　背神經後枝並連於肝臟及
　　　　脾胃之交感神經

・五・
六
・七・

〔主治〕一切虛癆　羸瘦　衰弱症

〔手術〕灸五壯至七壯　又名遇仙穴

〔附錄〕本穴之灸點共有四處　令病人正身端坐　醫以細繩一條
　　　　環其頸項後　與大椎相平前　與結喉相並　兩繩頭並齊
　　　　下垂至鳩尾骨尖斷之　然後將兩繩頭移至背部　繩之中
　　　　心者移至咽喉之處　兩繩頭即在大椎相並下垂　適在第
　　　　六椎間　繩頭到處用墨點記　另以細繩一條分兩折　由
　　　　病者之人中起　分向兩邊與口角齊剪斷　即以此繩之中
　　　　央在背所點之處　左右分開　兩端亦用墨點記　仍以此

原繩之中央　就兩邊的墨點　上下分開　兩端用墨圈定　計脊骨左右共有四處　即是灸穴本穴　只灸不針　視其病之輕重為增減　間三日灸一回　灸後當灸足三里關元應之

四縫

〔位置〕在手第四指內側

〔解剖〕有伸指筋與橈骨神經分布

〔主治〕小兒猢猻癆等症

〔手術〕取三稜針　出血掌向上　伸指取之

〔附錄〕每手一穴　左右共二穴

四滿（又名）髓府

〔位置〕中注一寸　石門旁五分

〔解剖〕耻骨上方　直腹筋部循下腹壁動脈　分布腸骨下腹神經

〔主治〕積聚疝瘕　臍下切痛　腸鳴振寒　目眥赤痛　月水不調　無子　惡血痛痛　奔豚上下

〔手術〕針二分　灸三壯

〔考證〕甲乙：臍下積疝　胞中有血　大腹有水　腹切痛　凹滿主之　千金：月水不利　無子　腹內逆滿　疝痛　灸三十壯

〔附錄〕此穴為腎經　冲脈之會

四縫十六穴

〔位置〕在手四指內中節橫紋紫脈之上

〔主治〕大小人　雀目

〔手術〕針出血

〔附錄〕左右共十六穴

玉枕

〔位置〕絡却後寸半　去腦戶旁寸三分

〔解剖〕在後頭骨部有筋　循後頭動脈　分布大後頭神經

〔主治〕目痛如脫　不能遠視　頭風痛不可忍　鼻中不利

〔手術〕禁針灸三壯

〔考證〕百症賦：顖會連於玉枕

　　　　頭風療以金針　千金：玉

　　　　枕主卒起　僵仆惡風寒外

　　　　台：主目痛不能視　項似

　　　　拔　癲疾不嘔沫互相引

〔附錄〕此穴爲膀胱經脈所發　銅

　　　　人：禁刺　按名家歌賦：戴有可針之文　如欲針時　宜

　　　　以小針淺刺

白環俞（又名）玉環俞　玉房俞

〔位置〕在廿一椎下去　脊橫二寸

〔解剖〕荐骨列孔之兩側　有大臀

　　　　筋及梨子狀筋　循下股動

　　　　脈分布　荐骨神經後枝

〔主治〕手足不仁　腰痛　筋攣疝氣　大小便不利　瘟瘧癆損

　　　　虛則閉塞　腎虛　遺精台濁

〔手術〕禁灸　針三五分　伏而取之

〔考證〕百症賦：腰背達痛　白環俞　委中曾經　玉龍歌：膽寒

　　　　　　　尤是怕心驚　遺精白濁實難禁　夜夢鬼交心俞治　白環
　　　　　　　俞治一般針　外台：主治腰以下至足不仁　疝痛　一云
　　　　　　　：治夢遺白濁　先瀉後補　赤帶瀉之白帶補之　月經不
　　　　　　　調亦補之
　　　〔附錄〕此穴爲足太陽　膀胱經脈所發　素註：不宜灸　惟考明
　　　　　　　堂：有灸三壯　吾人必要灸時　而取小柱灸之

申脈（又名）鬼路陽蹻

　　　〔位置〕在足外踝下五分　可容爪甲白肉際處　前後有筋　下有
　　　　　　　踝骨　上有軟骨　穴屇其中
　　　　　　　直立取之
　　　〔解剖〕外踝微下　即外特小趾筋之上
　　　　　　　端
　　　〔主治〕風眩　腳痛　胻痠　勞熱冷氣　氣逆　癲疾　婦人血氣
　　　　　　　痛腰令
　　　〔手術〕禁灸　針三分　垂足取之
　　　〔考證〕標幽賦：頭風頭痛　申脈與金門　靈光賦：陰蹻陽蹻兩
　　　　　　　踝邊　腳氣四穴先尋取　神農經：治腰痛可灸五壯　千
　　　　　　　金：瘈冷氣逆腳屈伸難　腰痛足不舉　灸百壯　又申脈
　　　　　　　主衄血不止　淋瀝　治百邪癲狂各症　圖翼：腰痛　四
　　　　　　　肢麻木不仁　盲視　口噤　頭項痛　甚弓角反張　中風
　　　　　　　　口喎癖　按二十餘症　先以申脈主治　後隨症分穴治
　　　　　　　之
　　　〔附錄〕此穴爲陽蹻脈所生　又十三鬼穴之一　統治一切癲狂病
　　　　　　　一云癇病　晝發者灸陽蹻　查本穴古堂列入禁灸　然甲
　　　　　　　乙：有灸三壯之文術者　如必要灸時　宜取小炷灸之

石關（又名）石闕

〔位置〕陰都下一寸　建里旁五分

〔解剖〕在直腹筋及內外斜腹筋部　循
上腹壁動脈　分布肋間神經前穿行枝

〔主治〕噦噫嘔逆多吐　腹痛　氣淋　小便赤　心下堅　滿目赤
痛　惡血冲心胸　腹痛不可忍

〔手術〕針五分至一寸　灸三壯

〔考證〕百症賦：無子搜陰交石關之鄉　神農經：治積氣　疝痛
灸七壯　千金：嘔吐大便閉　氣結心堅滿

〔附錄〕此穴為足少陰　腎經　冲脈之會　神農經：孕婦禁針

石門（又名）利機　精露　三焦募　命門　丹田

〔位置〕臍下二寸　氣海下五分

〔解剖〕下腹部白條線中　循下腹動脈
分布肋間神經內容小腸

〔主治〕傷寒小便不利　泄痢不禁　小
腹絞痛　陰囊縮奔豚搶心卒　疝繞痛　氣血二淋　吐血
嘔血　食不化　水腫　惡露不止　血塊結腹中

〔手術〕禁灸三壯至五壯

〔考證〕甲乙：疝繞臍痛　奔豚上氣　腹痛　口强不能言　莖腫
引腰痛　不便兩丸騫水腫　腹大卒心痛　氣痛汗出　小
便癃寒　熱癢陰乳徐疾　絕子　石門主之　外台：張文
仲灸三壯　療水腫　女子禁灸　甄權云：主婦人惡露不
止　扁鵲心堂：婦人臍中及下部出膿水不治即死　灸石
門二百壯　服芃附湯愈　又生產出血過多　早與房事或
勞動傷氣乃成虛癆　脈弦而緊　咳嗽　發熱肢冷或咯血

　　　　　吐血灸石門三百壯
　　　〔附錄〕此穴爲任脈所發　三焦之募也　女子禁刺灸　其中不幸
　　　　　　使人絕子　按本穴事關生育重大　凡屬女子姙婦　均宜
　　　　　　特忌針灸術者　幸勿忽略而誤也

本神

　　　〔位置〕曲差旁寸半　入髮五分
　　　〔解剖〕前頭部有前頭筋　循顧

　　　　　　顳動脈前枝　分布三叉
　　　　　　神經枝
　　　〔主治〕驚癲吐沫　項强痛　目
　　　　　　眩　胸不得轉側　偏風
　　　〔手術〕針三分　灸三壯
　　　〔考證〕甲乙：癲疾必身柱　本神之令　千金：治諸風灸七壯
　　　〔附錄〕此穴爲膽經　陽維脈之會　在眉心直上入髮際二寸

目窗（又名）至榮

　　　〔位置〕臨泣後　一寸五分
　　　〔解剖〕顱頂骨部　帽狀腱膜中

　　　　　　循後頭動脈　分布上眼
　　　　　　窩神經
　　　〔主治〕目赤痛　頭旋　面腫空
　　　　　　熱汗不出　白膜青盲
　　　〔手術〕針三分　灸三壯
　　　〔考證〕甲乙：頭痛　青盲不見　齒齗痛　目中淫膚　目窗主之
　　　〔附錄〕此穴爲膽經　陽維脈之會　銅人：三度刺　令人目大明

玉堂（又名）玉英

〔位置〕紫宮下一寸　陸分陷中

〔解剖〕胸骨體部　循內乳動脈分枝
　　　　分布肋神經穿行枝

〔主治〕胸脅疼痛　心煩上氣欬逆
　　　　嘔吐

〔手術〕針三分　灸五壯

〔考證〕甲乙：胸滿脅痛　上氣心煩悶　嘔吐　百症賦：煩心嘔
　　　　吐　幽門開徹玉堂明

〔附錄〕此穴爲任脈所發

甲根

〔位置〕在足大趾端　爪甲角隱皮甲根　左右廉內甲之際

〔解剖〕第一趾第二節末端爪甲發生根
　　　　部　外轉拇筋腱中　循趾背動
　　　　脈　分布淺腓骨　神經內足蹠
　　　　神經

〔主治〕七疝

〔手術〕針二分　灸三壯　垂足取之

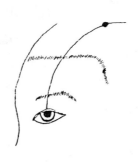

正營

〔位置〕在目窗後　一寸五分

〔解剖〕顱頂骨部　帽狀瞼膜中
　　　　循後頭動脈分布眼窩
　　　　神經

〔主治〕目眩不明　頭項偏痛
　　　　唇吻强齒痛

〔手術〕針二三分　灸三壯

〔考證〕甲乙：上齦痛　惡風寒外台：主牙痛唇吻强

〔附錄〕此穴爲足少陽　膽經　陽維脈之灸

正對口

〔位置〕在頸骨上與口相對

〔解剖〕後頭骨部項椎上陷中僧
　　　　帽筋中　循後頭動脈
　　　　分布大後頭神經

〔主治〕疔瘡

〔手術〕針三分　灸十壯

牙咬

〔位置〕顴髎下頰車上

〔解剖〕下顎骨前上方　咬筋存
　　　　在部　外顎動脈　分布
　　　　下顎及咬筋神經

〔主治〕疔瘡

〔手術〕針三分

右門（又名）精露

〔位置〕在臍下三寸

〔主治〕積冷虛弱　臍下絞痛失精淋
　　　　濁　溺血臍下積血

〔手術〕針五分　灸五壯

六　畫

列缺（又名）童玄

〔位置〕腕側上寸半　筋骨罅中

〔解剖〕內橈骨筋腱外側　長屈拇筋後緣
　　　　循橈骨動脈通頭靜脈　分布外
　　　　膊皮下及橈骨神經

〔主治〕偏風口目歪斜　手失力掌熱　口
　　　　噤不開　善笑欲死　寒熱瘧　咳
　　　　嗽縱唇　精出溺血　陰痛小便熱　驚癇　妄見　四肢腫
　　　　痛　交兩手宜瞀　實則胸背熱汗熱出　虛則胸背寒少氣
　　　　不足以息

〔手術〕針二三分　灸三壯　令病人大食　二指交叉　虎口穴在
　　　　食指尖

〔考證〕玉龍歌：塞痰咳嗽更兼風　列缺二穴最可穴　席弘賦：
　　　　氣刺兩乳求太淵　不應之時瀉列缺　頭痛及偏正四　總
　　　　穴歌：頭項尋列缺　馬丹陽十二穴歌：善療偏頭　患遍
　　　　身風痺麻　痰涎上壅　口噤不開牙　通玄指要賦：咳嗽
　　　　寒痰列缺煨　治蘭江賦：頭部還須尋列缺　痰涎壅塞及
　　　　咽喉　肘後歌：或患傷寒熱未收　牙關風湧氣難投　項
　　　　強反張目直視　金針用意列缺求　八法歌：痔瘧兼便腫
　　　　泄痢腸鳴　熱血　咳痰　牙腫疼　喉腫　小便難　心胸
　　　　腹痛　咽疼　產後發狂不語　腰痛血疾　臍寒列缺乳癰
　　　　多散標幽賦：男子陰中痛　溺血精出　灸二十壯　外台

　　　　　：主偏風　半身不遂　口喎斜　灸三壯

　　〔附錄〕此穴爲肺經之絡　別走太陽經　素刺禁論：刺臂內太陰

　　　　　脈出血多死　按此穴也宜以小針淺刺　手交叉監指盡處

　　　　　骨間是

合谷（又名）虎口

　　〔位置〕在手大次指岐骨間陷中

　　〔解剖〕手第一二骨中央部　長與短伸

　　　　　拇指筋腱間　循橈骨動脈　分

　　　　　布橈骨神經

　　〔主治〕傷寒大渴發熱　惡寒頭痛　脊

　　　　　強無汗　寒熱瘧　衄血不止

　　　　　目翳不明目痛　耳聾　頭痛

　　　　　面腫喉痹　唇吻不收　瘖不能言口噤不開　風疹痂疥

　　　　　偏正頭痛　小兒單乳娥牙痛　鼻塞　產後脈絕不還

　　〔手術〕針三五分　灸五壯　握拳取之

　　〔考證〕席弘賦：手連肩背痛難忍　合谷針時要太冲　又睛明治

　　　　　眼未效時　合谷光明安可缺　冷嗽先宜補合谷　百症賦

　　　　　：天府合谷鼻衄宜追　通玄指要賦：目痛則合谷以推之

　　　　　玉龍歌：偏正頭痛有兩般　有無痰飲先推觀　若然痰

　　　　飲風池刺　倘無痰飲合谷安　頭面縱有諸般症　一針合

　　　　谷效通神　蘭江賦：更有傷寒更妙訣　三陰須要刺陽經

　　　　　無汗更將合谷補　復溜穴湯好施針　倘若汗多流不絕

　　　　　合谷收補效通神　天星秘訣：面口合谷收　馬丹陽十

　　　　二穴歌：水疼并面腫　瘧疾熱還寒　齒齲鼻衄血　口噤

　　　　不開牙　肘後歌：百合傷寒最難醫　妙法神針用意推

口噤眼合藥不下　合谷一針效甚奇　又傷寒不汗合谷泄
　　勝玉歌：兩手酸痛難執物　曲池合谷幷肩顒　雜病穴
法歌：頭面耳目口鼻病　曲池合谷爲之主　又痢疾合谷
三里宜　又婦人通經瀉合谷　千金：產後脈絕不還合針
三分補之　曲池兼合谷可徹頭痛　又治緊唇心痛　灸合
谷七壯　甲乙：痱痿　手臂不用　唇吻不收　耳聾　齒
痛合谷主之　外台：寒熱痎瘧　鼻血　熱病汗不出　瞋
目目痛頭痛　口噤不用　衞生寶鑑：小兒疳眼　灸二間
合谷一壯　炷如小麥　劉氏雜病：治大寒犯腦連及目痛
風翳　灸二間合谷三壯　圖翼：傷寒大溫脈浮在表　發
熱惡寒　頭痛　脊强小兒乳娥　一云能下死胎　婦人姙
娠補合谷則墜胎　眼科錦囊　小兒雀目難痊者　灸五壯
　　疳眼亦妙大成　疔瘡生面上與口角　宜灸合谷
〔附錄〕此穴爲手陽明大腸經所過爲　凡姙娠婦人不可針灸　又
　　回陽九針之一　凡暴亡諸陽欲脫者　均宜治之　回陽九
　　針歌：瘂門癆宮三陰交　湧泉太谿中脘接　環跳三里合
　　谷幷　此是回陽九針穴

合陽

〔位置〕委中直下二寸
〔解剖〕腓腸筋部　循脛骨動脈分布後
　　　　脛骨及膝膕神經
〔主治〕腰痛引腹陰股熱　胻骨痠寒
　　　　疝偏墜痛　崩中漏下
〔手術〕針五分　灸五壯
〔考證〕百症賦：女子少氣漏血不無交

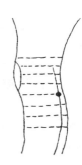

　　　　　信合處　甲乙：跟痛膝急　腰脊强痛　暴疝痛　寒熱

　　　　　千金：主積疝崩　中腹上下痛　外台：合陽主痺厥　癲

　　　　　疾不嘔沫　筋拘攣急

曲池（又名）鬼臣　陽澤

〔位置〕在肘外輔骨屈

　　　　肘橫紋頭中

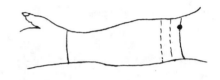

〔解剖〕上腜骨之外

　　　　上部瀉部有腜

　　　　骨筋　循返橈骨動脈　分布橈骨外腜皮下神經

〔主治〕繞踝風　手臂紅腫痛　偏風半身不遂　癮疹　善忘　喉

　　　　痺不能言　心煩悶痛風痺　細無力　傷寒餘熱不盡　癲

　　　　疾瘈瘲　牙痛　體癢如蟲　月經不通

〔手術〕針五分至一寸　灸五壯至十壯　拱手取之　即以手拱至

　　　　胸前取之

〔考證〕玉龍歌：偭補曲池瀉人中　兩肘拘攣筋骨連　艱難動作

　　　　欠安然　只將曲池針瀉動　尺澤兼行見聖傳　百症賦：

　　　　發熱仗少沖曲池之津　席弘賦：曲池兩手不如意　合谷

　　　　下針宜仔細　馬丹陽十二穴歌：善治時中風　偏風手不

　　　　服　挽弓開不得　筋緩莫梳頭　喉閉促欲死　偏身風癬

　　　　疥　發熱更無休　肘後方腰背　若患攣急風　曲池一寸

　　　　五分攻　標幽賦：肩井曲池甄權刺　臂痛復射　通玄指

　　　　要賦：但見兩肘之攣急　仗曲池而平掃奏承祖　主大小

　　　　人遍身風痂疥　神農經：治肘細無力　半身不遂　耳聾

　　　　　牙痛　目赤痛　寒熱癲狂疾　千金：主治瘰惡氣諸癭

　　　　　濕疹　圖翼：肩顒曲池此二穴乃治癭秘法也

〔附錄〕此穴爲手陽明大腸經所入爲合義十三鬼穴之一　統治一
　　　　切癲狂病

曲差（又名）鼻衝

〔位置〕眉心直上　入髮五分

〔解剖〕前頭骨部之筋中　循鼻前頭

　　　　動脈　分布前頭神經

〔主治〕氣逆腹脹　女子漏下惡血

　　　　鼻塞鼻瘡　頭頂痛　身煩

　　　　熱

〔手術〕針三分　灸三壯

〔考證〕甲乙：主頭痛　身熱　喘息不利　煩滿汗不出　千金：

　　　　久風　卒風　筋急　頭痛　灸神庭曲差七壯

〔附錄〕此穴爲膀胱經脈氣所發　又眉頭直上入髮際約五分　去

　　　　神庭旁一寸五分

曲澤

〔位置〕肘內廉橫紋陷中

　　　　　尺澤內側與少

　　　　海二穴之間

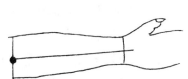

〔解剖〕在肘窩之正中

　　　　二頭膊筋腱間　循上膊動脈及重要重脈　分布膊皮下及

　　　　正中神經

〔主治〕身痛　善驚　煩渴　逆氣嘔血吐血　心下憺憺　風疹

　　　　肘臂腕不得動　頭風傷寒　嘔吐

〔手術〕針三分　灸三壯

〔考證〕百症賦：少商曲澤　血虛口渴同施　甲乙：心下憺憺然

　　　　　　善驚　煩心氣逆汗出　傷寒溫病　曲澤主之

〔附錄〕此穴爲手厥陰心包絡經所入爲合

曲鬢（又名）曲髮

〔位置〕耳上入髮一寸　微前鼓頷有空

〔解剖〕顳顬骨與顱頂骨關節部顳顬筋中

〔主治〕頷腫　口噤　巓風引目眇

〔手術〕針二三分　灸三壯

〔考證〕甲乙：項强支滿痛引牙齒　口噤不

　　　　開痛不能言　壽世保元：頭風連齒

　　　　時　發時止連年不愈　謂之厥逆　頭痛　將耳捲前穴在

　　　　耳尖上　灸五壯或七壯

〔附錄〕此穴爲足太陽　膀胱經脈氣所發

曲泉

〔位置〕膝內緣之中央橫紋上大筋上小

　　　　筋下

〔解剖〕脛骨內關節踝下際　半睫半膜

　　　　樣筋之停止部

〔主治〕積疝　陰股痛腫　小便難　股

　　　　脅支滿　癃閉小氣四肢不舉

　　　　目眩痛不明　筋攣不得　屈伸

　　　　發狂　衄血不止　下血喘呼房

　　　　癆　失精　下痢　陰腫痛　女

　　　　子癥瘕陰挺陰癢

〔手術〕針五分　灸三壯

〔考證〕席弘賦：若是積疝小腹痛　照海陰交曲泉針　千金：男

　　　　　子失精　膝脛疼痛　陰閉癃瘻泄注下血　陰跳痛引痙中

　　　　　引臍中　不尿

　　〔附錄〕此穴爲足厥　陰肝經所爲合

曲骨（又名）胞尿屈骨端

　　〔位置〕在中極下一寸

　　〔解剖〕耻骨軟骨接合上際白條紋中　左右直腹筋停止部中間

　　〔主治〕失精　五臟虛弱　小腹脹滿淋

　　　　　瀝不通　疝氣腹痛　陰委癃閉

　　　　　白赤帶下

　　〔手術〕針五分至七分　灸五壯

　　〔考證〕甲乙：膀胱脹氣　癃曲骨主之

　　　　　千金：失精　五臟虛竭　霍亂　抽筋　小便數　灸二

　　　　七壯　又主小腹脹　血癃小便難　水腫　灸百壯

　　〔附錄〕此穴爲肝經　任脈之會　素氣府論王註：自鳩尾自曲骨

　　　　　下十四穴　並任脈氣所發

曲垣

　　〔位置〕肩甲起始部　中央居秉風

　　　　　小肩中俞之中

　　〔解剖〕肩甲棘上際　循橫肩甲動

　　　　　脈分布肩胛上及下神經

　　〔主治〕肩痺熱痛　氣注肩背拘急

　　　　　痛悶

　　〔手術〕針五分　灸三壯　垂手取之

　　〔附錄〕甲乙：肩脾胛周痺　曲垣主之

伏兔（又名）外勾外丘

〔位置〕膝上六寸起肉間

〔解剖〕大腿骨前外側直股筋外端　循
　　　　外迴旋動脈　分布外股皮下神
　　　　經

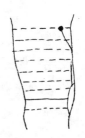

〔主治〕膝冷風痹逆痹　狂邪癲疹　腹
　　　　脹少氣　頭重腳氣　婦人諸疾

〔手術〕禁灸　針三五分

〔考證〕腳氣初灸　凡市次伏兔百壯　狂邪鬼語灸五十壯　圖翼
　　　　：腳氣膝冷不溫　婦人百部諸疾

地機（又名）脾舍

〔位置〕在膝下五寸內側陷中

〔解剖〕脛骨後緣比目魚筋中　循後脛
　　　　動脈　分布脛骨薔薇神經

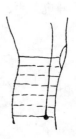

〔主治〕腰痛溏泄　腹痛　水腫　小便
　　　　不利　精不足癥瘕

〔手術〕針三分　灸三壯

〔考證〕百症賦：抑有論婦人經事改常自有地機血海　千金：主
　　　　疝痔

〔附錄〕此穴為足太陰脾經之郄

地倉（又名）會維

〔位置〕在口吻旁四分

〔解剖〕口輪匝筋部動脈　分布顏面
　　　　神經枝　循外顎動脈枝別

〔主治〕偏風口喎　目不得閉　失音
　　　　飲水不收　目瞤痛不止

　　　　目癢雀目

〔手術〕針三分　灸七壯

〔考證〕百症賦：頰車地倉治口喎於片時　靈光賦：地倉能治口
　　　　流涎　肘後歌：狐惑傷寒滿口瘡　項下黃連犀角湯　蟲
　　　　在臟腑食肌肉　須用神針刺地倉　玉龍歌：口眼歪斜最
　　　　可瘥　地倉妙穴連頰車　千金：狂走刺　或欲自死　稱
　　　　神鬼語　外台：必效治小兒大便不通　方灸口吻一壯
　　　　圖翼：主口歪斜　病左治右　病右治左　若艾炷過大
　　　　口反喎却灸承漿穴即愈

〔附錄〕此穴為大腸經　胃經　任脈　腸蹻四脈之會

地五會

〔位置〕足小趾次趾本節後陷中　臨泣
　　　　下五分

〔解剖〕第四五蹠骨間　循外輔骨動脈
　　　　分布脛骨神經交通枝

〔主治〕腋腫　內傷　吐血　乳癰

〔手術〕禁灸　針三分　垂足取之

〔考證〕席弘賦：耳內蟬鳴腰欲折　膝下明存三里穴　若能補明
　　　　於地五　且莫向人容易說　標幽賦：眼癢　眼痛　瀉光
　　　　明於地五

〔附錄〕甲乙：針三分　不灸　灸則令人瘦　不出三年死　千金
　　　　：刺三分　特忌灸　考此穴諸崇皆忌灸　學者宜注意之

地合

〔位置〕頷稜之正中

〔解剖〕在鼻柱筋與口唇中央口輪

匠筋中　循上層外頸動脈

分枝　分布顏面神經

〔主治〕疔瘡

〔手術〕針三分　灸三壯

血海（又名）百蟲窠

〔位置〕在膝內側上二寸　即膝蓋內
　　　　側上白肉際

〔解剖〕逆氣腹脹　漏下惡血月事不
　　　　調　暴崩不止後下水漿之物

〔手術〕針五分　灸三壯

〔考證〕百症賦：婦人經事改常自有地機血　靈光賦：氣海血海
　　　　療五淋　勝玉歌：五淋熱瘡　膝內年發血海尋來可治
　　　　之　雜病穴法歌：五淋血海通男婦　圖翼：主治兩腿瘡
　　　　癢濕不可當

〔附錄〕此穴爲足太陰脾經脈氣所發

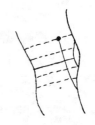

血郄

〔位置〕在膝內膁上三寸陷中

〔主治〕腎臟　風瘡　五淋

〔手術〕針三分　灸三壯

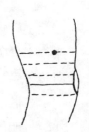

至陰

〔位置〕足小趾側去爪甲角二三分

〔解剖〕第五趾第三節外側爪甲之發生
　　　　根部長總趾伸筋付着部外緣

〔主治〕目翳　目痛　鼻塞　頭重　胸
　　　　脅痛　無定處轉筋寒瘧　汗不出　心煩足下熱　小便不

　　　利　失精疝氣　風痺　四肢腫痛

〔手術〕針一分　灸三壯

〔考證〕百症賦：至陰至翳療疾之疼多　雜病穴法歌：三里至陰

　　　催姙娠　肘後歌：頭面之疾尋至陰　醫說：張文仲灸難

　　　產　手先出諸般藥符不捷　灸右足小趾尖頭三壯下火立

　　　產　壽世保元：治胞衣不下　圖翼：子鞠不能下至陰

　　　以三稜針出血　橫者即轉直　令人習用　此治婦人寒症

〔附錄〕此穴爲足太陽膀胱經所出　爲井孕婦禁灸

交信

〔位署〕在內踝上二寸與復溜並文居少陰前　太陰後二筋之中

〔解剖〕脛骨之後部　循脛骨動脈

　　　分布淺脛骨神經

〔主治〕氣淋癲疝　陰急盜汗瀉赤
　　　白痢　股端痛大小便難
　　　女子漏血經不勻調小腹偏
　　　痛　陰挺　四肢滛濼

〔手術〕針三分　灸三壯　垂足取之

〔考證〕百症賦：女子少氣漏血　不無交信合陽　肘後歌：腰膝

　　　强痛交信恐　甲乙：氣癃癲疝　陰急　股內廉痛　泄痢

　　　赤白　漏血交信主之

〔附錄〕此穴爲陰蹻脈之部

交儀

〔位置〕在內踝上五寸

〔解剖〕在脛骨部有脛骨筋

　　　循脛動脈分枝　分布

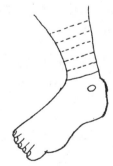

脛骨神經

〔主治〕月下不利　漏下赤白

〔手術〕灸三壯

耳門

〔位置〕在耳前小瓣之下缺陷中

〔解剖〕顳顬筋部　循顳顬動脈　分布顳
顬神經

〔主治〕耳鳴如蟬聲　耳膿　耳瘡　重聽
無聞　齒痛吻强

〔手術〕針三分　灸三壯

〔考證〕百症賦：耳門絲竹空住　牙痛於頃刻　天星秘訣：耳鳴
腰痛先五會　次針耳門三里內　千金：主風耳鳴灸一
百壯　圖翼：主耳聾　聤耳　耳痛　耳中一切疾患　齗
腫吻强

〔附錄〕下經　禁灸　病宜灸者不過三壯　甲乙：耳中有膿禁灸
外台：耳膿及底耳　聤耳　皆不灸

耳後旁光

〔位置〕耳後高骨處

〔解剖〕在顳顬骨部在耳上筋
循耳後動脈　分布耳後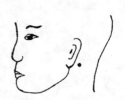
神經

〔主治〕疔瘡

〔手術〕針一分　灸三壯　正頭取之

耳尖

〔位置〕耳尖端上

〔解剖〕耳輪外轂道之上

〔主治〕眼生翳膜

〔手術〕灸五壯　捲耳尖取之

耳湧

〔位置〕在耳尖端上捲耳取尖是穴

〔解剖〕耳輪外轂道之上

〔主治〕疔瘡

〔手術〕灸三壯

耳垂

〔位置〕即貫耳處

〔解剖〕耳輪外轂道之上

〔主治〕疔瘡　耳疾

〔手術〕灸三壯

耳上穴

〔位置〕在耳上髮際

〔解剖〕瘰氣　頭痛

〔手術〕灸五十壯

〔附錄〕並灸風池各百壯　千金：作兩耳後
　　　　翼際

光明

〔位置〕在外踝上五寸

〔解剖〕腓骨前緣　長總趾伸筋與腓骨
　　　　筋間腹部　有比目魚筋

〔主治〕滛濼胻酸不得久立　熱病汗不
　　　　出　卒狂虛　則痿躄實則足胻

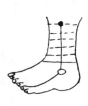

　　　　　　熱病身體不仁

〔手術〕針五分　灸五壯

〔考證〕席弘賦：眼睛明治眼未效時　合谷光明安可缺　十二經
　　　　治症主客原絡訣：氣少血多肝之經　丈夫積疝苦腰疼
　　　　婦人腹膨小腹腫　所生病者胸滿嘔　腹中泄瀉痛無停
　　　　癃閉遺溺　疝癖痛太沖光明即安寧

〔附錄〕此穴爲足少陽膽經之絡別走肝經

行間

〔位置〕在大次趾岐骨間陷中

〔解剖〕第一二蹠骨間腔由轉拇筋附着
　　　　部　循趾背動脈　分布內足蹠
　　　　神經

〔主治〕嘔逆　日泄　遺溺　癃閉消渴　善怒轉筋　胸脅痛腫
　　　　嘔血　吐血　肝心痛　腰痛　口喎逆氣　癲疾　四肢冷
　　　　目瞑不明　目淚太息　便溺　痙痛　七疝　中風　疼
　　　　瘧　經血不止　崩急慢驚風

〔手術〕針三分　灸三壯

〔考證〕百症賦：行間湧泉　去消渴之聖竭　通玄指要賦：行間
　　　　治膝腫目疾　雜病穴法歌：腳膝腫痛羨行間　甲乙：欬
　　　　逆上氣嘔沫天容行間主之　善驚　足下熱　濁難而痛
　　　　白濁卒疝　腰痛　腹痛　煩悶短氣　喉痺　口喎行間主
　　　　之　千金：重舌　灸隨年壯　老人大便失禁　一切喎瘡
　　　　面色青黑搜白尿　主驚癇狂疾　外台集驗灸卒癲法：
　　　　灸三壯雀巢氏療小便不通　方足大次趾岐骨中靜脈　以
　　　　針挑出血灸三壯愈　圖翼：一日主小便赤難白濁　背與

心腹脹滿瀉行間而火自清　水氣自下

〔附錄〕此穴爲足厥陰肝經所溜爲滎

百會（又名）涅丸宮　巓上　天滿　三陽　五會

〔位置〕頭頂正中兩耳尖直上

〔解剖〕在顱頂部　帽狀腱膜間

　　　　循後頭動脈之各終枝

　　　　分布大後頭神經

〔主治〕中風　口噤不門　半身

　　　　不遂　心煩悶　健忘

　　　　恍惚　痎瘧尸厥　脫肛　風癲言論不擇　吐沫　鼻塞

　　　　頭腦重痛　目眩　嘔吐汗出

〔手術〕針二分　灸五壯

〔考證〕百症賦：百會繩尾治痢疾　席弘賦：小兒脫肛患　多時

　　　　先灸百會及鳩尾　又咽喉最急先百會　勝玉歌：頭痛眩

　　　　昏百會好　雜病穴法歌：尸厥百會一穴美　百症賦：脫

　　　　肛取百會尾翳之所　肘後歌：陰痎發來如井大　百會妙

　　　　穴眞可駭　行針指要歌：或針風先向風府百會中　史記

　　　　扁鵲傳：虢太子尸厥　扁鵲乃使弟子子陽礪針砥石以取

　　　　外　三陽五會有間　太子蘇　甲乙：頂痛頭風重　目痛

　　　　如脫　耳鳴　痎瘧　百會主之　千金：肘後方：救卒死

　　　　　尸厥針三分補之　千金：小兒脫肛　灸三壯即入　一

　　　　云治大風灸百會七百壯　又瘧兌小異灸七壯　若後更發

　　　　　再灸七壯　極難愈者不過三壯　外台：肘後治大便卒

　　　　脫肛灸百壯　醫說：高宗苦寒　頭痛　目眩　侍醫秦鳴

　　　　鶴日風毒上攻　若刺頭出少血即愈　矣天后自簾中怨曰

此可斬也　天子頭上豈是出血處耶　上曰醫之理　病理

不加罪　吾頭重悶不能忍　出血未必不佳　命刺之　鳴

鶴刺百會及腦戶出血　上曰吾眼明矣　言未畢　太后自

簾中謝曰　此天賜我師也　躬負贈寶以遺鳴鶴　續醫說

：江西醫士黃子厚爲術精詣　其治往往出人意表　有富

翁病泄瀉彌年　禮子厚診療旬日莫效求當一日談易至乾

卦天行健　朱子有曰：天氣運不轉息　有息則墜矣　因

悟向翁之病　氣不能舉　乃爲下脫也　又作持水滴以吸

水　初以大指按滴上孔　則滿筒水　放其按　則水下流

無餘　即爲治翁病末　三十四壯而愈　壽世保元：人被

打死或踢死　急灸百會　穴三壯　立甦　圖翼：一傳百

病皆治宜刺二分　得氣即瀉　若灸之百壯　停三五日後

　　四邊以三稜針出血　以井花水淋之令氣宣通　否則恐

火氣上壅　令人目失精　一曰治悲傷笑欲死　四肢冷氣

可針人中三分及灸百會三壯　立甦

〔附錄〕此穴爲督脈膀胱經之會一三　三焦經膽肝之經俱會於此

　　　　素註：督脈　自腦戶上至百會顖會及頭骨二分　內通

於腦　若刺深而誤中於腦者立死　善哭者　針百會水濕

百勞

〔位置〕大椎上三寸各開一寸

〔解剖〕後頭骨與項下　有項夾筋

　　　　有後頭動脈　分布項神經枝

〔主治〕廉瀝連珠瘡

〔手術〕灸五壯

〔考證〕行針指要歌：或針勞須向膏盲及百勞　取法以頭部之同

射法　從大椎骨直上向髮際　量取二寸　向左右各開一
寸　無灸七壯　過七日　再灸七壯　連灸三次癧消無形

次髎

〔位置〕十九椎下距脊約八分

〔解剖〕在第二後荐骨孔部有腰背筋膜循
　　　　側荐骨動脈　分布荐骨神經後枝

〔主治〕偏風　腰痛　急引陰中背膝寒　疝氣下墜足清氣痛　泄
　　　　瀉赤淋赤白帶下

〔手術〕針三分　灸三壯

〔考證〕甲乙：腰背寒痛不得俛仰　又女子赤白癧　心下積脹
　　　　次髎主之

〔附錄〕診則　足太陽所結也

至陽

〔位置〕在第七椎之下

〔解剖〕第七八胸椎間　循後肋動脈　分
　　　　布背神經後枝

〔主治〕腰背痛　胃中寒　氣逆胸脅　支
　　　　滿羸瘦　寒熱四肢重痛　少氣難言腫瘻卒疰

〔手術〕針五分　灸五壯俯取

〔考證〕勝玉歌：黃疸至陽更難離　玉龍歌：至陽亦治黃疸病
　　　　素刺熱篇：七椎下間主腎熱　千金：卒疰攻心　灸隨年
　　　　壯　神經寒熱　脛瘻四肢痛　少氣難言　灸七壯　圖翼
　　　　：灸三壯治氣喘立已

〔附錄〕此穴爲督脈氣所發　少林拳術秘訣：點按致死九穴之一
　　　　肺海穴　即頭項後脊骨第七節與下命門調之　上七下

七一點命畢是也

印堂

〔位置〕兩眉中央

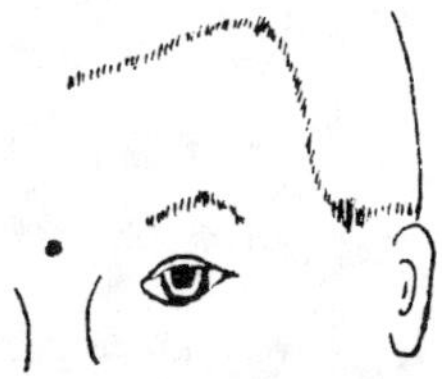

〔解剖〕有三叉及顏面神經分枝與前頭靜脈

〔主治〕小兒驚風與年瀉之老頭風

〔手術〕針二分　灸五壯

〔考證〕素刺瘧論　瘧發先頭痛重者先刺頭上兩額及兩眉間出血　神農經：小兒急慢驚風　灸三壯　玉龍歌：孩子驚風何可治　印堂刺入艾還加　急性之嘔吐　背反張　以三稜針刺出　慢性省灸五壯　炷如麥粒

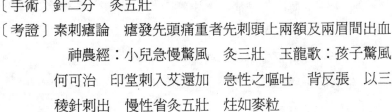

肋頭

〔位置〕第一屈肋頭近二肋下是穴　第三肋頭近三肋下間走前亦是灸處　患左灸右患右灸左

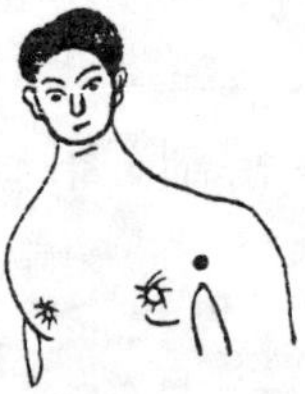

〔主治〕瘕癖

〔手術〕初日灸三壯　後日五壯次日七壯周而復始至十壯止

肋罅

〔位置〕以繩量病人兩乳中屈之乃從乳頭向外量　使當肋罅於繩頭盡處是穴

〔解剖〕在第四肋間　有前頭鋸筋及肋間筋

〔主治〕凡中風尸飛尸尸注其狀皆腹脹痛　急息氣上冲　兩脅或兩踝攣踴引腰

〔手術〕灸二七壯　灸如不止　多如壯數

吊角

〔位置〕在下口兩角

〔解剖〕口輪匠筋部　循外顎動脈

分布顏面神經

〔主治〕疔瘡

〔手術〕灸三壯

七 畫

扶突（又名）水穴

〔位置〕結喉旁三寸　天鼎

下一寸

〔解剖〕在軟骨甲狀外紋部

胸乳咀筋之中　分

布下頸皮下及大耳

神經　迷走神經之

通路

〔主治〕咳嗽　氣上喘息　暴瘖　喉聲如水鷄

〔手術〕針三分　灸三壯

〔考證〕甲乙：咳嗽多唾　上氣喘逆　暴瘖

〔附錄〕此穴爲手陽明大腸經脈所發

迎香（又名）衝陽

〔位置〕在鼻孔旁開五分

〔解剖〕上顎犬齒上方　鼻翼下掣筋中有動脈　分布下眼窩神經

〔主治〕鼻不聞香臭及鼻中一切疾患

偏風　口喎　面痒　浮腫

如蟲行

〔手術〕禁灸針二三分

〔考證〕玉龍歌：不聞香臭如何治

迎香一穴堪可攻　席弘賦：

耳聾氣閉聽合計　迎香穴瀉功如神　通玄指要賦：鼻塞

無聞迎香可引　百症賦：面上蟲行有驗迎香可取

〔附錄〕此穴爲大腸經胃經之會　外台：不宜灸

肝俞

〔位置〕在第九椎之下去脊二寸

〔解剖〕第九十胸椎橫突起外側　有僧帽

筋及長背濶背筋　循後脈動脈

分布背椎神經之後枝　瀉部容肺臟

〔主治〕多怒　黃疸　痺瘲　短氣　吐血　口干　寒熱　轉筋入

腹將死　咳引脅痛不得息目　眩目　上戴淚出白翳　驚

狂　血不引胸中痛　鼻衄　寒疝肝中風熱病瘥後食五卒

目　暗脊强風連額　青色聚積痞滿

〔手術〕針三分　灸三壯

〔考證〕玉龍歌：肝家血少目昏花　宜補肝俞力更加　勝玉歌：

肝血盛兮肝俞瀉　標幽賦：取肝俞與命門使瞽者視秋毫

之末　百症賦：攀睛攻少澤肝俞之所　千金：吐血短氣

不得語灸百壯　又主目淚多眥　赤痛目癢　白翳雀自又

主小腹滿　驚狂　外台：目病　肝中有風熱　令人目闇

者當灸肝俞　又主肝虛者　見黑尸鬼　圖翼：此穴主瀉

五臟之熱與五臟俞同治氣痛項癭　吐痰見白尸鬼　肝俞
以毛針刺入五分得氣留補

〔附錄〕此穴爲足太陽之會　素刺禁論：刺中肝五日死　其動爲
語

附分

〔位置〕第二椎下去脊橫開三寸

〔解剖〕第二胸椎突起　上下有僧帽筋

下有菱形筋　循橫頸及上肋動脈

分布背椎與後胸廓神經

〔主治〕手臂不仁　背肩拘急風邪頸項強痛

〔手術〕針三五分　灸三五壯

〔考證〕外台　主痛引頸

〔附錄〕此穴爲手太陽　小腸經　膀胱經之會

志室（又名）精宮

〔位置〕十四椎下去脊橫開三寸半

〔解剖〕第二三腰椎　橫突起外側循腰

動脈　分布腰椎神經

〔主治〕陰腫痛　背強痛　食不化　夢

遺　失精　淋病　霍亂　吐逆　兩脅急痛

〔手術〕針五分　灸五壯　正坐取之

〔考證〕甲乙：腰痛脊急　志室主之　圖翼：主陰腫痛　失精淋

瀝　霍亂　吐逆不食　大便難

〔附錄〕此穴爲膀胱經脈氣所發

肓門

〔位置〕在十三椎下去脊開三寸半

〔解剖〕第一二腰椎橫突起外側有方形

腰筋及荐骨　脊中筋　循腰動

脈背枝　分布腰神經後枝

〔主治〕心下痛　乳疾　大便堅

〔手術〕針五分　灸五壯

〔考證〕甲乙：婦人乳疾　千金：心下大堅　盲門主之

盲俞

〔位置〕在臍膀五分

〔解剖〕在直腹筋部　循下腹壁動脈

分布肋間神經前穿行枝

〔主治〕目赤痛　腹中切痛　響響然不

便　便燥　寒疝

〔手術〕針五分至一寸　灸五壯

〔考證〕百症賦：且如盲俞橫骨瀉五淋久積　圖翼：主治目內皆

痛從赤腫

〔附錄〕此穴爲足少陰　腎經　冲脈之會

盲募

〔位置〕以乳頭斜度至臍中乃屈其半

從乳頭下量至盡處是穴

〔解剖〕在小腸之上部　有外斜及直

腹筋等

〔主治〕結氣囊裡

〔手術〕灸隨年壯

束骨

〔位置〕在小趾外側本節後陷中

〔解剖〕第五蹠骨外側部　長總
　　　　趾伸筋腱中　循足動脈
　　　　分枝　分布外足蹠神經
　　　　瀉枝

〔主治〕腰痛如拆髀　不可曲足膝强痛　頭項皆痛　目眩淚出
　　　　身熱　目內眥赤　瞤腸　癬痔　漏癲狂背生疔瘡

〔手術〕針三分　灸三壯

〔考證〕百症賦：項强惡寒　束骨連於天柱　秦承祖　治風熱胎
　　　　赤　千金：主狂言不休　太乙歌：兼三里治　頭項腫痛
　　　　身體腰痠

〔附錄〕此穴爲足太陽　膀胱經所注爲俞

角孫

〔位置〕在耳角正中之上　開口有空髮
　　　　際陷中

〔解剖〕在耳翼上角之上際顬顳筋中

〔主治〕目生翳　膚脣吻　强項　痛齒
　　　　不能嚼物

〔手術〕禁針　灸三壯

〔考證〕圖翼：主治目翳生膜脣吻項强　一云　堪治耳齒之病

〔附錄〕此穴爲小腸經　三焦經膽經　三脈之會　一云足太陰膀
　　　　胱經　亦會於此　銅人：言灸不言針　明堂：針八分
　　　　甲乙：針三分　灸三壯　考以上諸說不一　如必要針時
　　　　宜以小針淺刺之

完骨

〔位置〕在耳後入髮際四分竅陰下七分

〔解剖〕乳咀突起下端　循耳後動脈　分
　　　　布耳後神經

〔主治〕足痿不收　牙車　急項痛　喉痺
　　　　小便黃赤　頰腫口　目喎斜癲
　　　　疾　瘖瘧
〔手術〕針三分　灸三壯
〔考證〕甲乙：瘖瘧　頭風　耳痛　面肘腫　癲疾　僵仆　狂瘧
　　　　足痛完骨主之
〔附錄〕此穴爲足太陽　膀胱經　足少陽　膽經之會

邱墟

〔位置〕在外踝微外陷中去臨泣上三
　　　　寸

〔主治〕胸脅滿痛　久瘧振寒太息腋
　　　　下腫　髀樞痛轉筋萎厥　目
　　　　生翳膜　疝氣寒熱　頸腫　腰痛
〔手術〕針三分　灸三壯　垂足取之
〔考證〕玉龍歌：腳背疼起邱墟穴　靈光賦：髀樞痛疼瀉邱墟
　　　　百症賦：轉筋兮邱墟來醫　勝玉歌：踝眼骨痛　灸崑
　　　　崙　更有絕骨共邱墟　甲乙：目不明振寒　目膜覆瞳子
　　　　　大疝痛　胸滿太息　千金：主胸痛如刺　腳急腫痛
　　　　瘧振寒　保命集：兩脅痛　針足少陽經邱墟穴
〔附錄〕此穴爲足少陽　膽經所過爲榮

足竅陰

〔位置〕在第四趾外側　爪甲角如韭菜
〔解剖〕在第四趾第三節　爪甲角之發

生根部　長短總趾伸筋之附着
部

〔主治〕脅痛欵逆不得　息手足煩熱汗
不出　轉筋頭痛喉痺　心煩　舌强口干卒聾　夢壓諸目
痛

〔手術〕針二分　灸三壯

〔考證〕甲乙：手足清煩熱轉筋　頭痛如錐刺　喉痺　煩心　舌
干　耳鳴　千金：欵逆　脅痛　四肢轉筋

〔附錄〕此穴爲膽經所出爲井

足太陰

〔位置〕在足內踝後　白肉際骨陷宛
宛中

〔解剖〕內踝與跟骨中間　循後脛動
脈　分布脛骨神經

〔主治〕婦人逆產足先出

〔手術〕針三分　垂足取之

〔附錄〕凡逆產足先出者　針三分　待足入　方出針

足太陽

〔位置〕在外踝後一寸　骨陷宛宛中

〔解剖〕外踝阿斯利比腱中　循後外
踝動脈　分布淺腓骨　脛骨
神經

〔主治〕足癱瘓乏力

〔手術〕針三分　垂足取之

足小趾尖

　　〔位置〕足小趾尖端

　　〔解剖〕

　　〔主治〕難產

　　〔手術〕灸二七壯

足踵

　　〔位置〕在足踵聚筋上　白肉際處

　　〔解剖〕腓腸筋與比目魚筋下端着附

　　　　　　跟骨之中央部

　　〔主治〕霍亂轉筋

　　〔手術〕灸五壯至七壯　垂足取之

足踝

　　〔位置〕在足外踝上

　　〔解剖〕在跟骨與舟狀骨部

　　〔主治〕轉筋十指拘攣　翻胃諸惡漏

　　　　　　中冷息肉

　　〔手術〕灸七壯

足大趾甲根

　　〔位置〕足大趾爪甲本根　爪甲之半

　　　　　　當中

　　〔主治〕積年胸痛

　　〔手術〕灸七壯　男左　女右太冲

　　　　　　三壯　獨陰五壯　章門七壯

　　　　　　章門七壯　立愈

足太陰太陽穴

　　〔位置〕外踝後一寸宛宛中

〔解剖〕外踝阿新利比筋腱中　循外

踝後動脈

〔主治〕婦人逆產　胞衣不下

〔手術〕先向踝踝後白肉際針三分

灸三壯後灸足太陽

足大趾橫紋穴

〔位置〕在三毛中

〔主治〕卒中惡　悶熱毒欲死　陰踵

欲瞶　困憊

〔手術〕灸五壯

〔附錄〕一治癩卵　疝氣灸三壯甚效　又治卵腫如瓜　入腹將死

灸隨年壯　即腫遍灸之神效　治年老人大小便失禁

鼻衄時　癢劇者入壯　又治久魘不醒者　灸兩足

足第二趾上穴

〔位置〕在足第二指上一寸

〔解剖〕水病

〔手術〕灸隨年壯

足大趾節

〔位置〕在大趾本節後內側

〔主治〕瘤癲

〔手術〕灸七壯

〔附錄〕加灸獨陰七壯

身柱

〔位置〕在第三椎之下

〔解剖〕在第三四胸椎間僧帽筋起始部　循橫頸動脈下行枝　分

　　　　布胸椎神經後枝

〔主治〕腰背痛　癲疾　身熱妄言　瘰癧
　　　　亂殺人　小兒驚癇

〔手術〕針五分　灸五壯　俯首取

〔考證〕百症賦：癲疾必身柱　本神之令　神農經：治咳嗽　灸
　　　　十四壯　玉龍歌：忽然咳嗽　腰背痛　身柱由來灸便輕
　　　　乾坤生意：膏肓陶道身柱肺俞　治虛癆七傷之緊要穴
　　　　外台：備療中風不語方灸三椎　五椎　一百五十壯
　　　　圖翼：一傷治四時傷寒

〔附錄〕此穴爲督脈之脈氣所發　一切疔毒頗有時效　少林拳術
　　　　秘訣點　按致死　九穴之一氣俞穴　即腦後數下第三節
　　　　也

身交

〔位置〕在小腹下橫紋中

〔解剖〕軟骨恥骨棲合上際

〔主治〕赤白崩　中胞落癲　大小便不通
　　　　腹痛

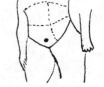

〔手術〕灸七壯至百壯

兌端（又名）兌通銳

〔位置〕在上唇端

〔解剖〕口輪匝筋部上唇粘膜人中之外皮
　　　　分布顏面神經及下眼窩神經

〔主治〕癲疾吐沫　消渴　衄血　唇吻强
　　　　痛　鼻塞痰涎　口噤　口瘡　小便赤澀

〔手術〕針一二分　灸三壯

〔考證〕百症賦：小便赤澀兌端獨會太陽經　外台：寒熱口噤

嗜飲　目瞑　汗出　衄血不止　又主口瘡　穢臭不可近

〔附錄〕此穴爲手陽明　大腸經脈所發

夾脊

〔位置〕第七椎之上下各開寸半

〔解剖〕有僧帽及荐骨脊柱筋　循肋動脈

分布脊椎神經後枝

〔主治〕霍亂轉筋

〔手術〕灸五壯多至百壯

〔附錄〕本穴一云　令病人合面臥　伸兩手着身　以繩索手　兩

肘間向脊橫扯平各開一寸五分

肘椎

〔位置〕在脊背大骨空中各開一寸

〔解剖〕在十二及十三胸椎間　上層有僧帽

筋　下有荐骨脊柱筋

〔主治〕霍亂心腹滿　煩悶　吐痢不止

〔手術〕灸五壯多至百壯

〔考證〕外台：華陀療霍亂已死上屋喚魂者　諸療皆至而不瘥者

灸此百壯無不活者陀以此術傳其子孫　世世皆秘之不

傳

〔附錄〕一云　救急療霍亂　心腹脹悶痛者及吐痢不止　令病人

伏臥　伸兩臂膊　着身即以小繩在兩肘尖骨橫背量之

在脊骨點記　又取繩量病人口吻　截斷便中折之　則以

度向背旁兩邊點記　三處一齊下火　灸絕必定神驗　艾

炷稍加大也

肘髎（又名）肘尖

〔位置〕肘上大骨後外廉陷中曲池後上方外斜一寸與天井橫平

〔解剖〕橈骨筋之起　始部三頭膊筋外緣　循返迴橈動脈　分布
　　　　外膊皮下神經

〔主治〕風勞嗜臥　肘節風痺屈伸
　　　　攣急　麻木不仁

〔手術〕針三五分　灸五壯　拱手
　　　　取之

〔考證〕甲乙：肩肘痠痛　不得屈
　　　　伸　圖翼：主節風痺　麻
　　　　木不仁　臂痛不舉　嗜臥

肘尖

〔位置〕在手肘骨尖上

〔解剖〕鷹咀突起上方三頭膊筋腱中

〔主治〕瘰癧

〔手術〕灸五壯至七七壯　屈肘取

〔考證〕千金：灸腸癰方　屈兩肘灸尖骨
　　　　各百壯　下膿血則瘥　醫學入門：
　　　　治瘰癧　左患灸右　右患灸左　初
　　　　生時男左　女右　灸風池　取法屈其肘　點取肘尖之處
　　　　每次　灸七壯至十五壯　三日或五日七日一灸　累至
　　　　百壯

尾骶

〔位置〕在脊骨二十一椎之下

〔解剖〕尾閭骨下部　荐骨韌帶下端　即大臀筋與肛門括約筋中

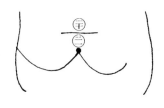

循下臀及內陰動脈

分布尾閭及外痔神經

〔主治〕疔瘡　痔瘡

〔手術〕針三分　灸七壯　伏

取

尾窮骨

〔位置〕在尾椎骨上一寸各開

一寸　共有三穴

〔解剖〕在荐骨管烈孔　腰背

筋膜中　循下臀動脈

分布荐骨神經後枝

〔主治〕腰痛不能屈伸　兼腎俞委中　灸三壯

〔手術〕灸三壯

〔附錄〕共有三穴

兩手研子骨

〔位置〕手腕研子骨尖上

〔解剖〕內橈筋腱外側迴前方筋下緣

舟狀骨結節之上方　循尺

骨動脈　分布正中神經

〔主治〕腕豆瘡　臂痛

〔手術〕灸三壯　男左女右

阿是穴（又名）天應穴

〔位置〕即患病的地方

〔主治〕兼風門　天井　肩井　風池　崑崙　天柱絕骨　治項痛

詳其經絡治之　隨痛隨針之法　能行則無不神效

八　畫

肩髃（又名）**扁肩中　肩井　肩尖　偏骨**

〔位置〕肩尖下寸許　峯臂有空
　　　　骨罅陷中

〔解剖〕肩尖突起　與上膊骨大結
　　　　節及鎖骨之關節部　三角
　　　　筋上線之中央　循上膊及
　　　　腋窩動脈　分布腋窩及肩
　　　　胛上神經

〔主治〕中風手足不仁　風痺頭不得回顧　筋攣急癮疹　勞氣泄
　　　　精　傷寒熱不已　癭病

〔手術〕針七分　灸七壯　峯臂取之

〔考證〕玉龍頭：肩端紅腫痛難當　寒濕相爭氣血狂　若向肩髃
　　　　明補瀉　管居多灸自安康　天星秘訣：手臂攣急灸肩髃
　　　　　勝玉歌：兩手酸痛難執物　曲池合谷與肩髃　千金：
　　　　勞氣失精　四肢不舉及諸疾癭多灸肩髃　甄權：唐臣狄
　　　　欽患風痺　針此穴立癒　素水熱穴論：雲門　肩髃委中
　　　　髓空此入者瀉四肢之熱也　圖翼：此穴灸偏風不遂　不
　　　　可過多　恐臂細　若風痺失力　久不瘥者　當多灸　亦
　　　　不畏細也

〔附錄〕此穴為小腸經　大腸經　陽蹻脈三脈之會　一曰足少陽
　　　　膽經　陽蹻脈之會

肩貞

〔位置〕在肩峰突起之後　即肩顒直下腋縫

〔解剖〕肩峰突起　後一寸下方

循迴旋上膊動脈　分布

肩胛上神經　及腋下神經

〔主治〕傷寒　寒熱　風痺　耳鳴

聾　缺盆痛　手足麻木

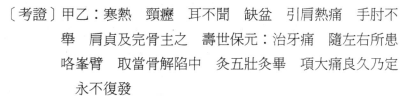

〔手術〕禁灸　針五分

〔考證〕甲乙：寒熱　頸癧　耳不聞　缺盆　引肩熱痛　手肘不

舉　肩貞及完骨主之　壽世保元：治牙痛　隨左右所患

咯峯臂　取當骨解陷中　灸五壯灸畢　項大痛良久乃定

永不復發

〔附錄〕以穴爲小腸經脈氣所發　古堂：列入禁灸　惟考素注

及甲乙有灸三壯之文　如須灸時宜取小炷

肩井（又名）膊井

〔位置〕肩上陷解中　缺盆之上大骨

前一寸

〔解剖〕在肩胛峯筋之間　有僧帽筋

循橫肩甲動脈　分布上肩

及副神經

〔主治〕中風不語　手不能舉　墮胎後厥逆　頭背皆痛　五癆七

傷　臂痛

〔手術〕針三分　灸三壯　正坐取之

〔考證〕席弘賦：若針肩井必三里不刺之時　氣未調　百症賦：

肩井乳癰宜極效　玉龍歌：兩臂急疼氣攻胸　肩井分明

穴可攻　通玄指要賦：肩井除兩臂難任　天星秘訣：腳

　　　　　氣先痛肩井先　千金：治難產針入一寸瀉之　須臾則分
　　　　　娩　又上氣　又逆息　風勞百病卒忤　灸二百壯　儒門
　　　　　事親：產後乳汁不下針之　壽世保元：治反胃垂危法
　　　　　男左女右　灸三百壯即效　痰涎上壅及婦女難產　墮胎
　　　　　後手足厥逆　針之立癒　灸更勝　漢藥神效方：凡下齒
　　　　　痛灸肩井即效

〔附錄〕此穴爲三焦經　膽　胃　三經　及陽維四脈之會　針灸
　　　　　經刺太瀉　令人壽短　孕婦禁針　圖翼：此穴爲胃經連
　　　　　五臟氣　刺深令人悶倒　速補三里須臾後　平凡刺肩井
　　　　　者　皆以三里以下其氣　按本穴勿刺太深　宜以微針淺
　　　　　刺

肩中俞

〔位置〕在肩胛內廉　去
　　　　脊二寸　與大椎
　　　　相平

〔解剖〕第一胸椎棘上突
　　　　起外側　循上肋及肩甲動脈　分布背椎神經後枝

〔主治〕咳嗽　上氣吐血　目視不明　寒熱肩痛

〔手術〕針三分至五分　灸五壯至五十壯

〔考證〕甲乙：主　寒熱病　目不明　吐血　千金：治百種風灸
　　　　百壯

肩髎

〔位置〕在鎖骨與肩胛骨部　即肩髃
　　　　之後下方　肩貞前下方　即
　　　　肩端突起兩骨間

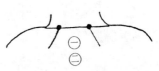

〔解剖〕肩胛骨　肩峰突起下際　即上膊骨與鎖骨之關節部

〔主治〕肩痛　臂重不舉

〔手術〕針五分至七分　灸五壯

〔考證〕甲乙：肩重不舉　背痛肩髎主之　此穴爲手少陽三焦經

之會

肩柱骨

〔位置〕在肩尖起骨之上端

〔解剖〕肩峰突起上方　上膊大結

節及鎖骨關節部　循腋窩

鎖骨　及肩胛神經

〔主治〕瘰癧　手重不舉

〔手術〕灸五壯至七壯

〔考證〕外台：療霍亂　卒中　惡氣絕　方灸肩高骨上　灸隨年

壯

肩外俞

〔位置〕肩甲上廉　去脊三寸

與大杼相平

〔解剖〕第二肋骨上緣　有僧

帽及長項二筋　及後

上鋸筋菱形筋　循橫頸動脈　分布背椎及後胸廓神經

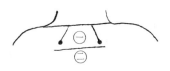

〔主治〕肩甲疼痛　瘁寒至肘

〔手術〕針三五分　灸三壯

〔考證〕甲乙：肩甲疼　痺痛　肘寒　肩外俞主之

直骨

〔位置〕在乳下一指頭低陷處

〔解剖〕在乳頭下　有大小胸筋　內外
肋間筋　內容肺臟

〔主治〕遠年久咳

〔手術〕男左女右　不可差誤　其咳即
愈　不愈不治

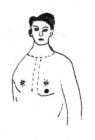

乳中（又名）當乳

〔位置〕當乳頭之正中

〔解剖〕第四五肋骨間　大小胸筋
及內外肋間筋　內容肺臟

〔考證〕肘後方：卒得癲疾　方灸兩乳頭　外台：肘後療　夏日
中熱渴死　凡中熱渴死　不可使得冷　得冷即死灸　兩
乳頭各七壯　千金：暴癇灸兩乳頭　圖翼：治胞衣不下
以乳頭向下蓋處灸之即下

〔附錄〕此穴禁針灸　故主治手術概不列入　甲乙：禁不可刺灸
灸之不幸生蝕　瘡有膿汁者　可治　有息肉及蝕瘡者
死之　刺禁論：刺乳中　乳房如腫根蝕　按即此穴也

乳根（又名）薛息

〔位置〕在乳下　一寸六分　步廊旁二
寸

〔解剖〕在第五六肋骨間　循前肋動脈
分布肋間神經

〔主治〕胸悶痛　食不下　逆咳　霍乳轉筋　乳悽慘寒痛

〔手術〕針三分　灸三壯

〔考證〕席弘賦：但向乳筋二肋間　又治婦人生產難　明堂：主
膈氣不下　食咽病　甲乙：胸痛煩悶　乳癰寒熱　痛甚

肘後歌：療上氣　唾膿血方灸乳赤白肉處一百壯良

神農經：治胸下滿痛　上氣喘急　灸七壯捷經　治憂噎

〔附錄〕此穴為足陽明　胃經脈氣所發

乳上

〔位置〕在乳頭上約二寸許

〔解剖〕在第三四肋骨之間　有大小胸筋

　　　　及內外肋間筋　循前動脈　分

　　　　布前胸及肋間神經　內容肺臟

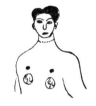

〔主治〕乳癰　妬乳

〔手術〕灸五壯　多至七壯

承筋（又名）腨腸　直腸

〔位置〕腨腸之中　合陽承山二穴間

〔解剖〕腓腸筋部　循後脛動脈　分布

　　　　後脛神經

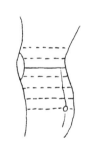

〔主治〕肩背攣急　大便秘腋　腫脛痺

　　　　不仁　腨酸鼻衄　霍亂轉筋腳

　　　　跟痛

〔手術〕禁針灸　三壯垂足取之

〔考證〕甲乙：寒熱癲疾　足跗痛腨酸　大便難　大腸實　則腰

　　　　背寒虛　則鼻衄癲疾　千金：大便難灸三壯　霍亂已死

　　　　有暖氣者　灸七壯　能起死人回生

〔附錄〕此穴為足太陽　膀胱經脈氣所發　素刺禁論：刺腨腸

　　　　內陷如腫　按即此穴也

承滿

〔位置〕在不容下一寸上　脘旁二寸

〔解剖〕在第八肋軟骨　付着部有內外
　　　　斜直腹筋　循上腹動脈　分布
　　　　肋間神經前穿行枝

〔主治〕腸鳴　腹脹　喘逆　飲食不下
　　　　吐血　痰飲　皮痛不得近衣
　　　　澼澼　瘻瘲不仁

〔手術〕針五分　灸五壯

〔考證〕千金：腸中雷鳴相逐　痢下方又主脅下堅痛　灸五十壯
　　　　外台：主息肩吐血

〔附錄〕此穴爲　胃經脈氣所發

承泣（又名）谿穴　面髎

〔位置〕在目下七分　直對瞳子

〔解剖〕眼輪匝筋中　循下眼窩動脈　分布顏
　　　　面及眼窩神經

〔主治〕目冷　淚出瞳子癢　昏夜無見　面與

　　　　口相引　目赤痛口　眼斜歪　耳聾鳴

〔手術〕禁針　禁灸

〔考證〕目不明　多淚　甲乙：目赤痛口　目歪斜

〔附錄〕此穴爲胃經　陽維　任脈　三脈之會　銅人：灸三壯
　　　　禁針　針之令人目烏色　明堂：針四分　半禁灸　若灸
　　　　令人目大　息肉大如桃至卅日　定不見物　甄權云：目
　　　　下入分禁灸　不令多少息肉大如桃許　至百日不見得物
　　　　按以上諸說　故列入禁針灸之例　慎勿妄施手術　如
　　　　須針此穴　可取四白代之

承光

〔位置〕眉心直上　入髮後二寸
　　　　半

〔解剖〕前頭骨與顱頂骨縫　合
　　　　部有帽狀腱膜中

〔主治〕風眩頭痛　口喎　吐嘔
　　　　心煩　青盲目　生白翳
　　　　鼻中不利

〔考證〕甲乙：熱病汗不出　苦煩心善嘔　目不明

〔附錄〕此穴為膀胱經脈氣所發　甲乙：禁灸

承扶（又名）內郄　陰關皮部

〔位置〕在臀後大股　橫紋中直立
　　　　高肉下垂對直委中

〔解剖〕大臀筋下際有大轉筋　循下
　　　　臀動脈　分布臀神經後枝及
　　　　坐骨神經

〔主治〕腰背痛　如解久痔　大便難　尻臀腫　小便小利

〔手術〕禁灸針五分　正立取之

〔考證〕甲乙：腰背痛

承山（又名）魚腹肉柱腸山

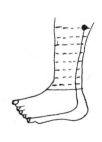

〔位置〕腨腸下分肉間　循脛後動脈
　　　　分布脛骨神經　委中直下七寸

〔主治〕急食不通　霍亂　轉筋痔腫戰
　　　　標　傷寒水結　腳跟痛　膝腫
　　　　脛酸

〔手術〕針七分　灸五壯　垂足趾尖豎

　　　　　腨腸　下分肉之間
　　〔考證〕玉龍歌：九種痔漏最傷人心　必刺承山效通神　勝玉歌
　　　　　：兩般轉筋　承山刺　百症賦：刺長強與承山　善治風
　　　　　腸新下血　靈光賦：承山下血並久痔　肘後歌：五痔原
　　　　　因熱血作　承山須下病無蹤　又腳若轉筋目發　化然谷
　　　　　承山法自古　扁鵲心堂：治腳氣行步少力　千金：灸轉
　　　　　筋　隨年壯神驗霍亂灸百壯　圖翼：今時多用此穴治傷
　　　　　寒立效　又初發瘡者灸之立愈　取穴以足趾履地　兩手
　　　　　按壁上取之
　　〔附錄〕此穴治橫痃未潰者　厥功其偉已潰亦效

承靈

　　〔位置〕正營後　一寸
　　　　　五分
　　〔解剖〕顱頂骨節後方
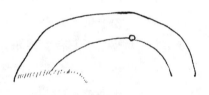
　　　　　有冒狀腱膜
　　　　　循淺顱顬動脈　分布大後頭神經
　　〔主治〕腦風頭　風惡　風寒　主鼻中　一切疾患
　　〔手術〕禁針　灸五壯
　　〔考證〕甲乙：主鼻中喘息不通
　　〔附錄〕此穴爲足少陽膽經　陽維之會

承漿（又名）天地鬼市　垂漿　懸漿

　　〔解剖〕在頭前下唇下陷中
　　〔主治〕半身不遂　口目歪斜　面

　　　　　腫消渴暴瘖　不能言　口
　　　　　齒疳蝕生瘡

〔手術〕針二分　灸三壯

〔考證〕百症賦：承漿瀉牙疼而即移　玉龍歌：頭項強痛難回頭

牙疼幷作一般看　先向承漿明補瀉　後針風府即時安

通玄指要賦：頭項強痛承漿保　甲乙：寒熱悽厥鼓頷

痙疾互引口干　小便赤或不禁　目瞑　汗出衄血不止

承漿及中委主之　肘後方：治中惡尸厥灸十壯大效　千

金：治唇緊方灸三壯　圖翼：主偏風半身不遂　口斜瘡

不能言　刺三分徐徐引氣而出　又主任脈之爲　病苦內

熱　男子爲七疝　女子爲瘕聚　壽世保元：初生三四日

至七日　口噤不吃乳多啼者　是客風中脾循流至心脾

二經遂使舌漲唇撮　灸承漿及頰車穴各七壯

〔附錄〕此穴爲胃經　任脈之會　又十三鬼穴之一　統治一切癲

狂病

府舍

〔位置〕腹結下三寸　去中行三寸五分

〔解剖〕在耻骨軟骨接合部　中門上七

分之所　內外斜腹筋中　右當

盲腸之下部　左當5字狀下部

〔主治〕胸脅痛食不下　喜飲　咳嗽疝瘕　腹痛　霍亂厥逆

〔手術〕針三分　灸三壯　仰臥取之

〔考證〕甲乙：主治疝瘕　腹痛搶心霍亂

〔附錄〕此穴爲脾經　肝經　陰維三脈之會　又脾經之郄　三陰

三陽之枝別

承命

〔位置〕內踝徵後上行三寸動脈之中

〔解剖〕在脛骨後內側　後脛骨筋與長
　　　　總趾伸筋間

〔主治〕狂邪驚癎

〔手術〕灸七壯至三十壯

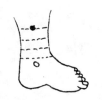

周榮

〔位置〕在中府下一寸六分　去
　　　　中行紫宮六寸

〔解剖〕在第二三肋骨中　有大
　　　　胸筋及前大鋸筋循　內
　　　　外肋動脈　分布前胸及
　　　　肋間神經側穿行枝

〔主治〕胸脅滿痛　食不下多飲　善唾膿噦　喘逆多潑

〔手術〕針三分　禁灸仰臥取之

〔考證〕千金：主食不下　善飲　外台：胸脅滿欬　唾陳膿

青靈

〔位置〕在肘上三寸

〔解剖〕上膊骨前內側上　爲二
　　　　頭膊筋內線　下爲內膊
　　　　骨陷中　循上膊動脈
　　　　及重要動脈　分布內膊皮下神經

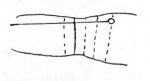

〔主治〕目黃　頭痛　脅痛　肘不屈伸　肩臂不舉

〔手術〕禁針灸三壯　平臂取之

〔附錄〕圖考：取穴將臂舉起　從肘內尖量上三寸　以手切之有
　　　　大筋一條　大筋之外即穴也

秉風

〔位置〕天宗斜上方　舉臂有孔
〔解剖〕在肩甲棘起始部上際　僧
　　　帽筋部　循橫肩甲動脈
　　　分布肩甲上神經

〔主治〕肩痛不舉
〔手術〕針五分　灸五壯　舉臂取之
〔考證〕甲乙：痛疼肩不舉　肩顒及秉風主之

委陽

〔位置〕在殷門下六寸　膕之外廉兩筋間
〔解剖〕在二頭股筋之內側　循膝膕動脈　分布膝膕神經　腓骨
　　　神經
〔主治〕腋下腫痛　胸滿澎澎筋急　身熱飛尸遁　在痿厥不仁
　　　小便淋瀝
〔手術〕針五分至七分　灸三壯　正坐垂足取之
〔考證〕百症賦：委陽天池腋腫針　而速退　甲乙：胸滿澎澎然
　　　實則癃閉腋下腫處　則遺溺腳急兢兢　然筋急痛不瀉
　　　大小便　腰痛引腹不得俛仰　委陽主之

委中（又名）郄中委中央血郄腿凹

〔位置〕在膝膕窩約紋正中
〔解剖〕大腿骨關節部　腓腸筋二頭間
　　　循膝膕動　分布脛骨神經

〔主治〕膝痛　遺溺　腰重不舉　小腹
　　　緊滿　體風痹傷寒　四肢熱霍
　　　亂牙槽風腹痛
〔手術〕針一寸五分　禁灸

〔考證〕玉龍歌：更有委中之一穴　腰間諸疾任君攻　勝玉歌：
委中驅療腳氣纏　四總穴歌：腰背委中求　馬丹陽十二
穴歌：腰痛不能舉　沉沉引脊梁酸痛　筋莫展兩膝難屈
伸　衄血淋漓委中承漿主之　續醫說：劉漢卿患牙槽風
久之頷穿膿血淋漓丘經歷與針委中及女膝穴　是夕膿
血即止　旬日頷骨脫去　別生新者　完全如舊　又張師
道：亦患此症　復用此法　針之亦痛聚英　霍亂上吐下
痢　腹中絞痛刺委中　圖翼：主治大風眉髮脫落　太陽
瘧從背起　先寒後熱　汗出難已　頭重轉筋　半身不遂
遺弱風痺　樞痛足軟無力　凡腎與膀胱實腰痛者　刺
出血　妙虛者不宜刺　慎之　萬病回春有干霍亂者最難
治　死在須臾　俗云：絞腸痧急然心腹絞痛手足冷　脈
沉伏　吐瀉不能昇降　不通急用鹽湯深吐　及刺委中出
血　醫搞話：崇貞十四年大旱　十五六年亢旱　通國奇
慌　厲疫大作　有瘟瘩癟　羊毛瘟等名　得病即亡　不
留片刻　八九月疫死數百萬　十月間有閩人曉解病由
着膝後膕有紫筋突起者無效　紅則刺出血可活　至霜雪
漸緊　病亦漸殺　其病由暑熱浸入血　分刺筋出血者
經云：血實宜決之之旨也　治疗彙要：委中不獨治疗有
效　即如癰疽發背及腳膝風濕　即如跛足者針之亦效
如中風痰厥　牙關緊閉　不醒人事者　針之立醒
〔附錄〕此穴為膀胱經所入為合神　應禁灸　素刺禁論：刺郄中
大脈令人仆脫色　按即此穴也

金門（又名）梁關

〔位置〕在外踝下　一寸陷中

〔解剖〕足外踝與踝子骨之陷凹部
　　　　短總趾伸筋之跗着部

〔主治〕霍亂　轉筋尸厥　驚癇暴疝
　　　　膝脛酸痛　小兒張口搖頭

〔手術〕針三分　灸三壯

〔考證〕百症賦：轉筋兮金門五圻未醫　席弘賦：但患傷寒兩耳
　　　　聾　金門聽會疾如風　標幽賦：頭風痛刺　申脈金門
　　　　雜病穴法歌：頭風目眩挼屈強　申脈金門平三里　又胸
　　　　膝之疾羨行間　三里申脈金門後　瘧疾連日發不休　金
　　　　門瀉刺七分

〔附錄〕此穴爲膀胱經之郄　與陽維之別屬也

金津玉液

〔位置〕在舌下兩旁紫脈上

〔解剖〕舌繫帶左右之兩旁　有舌下
　　　　靜脈

〔主治〕重舌腫痛　喉閉消渴口瘡

〔手術〕用三稜針出血　捲舌取之

〔考證〕甲乙：重舌以舌柱以鈹針
　　　　圖翼：主治消渴口瘡　喉痺舌腫用三稜針刺出血

〔附錄〕穴在左者曰金津　右者玉液　本穴與上降海泉同在舌下
　　　　主治功效大致相同　施術專在刺出血　不能斷其血管
　　　　針身宜粗鋒而銳　手術要逆一點即出　流出紫黑血即
　　　　愈

京骨

〔位置〕小趾外側本節後大骨下

〔解剖〕足背與足蹠之境界　骰子骨與
　　　　第五蹠骨關節部陷中
〔主治〕頭痛如破　身後側痛　目眥赤
　　　　爛白翳　目眩　心痛　寒熱項强　傴僂　鼻衄不止　足
　　　　胕筋攣
〔手術〕針三分　灸三壯
〔考證〕十二經治症主客絡訣：膀胱頸項目中疼　腰背腿足痛難
　　　　行　痾瘧癲狂心煩熱　背弓反手額眉稜　若要除之無別
　　　　法　京骨大鍾任顯能　甲乙：衄血不止　頭痛　目白翳
　　　　　搶心腹滿痛　癲疾　鼻喘不利　善自齒頰偏柱振寒
　　　　外台：京骨主瘖瘧
〔附錄〕此穴爲足太陽　膀胱經所過爲原

京門（又名）氣府　氣俞　腎募

〔位置〕臍上五分旁開九寸半
〔解剖〕在側腹部第十二肋骨
　　　　前端有外內斜　及闊背
　　　　筋骨　循上腹動脈　分
　　　　布長胸及肋間神經

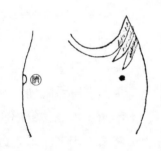

〔主治〕腸鳴洞泄　小腹痛　肩
　　　　背寒痙　腰痛引背　水道不利髀樞痛
〔手術〕針三分灸三壯　側臥屈上足取之
〔考證〕甲乙：脊强反折　寒熱腹脹　快快然不得息　體痛引骨
〔附錄〕此穴爲腎經之募

步廊

〔位置〕神封下一寸六分中庭旁二寸

〔解剖〕第五六肋骨間　循肋及內乳動
　　　　脈　分布肋間及前胸廓神經
　　　　內容肺臟

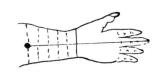

〔主治〕胸脅引痛　支滿咳逆　鼻塞
　　　　舉臂不得
〔手術〕針三分　灸三壯
〔附錄〕此穴腎經脈氣所發

郄門

〔位置〕掌後大陵直上五寸
〔解剖〕在橈骨與尺骨之中
　　　　長與淺屈拇筋中　循
　　　　骨動脈之枝別

〔主治〕嘔血　衄血　痔疾　心痛　神氣不足悲驚
〔手術〕針三分　灸五壯
〔考證〕甲乙：心痛　嘔血　吐血　衄血　痔疾　大陵郄門主之
　　　　千金：犯疔瘡　方男左女右　灸七壯即癒　已用大效
　　　　疔腫灸法雖多　然此法甚驗出於意表也　又主衄血吐
　　　　血

和髎

〔位置〕耳前銳髮尖下　耳前上方
〔解剖〕顴顬骨下端　顎骨關節部　耳前
　　　　起始筋部　循顴顬動脈　分布顏
　　　　面神經

〔主治〕頭重痛　牙車急　頸頷腫　耳中
　　　　嘈嘈面風　鼻腫　癰腫　瘈瘲口辟

〔手術〕禁灸　針二三分

〔考證〕甲乙：頭重頷腫　耳嘈嘈禾窌主之

〔附錄〕此穴爲三焦經　小腸經　膽經三脈之氣　灸之目盲

居髎

〔位置〕章門下八寸三分　即臍
　　　　旁六寸三分

〔解剖〕大臀筋停止部之前淺
　　　　大腸部有內外斜腹筋
　　　　循迴旋腸骨動脈　分布
　　　　長胸及肋神經枝

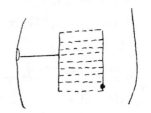

〔主治〕腰痛引小腹　肩背攣急

〔手術〕針五分至七分　灸三壯　側臥取之

〔考證〕玉龍歌：環跳能醫腿股風　居髎二穴認眞攻

〔附錄〕此穴爲足少陽　膽經　陽蹻脈之會

建里

〔位置〕臍上三寸　中脘下一寸

〔解剖〕上腹部白條線中　循上腹壁動
　　　　脈　分布肋間神經前穿行枝
　　　　內容胃臟

〔主治〕上氣咳逆　不欲食　心痛　身
　　　　腫腹脹

〔考證〕百症賦：建里內關掃盡胸中苦悶　天易秘訣：肚膨腹脹
　　　　針先水分瀉建里　千金：主霍亂腹脹瀉五吸疾出針　日
　　　　灸二七壯至百壯

〔附錄〕圖翼：一云宜針不宜灸　孕婦尤忌之

命門（又名）屬累　竹杖

〔位置〕在十四椎之下

〔解剖〕在第二三腰椎棘上突起間有荐

骨脊柱筋　循後肋動　分布腰

椎神經後枝

〔主治〕身熱如火　五臟皆熱　頭痛如破　汗不出　寒熱瘧腰腹

相引骨蒸　勞熱　小兒驚癇　張口搖頭角弓反張

〔手術〕針五分　灸三壯伏取

〔考證〕百症賦：腎敗腰虛小便頻　夜間起止若留神　命門若得

金針助　腎俞艾灸起遭逆　標幽賦：取肝俞與命門使瞽

士視秋毫之末　千金：婦人胞落癩灸五十壯　又丈夫痔

漏下血脫肛　食不下長泄痢　婦人崩中去血　帶下赤白

淋濁皆宜灸之　壽世保元：治下血不止秘法　用蔑兩條

自地度至臍心截斷　即向後自地比至脊骨處是穴按之

疼痛方灸不疼者不可灸　灸七壯　永斷根不發又灸腸風

臟毒　便血久不止者　灸穴同上　圖翼：凡大便下血諸

治不效者　但取脊骨與臍相平　按骨疼痛處是穴　灸七

壯即止　如再發又灸七壯　永可除根　又遺精不禁者灸

五壯立效　俗傳此穴灸寒熱多效　漢藥效方：凡吐血下

血色黑者不可止　鮮紅者可止　灸命門穴有速效

〔附錄〕此穴爲督脈所發　圖翼：刺三分灸三七壯　若年二十以

上者灸　恐絕子　少林拳術秘訣：點按致死九穴之一

命門穴即腰脊骨由下數上第七節也

命關

〔位置〕在中脘向兩乳頭之三角處

〔解剖〕內外斜腹筋部　循上腹動脈
　　　　分布肋間神經　側穿行枝

〔主治〕脾家一切疾病

〔手術〕灸五壯多至百壯

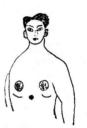

始素

〔位置〕在腋脅下廉　二寸骨陷中

〔解剖〕側胸前部大鋸筋中　循肋間
　　　　動脈　分布側胸部廓神經
　　　　內容肺臟

〔主治〕暴卒中風　尸厥飛尸　遁注
　　　　搶心　吐嘔　喘逆　筋攣陰上縮

〔手術〕針二三分　灸三壯舉手取之

長谷（又名）循際　循元

〔位置〕臍旁各開五寸

〔解剖〕內外斜腹筋部　循淺腹動脈
　　　　分枝　分布腸骨下腹神經

〔主治〕下痢　食不化

〔手術〕灸五壯多至百壯

長強（又名）氣郄　厥骨　窮骨　骨祇　龜尾　龍虎穴　河車　路尾閭上　天梯

〔位置〕尾閭骨端五分　肛門
　　　　之上

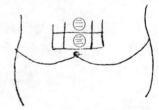

〔解剖〕在尾閭骨之下部　荐
　　　　骨靭帶下部即大臀筋
　　　　與外肛門括約筋之中　分布尾閭及外痔神經

〔主治〕頭重　腰强腸風　下血久痔　五淋狂症　大小便難　洞
　　　　泄嘔血　小兒顖陷驚恐　失精　目不明　疳蝕下部小腸
　　　　氣痛

〔手術〕針三分灸七壯　俯頭取之　針三分以大痛爲度　灸不及
　　　　針

〔考證〕玉龍歌：九般痔漏最傷人　承山必刺效若神　更有長强
　　　　一穴是　伸吟大痛穴爲眞　勝玉歌：痔疾腸風長强欺
　　　　雜病穴法歌：熱秘氣秘先長强　百症賦：刺長强與承山
　　　　　主腸風下血　天星秘訣：小腸氣痛先長强　甲乙：痙
　　　　反拆心痛　形氣短小便黃　閉實則脊强　虛則頭痛　洞
　　　　泄淋癃　大小便難　起居長强主元　千金：赤白痢以多
　　　　灸爲佳也　又五痔便血失尿　寒冷脫肛　歷年不愈　灸
　　　　長强七壯　外台：備急療小兒脫肛方　灸三壯即愈　圖
　　　　翼：經驗治少年注夏羸瘦　灸此最效簡易良方　灸縮陰
　　　　證用蒜切片置陳艾在蒜片上　一灸即愈　良方集腋：小
　　　　兒急驚風其狀　身熱甚面紅　牙緊手足索引　睛上視啼
　　　　聲不出　灸尾閭骨下一指間　灸三壯立愈　炷如菜豆大

〔附錄〕此穴爲腎經之絡　別走任脈　一云腎經　膽經之會

明堂

〔位置〕鼻柱直上入髮一寸

〔解剖〕在前頭骨部筋中　有前頭
　　　　動脈　分布前頭神經

〔主治〕頭風　鼻塞　多涕

〔手術〕針二分　灸三壯

河口

〔位置〕在手掌後動脈陷中

〔解剖〕內橈骨筋腱之外部
　　　　迴前方筋中　循橈
　　　　骨及頭靜脈　分布
　　　　橈骨神經

〔主治〕狂走驚癎　手腕痛

〔手術〕灸五十壯

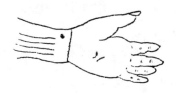

九　畫

面巖

〔位置〕在顴骨下

〔解剖〕在顴骨下廉　有笑筋　循橫
　　　　頸及咬筋動脈　分布眼窩及
　　　　顏面神經頰枝

〔主治〕痔瘡

〔手術〕禁灸針二三分

俠白

〔位置〕天府下二寸　去尺澤五寸

〔解剖〕上膊骨內側　中央部二頭
　　　　膊筋　與內膊筋間　循上
　　　　膊及頭靜脈　分布內外膊
　　　　皮下神經

〔主治〕心痛　短氣　乾嘔　心煩
　　　　胸滿　欬逆

〔手術〕針三五分　灸三壯　伸臂
　　　　取

〔考證〕甲乙：心痛俠白主之　壽世保元：治赤白汗斑神法　或
　　　　以針刺之出血已宜灸俠白穴

〔附錄〕此穴爲手太陰　肺經之別

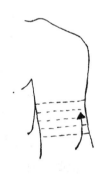

俠谿

〔位置〕足小次趾岐骨間　本節前陷中

〔解剖〕在第四五趾　前骨岐骨
　　　　間　長與短總趾伸筋腱
　　　　之附着部

〔主治〕胸脅肢滿　寒熱　傷寒　汗不出　目外眥赤　目眩　耳
　　　　聾　頷腫　胸痛　無定處
〔手術〕針二三分　灸三壯
〔考證〕百症賦：陽谷　俠谿　口噤頷腫並治　千金：主乳癰潰
　　　　爛目赤　頭眩　風寒　癲狂　小腹痛　月水不利
〔附錄〕此穴爲膽經所出爲井

俠承漿

〔位置〕在承漿兩邊　各開一寸
〔解剖〕下顎皮下神經與下唇動
　　　　脈之分枝

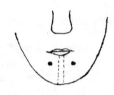

〔主治〕馬黃急疫　唇疗瘟疫
　　　　面頷腫痛
〔手術〕灸三壯　用三稜針出血
〔考證〕千金：治馬黃急疫病

前谷（又名）手太陽

〔位置〕在小指外側　本節前陷中
〔解剖〕第五指第一節基芘　即第五
　　　　掌關節部　前內側短小指屈
　　　　筋之旁

〔主治〕熱病　汗不出　痎瘧　癲疾
　　　　耳鳴　喉痺　鼻塞　咳嗽吐血　臂痛　婦人產後無乳
〔手術〕針二分　灸三壯　握拳取之

〔考證〕甲乙：欬而胸痛　小便赤難　肘腕痛　項强　咽腫　目
　　　　中白膜　目痛如脫　多淚　鼻中不利　前谷主之　圖翼
　　　　：主婦人產後無乳

〔附錄〕此穴為手太陽　小腸經所溜為滎

前頂

〔位置〕在百會前一寸半

〔解剖〕頭蓋之正中淺左右顱項骨縫
　　　　合部　帽狀腱膜中

〔主治〕頭風目眩　驚癇瘈瘲　水腫
　　　　鼻流清涕　急慢驚風

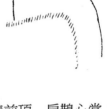

〔手術〕針二分　灸五壯

〔考證〕百症賦：原夫面腫虛浮　須仗水溝前頂　扁鵲心堂：黃
　　　　帝灸法　鬼壓者人昏悶夢　灸前頂五十壯　穴在鼻上入
　　　　髮三寸半　又治巔痛　兩目失明

前後隱珠

〔位置〕湧泉穴前後

〔主治〕疔瘡

〔手術〕灸三壯

〔附錄〕一足兩穴左右　共四穴

後谿

〔位置〕在小指外側本節後　橫紋尖陷
　　　　中　緊握拳尖上　橫紋盡處陷
　　　　中

〔解剖〕第五掌骨內一部之前方短小指
　　　　屈筋旁　有外轉筋小指筋　循

指背動脈　分布尺骨神經分枝

〔主治〕瘧疾　寒熱　目生翳膜　耳聾　鼻衄　胸滿　頭項　強　肘攣　痂疥

〔手術〕針三分　灸三壯　握拳取之

〔考證〕玉龍歌：時行瘧疾最難禁　穴法由來未審明　若把後谿穴尋得　多加艾火即時輕　蘭江賦：後谿耑治督脈病　癲狂此穴治爲輕　又陰郄後谿　治盜汗之多出　通玄指要賦：頭項強痛　憑後谿而安　肘後歌：脅肋腿疼後谿穴　勝玉歌：後谿鳩尾及神門　治療五癎立便痊　八法歌：手足拘攣戰悼　中風不語　癲癇　牙疼　眼腫　淚相連　腿膝腰背痛遍　牙疼　頦頷腫喉咽　手足麻木破相牽　盜汗後谿先砭　圖翼：一傳治早食午吐　午食晚吐　灸此穴九壯　立愈　捷經：咽喉閉水粒食不下　心肺熱病　雙娥喉　肺與三焦熱病　牙關不開　車牙腫痛　頸腫兩耳聾鳴　氣痞　耳內痛癢　留風頭暈　腎虛頭痛　頭耳昏沉　太陽疼　嘔吐不止　赤眼痛　白膜　中風淚下不已　破傷風　寒熱惡聞聲考

〔附錄〕此穴爲手太陽　小腸經所注爲俞　治一切瘧疾　癲狂盜汗　其功故有不可思議者

後頂（又名）交冲

〔位置〕百會後一寸五分

〔解剖〕顱頂骨矢狀縫合部之後　有帽腱膜　循後頭動脈　分布後頭神經

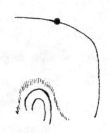

〔主治〕頭項強痛　汗出不臥　惡風

寒　癲癇狂走　偏頭痛　風眩　目眩　目不明

〔手術〕針二分　灸五壯

〔附錄〕此穴爲督脈所發　儒門事親：後頂强間風府腦戶　不可

輕用針　若不幸　令人瘖

後髮際

〔位置〕在枕骨下兩旁

〔解剖〕後頭骨之上項筋下　循後
頭動脈　分布大後頭神經

〔主治〕疔瘡

〔手術〕針三分　禁灸　俯頭取之

後腋下

〔位置〕在背下兩邊腋下後紋頭

〔解剖〕肩胛骨腋下之筋部　循橫肩
胛動脈　分布肩胛上神經

〔主治〕頸漏

〔手術〕灸隨年壯

泉陰

〔位置〕在橫骨旁三寸

〔解剖〕腸骨前上棘之內下方
當鼠蹊部皺壁溝之
所

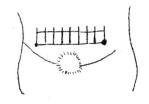

〔主治〕癩疝偏大

〔手術〕灸百壯三報之

神門（又名）兌冲　中都　銳中　兌骨

〔位置〕掌後內側　銳骨端陷中

〔解剖〕豆骨與尺骨之關節部　即尺骨筋
　　　　間　分布尺骨神經

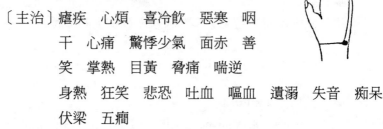

〔主治〕瘧疾　心煩　喜冷飲　惡寒　咽
　　　　干　心痛　驚悸少氣　面赤　善
　　　　笑　掌熱　目黃　脅痛　喘逆
　　　　身熱　狂笑　悲恐　吐血　嘔血　遺溺　失音　痴呆
　　　　伏梁　五癇

〔手術〕針三分　灸三壯　伸手取之

〔考證〕百症賦：發狂奔走　上腕同起於神門　玉龍歌：痴呆之
　　　　症不堪稱　不識長卑狂罵人　神門獨治痴呆病　雜病穴
　　　　法歌：神門專治心痴呆　通玄指要賦：神門去心性之痴
　　　　呆　甲乙：主治手肘攣　嘔血上氣　千金：主欬逆上氣
　　　　唾血振寒　呼吸不得　狂笑　圖翼：主瘧疾　心煩　善
　　　　冷飲遺溺　心痛　發狂　善笑　失音　嘔吐　血積　心
　　　　伏梁　五癇手攣掣

〔附錄〕此穴爲足少陰腎經所注爲　原素至眞要大論：神門絕死
　　　　不治　靈論疾論尺篇：女子少陰動脈甚者　姙子診　則
　　　　轉手向陽側骨開　按即此穴也　取法須反手向上　穴孔
　　　　始開　方爲準確　此穴係手少陰心經

神堂

〔位置〕在第五椎下　去脊三寸半

〔解剖〕第五六胸椎　橫突起外方　循橫
　　　　頸動脈下行枝　分布肩胛及肋間
　　　　神經

〔主治〕背強　急胸滿　寒熱逆氣　上攻時噎

〔手術〕針三分至五分　灸五壯

〔考證〕甲乙：肩背痛　不得俛仰　胸腹滿慎厥

〔附錄〕此穴爲膀胱脛動氣所發

神封

〔位置〕膻中旁二寸靈圩下一寸六分

〔解剖〕在第四五肋間　循內乳動脈　分布前胸廓神經　內容肺
　　　　臟

〔主治〕胸滿不得息　咳逆嘔吐
　　　　　乳癰　惡寒

〔手術〕針三分　灸五壯　仰臥
　　　　取之

〔考證〕千金：神封主乳癰　寒熱短氣　臥不安

〔附錄〕此穴爲足少陰　腎經脈氣所發

神藏

〔位置〕或中下一寸六分華蓋旁二寸

〔解剖〕第二三肋骨間　有大胸筋
　　　　循內肋動脈　分布肋間神經
　　　　內容肺臟

〔主治〕咳逆　嘔吐　胸滿　喘不得
　　　　息　不嗜食

〔手術〕針三分　灸五壯

〔考證〕百症賦：胸滿　項强　神藏璇璣　宜試　甲乙：主吐嘔
　　　　煩悶　不得飲食

〔附錄〕此穴爲腎經脈氣所發

神闕（又名）臍中氣舍

〔位置〕在臍之中央

〔解剖〕腹部之正中　循上腹壁動

脈　分布肋間神經前　穿

行枝瀉部　容小腸

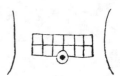

〔主治〕中風　不省人事　腹中虛

冷泄痢不止　水腫鼓脹　腹痛小兒奶痢不絕脫肛卒死

風癇弓角　反脹產癆　小便不禁　五淋

〔手術〕禁針　灸五壯至十壯　仰臥取之

〔考證〕圖翼：昔有徐平仲者　卒中不省得　桃園　爲之灸臍中

百壯始甦　更數月復不起　鄭糾日有一親卒　中風醫者

灸五百壯　而甦後逾年八十　向使徐平仲灸百壯　安知

其不永年耶　故神闕之灸須塡細鹽　然後灸之　以多爲

良　若灸之三五百壯　又能延年　若灸少即時或暫愈後

恐復發　則再難灸治矣　甲乙：水臍大腫　平灸臍中

無理不治　又絕子灸臍中令有子　千金：婦人胞落癩

灸三壯　小兒腸癇　痢疾　皆治　少年房多短氣　納鹽

灸二七壯　霍亂已死　有暖氣者　灸二七壯　氣淋脫肛

治落水死方　凡落水經一宿猶可治　又主少腹疝氣

繞臍痛冲胸不得息　外台：肘後療霍亂　若煩悶急滿

納鹽灸二七壯　又蘇孝證療白虎病方：婦人男夫皆有此

病　女因產犯之男　因眠犯之　其狀口噤　手舉氣不出

灸七壯　集驗：療水腹大臍平者　灸臍中　若腹無紋

理者　不可療　扁鵲新書：腸下血久不止　此飲食冷物

損大腸氣也　灸三百壯　老人腸滑重困　乃氣虛脫　小

便不禁　灸三百壯　嚴氏曰：氣淋　小便澀常有餘滴

石淋　莖中痛　尿不得卒出　膏淋尿似膏出　勞淋　勞
倦則發痛　引氣沖血淋熱　則發甚則溺血以上五淋　皆
用鹽沙炒熱　填病人臍中　却用大艾　灸二七壯　或灸
三陰交即愈　萬病回春：治陰症冷極　熱藥救不回者
手足冷　腎囊縮　牙緊死　在須叟用蒜搗汁　擦臍上後
以艾多灸之臍之上下左右　各開八分　用小艾柱五壯
如度　圖翼：婦人血冷不受胎者　灸此永不脫胎　主
霍亂俗名絞腸沙　急用鹽湯揚吐　并以細鹽滿臍中　灸
二七壯

〔附錄〕甲乙：禁不可刺　若刺令人惡傷遺失老死不治　圖翼：
一日納炒乾淨鹽　滿臍上加厚　羌一片鹽定　灸百壯或
以川椒代鹽亦妙　少林拳術秘訣：點按致死九穴之一臍
門穴　即肚臍穴是也

神道（又名）臟俞

〔位置〕在第五椎下

〔解剖〕第五六穴胸椎之間　僧帽筋起
始部　循胸背動脈　分布肩胛
神經

〔主治〕傷寒　發熱　頭痛　恍惚　痎瘧悲愁　驚悸　張口不合
風癇

〔手術〕灸三壯至五壯　正坐取之

〔考證〕百症賦：風癇常發　神道還須心俞甯　素刺熱篇：五椎
下間　主肝熱　甲乙：主身熱　頭痛　肘後方：治卒得
咳嗽及上氣方　灸隨年壯　千金：治失欠頰車蹉方　灸
二七壯三日未瘥　灸氣沖三百壯　穴在胸前喉下甲骨中

　　　　　　衛生寶鑑：黃帝灸法　療中風　目上戴不能視　灸第

　　　　　　二椎幷五椎　各七壯　一齊下火柱狀半束　核大立愈

〔附錄〕此穴爲督脈氣所發

神庭（又名）**髮際天庭**

〔位置〕鼻尖直上入髮際五分

〔解剖〕在前頭部骨間　有前頭動脈

　　　　　分布前頭神經

〔主治〕登高而歌　棄衣而走　吐舌

　　　　目上視　弓角反張　頭風

　　　　目眩　清涕　目淚常出　嘔吐　驚悸　煩滿　喘渴善嘔

〔手術〕禁針灸三壯

〔考證〕玉龍歌：中風不語最難醫　髮際頂門穴要知　又頭風

　　　　嘔吐目昏花　穴取神庭始不差　千金：久風卒風心腹脹

　　　　滿　半身不逆　口噤唾涎　目閉　耳聾　煩悶恍惚　唇

　　　　緩失音　灸七壯　儒門事親：目腫目翳　針神庭　上星

　　　　　百會　前頂　顖會五穴　出血翳者可使立退　痛可立

　　　　已　昧可立明　腫可即消　前五穴非徒治目疾　至於頭

　　　　痛脊强　腎囊癢出血皆愈　凡針此勿深　深恐傷骨

〔附錄〕此穴爲督脈　膀胱　胃經三脈之會　甲乙：針則令人癲

　　　　疾　目失精　銅人：禁針　針則令人發狂　目失精

神顙

〔位置〕在百會前後左右各開一寸

〔解剖〕在淺顳顬及後頸動脈及大

　　　　後頸神經之領域

〔主治〕中風　目眩　頭風　亂狂

〔手術〕針三分　灸三壯

〔考證〕資生經：主理瘋癇狂亂頭風　目眩　左主如花　右主如
　　　　果　針三分　明堂　有之而銅人無之

〔附錄〕此穴以百會爲中心點　前一寸爲前神顋　左爲左神顋
　　　　後爲後神顋　右爲右神顋　共四穴

屋翳

〔位置〕在庫房下一寸六分　去中行紫宮旁四寸

〔解剖〕在第二三肋骨間　有大小胸筋　循前肋動脈　分布胸廓
　　　　及肋神經　內容肺臟

〔主治〕咳逆上氣　唾濁沫乳岩淫濼

〔手術〕針三分　灸五壯

〔考證〕百症賦：至陰屋翳療癢疾之疼
　　　　多　外台：主胸脅滿痛效　逆
　　　　上氣　體痛不得近　安瘻癧不仁

〔附錄〕此穴爲足陽明　胃經脈氣所發

眉衝

〔位置〕眉頭直上入髮五分

〔解剖〕在前頭筋部　有前頭動脈
　　　　分布顏面神經

〔主治〕五癇　頭痛　鼻塞　多涕
　　　　目眩　目痛

〔手術〕禁灸　針三分

〔考證〕入門　眉冲主五癇　頭重鼻塞

眉燕

〔位置〕在眉頭

〔解剖〕眉弓內端部　有皺眉筋　循鼻前

　　　　頭動脈　分布眼窩神經

〔主治〕疔瘡　目疾

〔手術〕禁灸針二分　正面取之

風門

〔位置〕在第二椎下橫開二寸

〔解剖〕第二三胸椎橫突起外側　循肩甲動

　　　　脈　分布脊椎神經後枝

〔主治〕發背癰疽上氣咳逆　喘氣風瘀　嘔吐　多嚏鼻血　目眩

　　　　頭項強身熱臥不安

〔手術〕針三五分　灸五壯　正坐取

〔考證〕玉龍歌：膜裏不蜜咳嗽頻　鼻流清涕氣昏沉　須知嚏嚏

　　　　風門穴　咳嗽宜加艾火深　行針指要歌：或針嗽肺俞風

　　　　門須用灸　千金：治諸風灸風門七壯　神農經：傷寒咳

　　　　嗽鼻流清涕　灸十四壯　又主頭疼　風眩　衂血不止

　　　　圖翼：此穴能瀉一身之熱　常灸之永無癰疽瘡疔等患

〔附錄〕此穴為膀胱經　督脈之會　一云：刺若頻刺此穴　泄諸

　　　　陽熱氣　背永不發癰疽　灸五壯　按考證諸項中　素水

　　　　熱穴論：背俞穴載張素註　即謂風門穴也

風池（又名）熱府

〔位置〕在腦空之後大筋外廉　髮際陷中

　　　　即入髮際一寸　橫開風府八分

〔解剖〕後頭骨下緣　耳後乳咀突起尖端

　　　　僧帽與胸鎖乳　咀夾板筋中

　　　　循後頭動脈　分布小後頭及頸椎

神經後枝

〔主治〕洒浙寒熱　傷寒　溫病汗不出　目昏花　偏正頭痛　痎
　　　　瘧　項如技　背腰俱痛　目皆赤爛　傴僂中風　涎不語
　　　　衄血　癭氣　失氣　氣發鼻塞

〔手術〕針三至五分　灸五壯　俯頭取之

〔考證〕勝玉歌：頭風頭痛灸風池　席弘賦：風府風池尋得到
　　　　傷寒百症一時消　通玄指要賦：頭昏目眩要刺於風池
　　　　傷寒論：太陽病初服桂枝湯　反煩不解者　先刺風池風
　　　　府　却於桂枝湯即愈　千金：諸痺灸百壯　外台：主寒
　　　　熱癲疾　汗不出　頭眩痛　痎瘧　目赤痛　衄血　太乙
　　　　歌：兼環跳間使治瘧疾　兼風府治傷寒　圖翼：一傷治
　　　　中風不語　牙關緊閉湯藥不下

〔附錄〕此穴為足少陽　膽經　陽維脈二脈之會　新考正　手少
　　　　陽　陽維　陽蹻三脈之會

風市

〔位置〕在膝上外廉兩筋中　垂手直
　　　　立手中指盡處

〔解剖〕廻旋股動脈　穿行枝部外大
　　　　股筋中

〔主治〕中風腿膝無力　腳氣渾身搔
　　　　癢麻痺厲風

〔手術〕針五分　灸五壯　坐取

〔考證〕勝玉歌：腿股轉痠難移步　妙穴說：與後人知環跳風市
　　　　及陰市　雜病穴法歌：腿足無力立更難　原因風濕致傷
　　　　殘　倘知二市穴能灸　步履悠然漸自安　神農經：治偏

風　半身不遂　兩足痛　灸二十一壯　圖翼：主腰腿疫
痛麻木不仁　此風痺冷痛之要穴　景岳全書：風市穴治
疝氣　腎腫小腸氣痛　腹內虛鳴　此風痺疼痛之要穴
學古診則灸風市　主眼紅腫頭痛

風府（又名）舌本　鬼枕　鬼穴　曹溪

〔位置〕在後項入髮際一寸

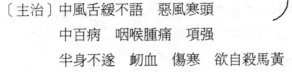

〔解剖〕後頭骨部與第二頸椎之陷
　　　　凹中僧帽筋間　循後頭動
　　　　脈　分布大後頭神經

〔主治〕中風舌緩不語　惡風寒頭
　　　　中百病　咽喉腫痛　項強
　　　　半身不遂　衂血　傷寒　欲自殺馬黃

〔手術〕禁灸針三分　正頭取之

〔考證〕席玄賦：風府風池尋得到　傷寒百症一時消　陽明　二
　　　　目尋風府　嘔吐還須上脘療　又從來風府最難針　却用
　　　　功夫度淺深　倘若膀胱氣未散　更宜三里穴中尋　行針
　　　　指要歌：或針風府百會中　肘後歌：狂言盜汗如見鬼
　　　　惺惺間使便下針　腰痛腿疼十年春　應針環跳便惺惺

〔附錄〕此穴為督脈　膀胱　陽維三脈之會　甲乙：禁灸　灸之
　　　　令人瘖　儒門事親：後頂強間風府腦戶　不可輕用針
　　　　以避忌多故也　若誤不幸　令人瘖又十三鬼穴之一　統
　　　　治一切癲狂病

肺俞

〔位置〕在第三椎下去脊橫開二寸

〔解剖〕第三四胸椎　橫突起外側　當僧帽

筋菱形筋　及後上鋸筋中

〔主治〕癭氣黃疸　瘰病　口舌干　氣上腰背強　寒熱　喘滿虛
煩　傳尸骨蒸　肺痿　咳嗽　肉痛皮癢　嘔吐支滿　狂
癲背僂　肺中風短氣　百毒病瞥　悶汗　出食後吐血

〔手術〕針三分　灸五壯　正坐取之　甄權　以搭手左取右　右
取左　當中中指末是

〔考證〕百症賦：歲熱時行陶道　復求肺俞理　咳嗽連聲　肺俞
須迎天突　玉龍歌：咳嗽須針肺俞穴　勝玉歌：若是痰
涎並咳　治却須當灸肺俞　行針指要歌：或針嗽肺俞風
門須用灸　乾坤生意：膏盲陶道身柱肺俞　治五癆七傷
之主要穴　甲乙：肺氣熱　呼吸不得臥　眩冒如結胸
又主上氣嘔沫　千金：小兒方　肺俞之爲病　反目妄見
面目白　唾沫灸三壯　吐血上氣下氣咳逆　短氣不得語
灸百壯　扁鵲心書：厲風因臥濕地　受毒氣中五臟　令
人面目起黑雲　或遍身頑麻　先灸肺俞次心俞　脾肝腎
俞　各五十壯　周而復始　病愈爲度　圖翼：肺虛者見
赤屍鬼　肺俞刺入分半　得氣留補　留三呼進一分　留
一呼徐徐出針

〔附錄〕甄權：以手拾背左取右　右取左　當中指尖是穴　毒氣
穴論　主註：五臟俞並足太陽之會　毒刺禁論：刺中肺
三日死其動爲欬

胃俞

〔位置〕在十二椎下去脊旁二寸

〔解剖〕十二及十三胸椎突起外方　循後肋
動脈　分布背部神經後枝　內容胃

臟

〔主治〕霍亂　腹脹　肚鳴　嘔吐不嗜食　目不明　胸腹痛脊
強筋攣小兒不生肌

〔手術〕針三分　灸三壯

〔考證〕百症賦：胃冷難化　魂門胃俞堪責　甲乙：胃中寒腹脹
風厥　嘔吐食不化　筋攣　圖翼：主嘔逆　霍亂肌瘦
赤白痢　秋末脫肛　肚痛不能忍　水腫氣隔不食　年久
泄瀉塊積

〔附錄〕此穴凡中濕症者皆治之

胃倉

〔位置〕在十二椎下脊旁三寸

〔解剖〕十二胸椎　及一腰椎橫突起外方
循後肋動脈　分布肩胛及肋間神經

〔主治〕腹滿虛脹　水腫食不下　肩背強痛

〔手術〕針三分　灸五壯

〔考證〕甲乙　顱脹水脹多寒　飲食不下　胃倉主之

〔附錄〕此穴爲足太陽　膀胱經脈氣所發

胞肓

〔位置〕在十九椎下去脊橫開三寸
半

〔解剖〕第二三荐骨椎假突起外方
有大小臀筋　及梨子狀
筋　循上臀動脈　分布坐
骨神經

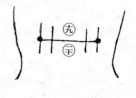

〔主治〕食不消化　背脊急痛　腹堅腸鳴　淋洒不止　大便秘

　　　　小便癃閉　惡風

〔手術〕針五分　灸五壯　伏取

〔附錄〕此穴爲膀胱經脈氣所發

膽俞

〔位置〕在第十椎下去脊旁二寸

〔解剖〕第十及十一胸椎橫突起外方　循

　　　　後肋動脈　分布副神經　及背肋

　　　　間神經等

〔主治〕頭痛　振寒　汗不出　腋腫　口苦舌干　咽痛　干嘔

　　　　骨蒸　癆熱食不下　目黃

〔手術〕針三分　灸五壯　正坐取之

〔考證〕百症賦：目黃兮　陽綱膽俞　甲乙：胸滿嘔不出　呑干

　　　　口苦　飲食不下　虛勞　尿精膽俞主之　捷經：兼隔俞

　　　　　治勞噎　圖翼：主治頭痛　腋腫　振寒　汗不出　心

　　　　腹滿　口苦舌干　翻胃勞熱　目黃胸脅痛　不得轉側

〔附錄〕毒刺禁論：刺中膽一日死其動爲嘔

胞門

〔位置〕關元旁二寸

〔主治〕婦人無子　子腸閉塞　妊孕不

　　　　成墮胎胞漏見赤

〔手術〕灸五壯　仰臥取之

幽門（又名）上門

〔位置〕通谷上一寸巨闕旁五分

〔解剖〕在上腹部直線內緣　循上腹壁動

　　　　脈　分布肋間神經前穿行枝

〔主治〕小腹脹滿　心煩悶　吐涎沫　逆氣善吐　健忘　裡急泄
　　　　痢　膿血目赤痛　女子心痛　食不下

〔手術〕針三五分　灸五壯

〔考證〕百症賦：煩心嘔吐　幽門開徹　玉堂明　神農經：治心
　　　　痞膿食不下化　外台：主善嘔支滿　泄膿血　心痛逆氣
　　　　食下不化

〔附錄〕此穴爲足少陰　腎經之中脈之會　神農經：孕婦忌灸

俞府（又名）輸府

〔位置〕在鎖骨與第一軟骨間
　　　　即璇璣旁二寸

〔主治〕咳逆上氣　嘔吐喘嗽
　　　　胸腹脹痛　飲食不下

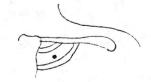

〔手術〕針三分　灸五壯

〔考證〕玉龍歌：吼喘之症　咳痰多　若用金針痰自和　俞府乳
　　　　根一樣　刺氣喘風痰漸和　甲乙：欬逆上氣　喘不得息
　　　　嘔吐胸滿飲食不下　俞府主之

〔附錄〕此穴爲腎經脈氣所發

迴氣

〔位置〕在脊窮骨上赤白肉下

〔解剖〕二寸一椎下　有腰背筋膜
　　　　循下臀動脈　分布荐骨
　　　　神經後枝

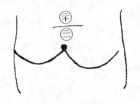

〔主治〕五痔　便血　失尿

〔手術〕灸五壯至百壯　伏取

〔附錄〕千金翼：若灸窮骨　惟多爲佳

食竇（又名）食倉　命關

〔位置〕在天谿下一寸　穴分去乳根
　　　　旁二寸

〔解剖〕在第五六肋骨間　有內外肋
　　　　骨筋及大胸筋　循胸長動脈
　　　　分布胸廓神經

〔主治〕胸脅支滿腹中　雷鳴常有水聲　心胸痛

〔手術〕針三分　灸三壯

〔考證〕千金：主治膈中雷鳴　常有水聲　外台：主胸脅支滿
　　　　腸中漉漉常有水聲　心書：黃帝灸法　久患脾瘧灸五十
　　　　壯　黃疸　黑疸　及產後腹脹水腫　灸百壯　寶材灸法
　　　　：傷寒太陰症　身涼足冷過節六脈絃緊　發燥熱噎氣
　　　　灸關元命關各百壯　又小便不通　氣喘不得臥　此乃脾
　　　　氣大損也　灸二百壯以救脾氣又灸關元三百壯　以扶腎
　　　　水　又脾泄注下乃脾腎虛損　二三日能損人性命　亦灸
　　　　命關關元二百壯　瘧疾乃冷物積聚而成　不過十日半月
　　　　自愈　若綿久不絕久　則元氣脫盡而死　灸中脘左命關
　　　　一百壯　又黃疸目面全身皆黃　小便赤乃冷物傷脾所至
　　　　灸百壯忌服涼藥　若兼黑疸乃房勞傷腎　再灸命門三
　　　　百壯　翻胃食已則吐　乃飲食失節　脾氣虛損也　暑日
　　　　發燥熱乃冷物傷脾胃腎所致　或心脹悶發疼灸五十壯
　　　　若作中暑服涼藥即死矣　又老人大便不禁乃脾腎虛弱
　　　　灸左右二百壯

〔附錄〕此穴爲脾經氣所發　心書：命關二穴在脅下脘中　舉臂
　　　　取之對中脘向乳頭三角處　此穴屬脾又名食竇穴　能按

脾臟眞氣治三十六種脾病　凡諸病困重　倘有一毫眞氣
灸此穴二三百壯　能保因不死　凡大病一切屬脾病者
並皆泊之　蓋脾爲五臟之母　後天之本　屬土生長萬物
者也　若脾氣在　雖病甚不致死　此法試之極效

食倉

〔位置〕在中脘旁開三寸

〔解剖〕第九肋軟骨附着部　循腹動
　　　　脈　分布肋間神經　穿行枝
　　　　內容胃臟　右於肝臟下緣接
　　　　近

〔主治〕婦人血塊

〔手術〕灸五壯至七壯　仰臥取之

急脈

〔位置〕在陰器旁二寸半

〔解剖〕在鼠蹊窩普泒爾氏靭
　　　　帶下部　循淺迴腸骨
　　　　動脈　分布腸胃下腹
　　　　及鼠蹊神經

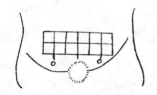

〔主治〕小腹腫疼疝氣

〔手術〕禁針　灸三壯

〔考證〕千金：婦人胞下垂注陰下脫　灸三壯或隨年壯

〔附錄〕素氣府論：厥陰毛中急脈各一　王氏註：陰毛中在陰上
　　　　兩旁　相去二寸半　其按之則痛引上下左右中　寒則上
　　　　引小腹下引陰丸　善爲痛右爲小腹急中寒　此兩脈爲厥
　　　　陰之大絡通行其中　故曰　厥陰脈即睪丸之系也　可灸

不可刺　病疝小腹痛可灸之

虛市

〔位置〕在兩乳邊斜下三寸

〔解剖〕在九及十肋軟骨付着部　循上
腹動脈　分布肋間神經穿行枝

〔主治〕卒中風飛尸遁疰　胸脅痛諸氣
疰疾

〔手術〕針五分灸五壯　或隨年壯仰臥
取之

威靈

〔位置〕在手背高骨外

〔解剖〕第三四掌骨之中　循第三四掌骨動脈
分布尺骨神經

〔主治〕疔瘡　手指痛

〔手術〕針二三分　灸二三壯　握拳取之

飛揚（又名）厥陽

〔位置〕外踝上七寸　腓骨之外廉

〔解剖〕腓骨外側　腓腸筋外緣　循腓骨動脈　分布腓骨神經

〔主治〕痔瘡腫痛　步難體痛　目眩痛
歷節　寒熱氣逆　癲疾腳酸痛
失力

〔手術〕針三分　灸五壯

〔考證〕百症賦：目眩兮支正飛揚　十
二經治症主客原絡訣：臉黑嗜臥不欲食　目不明兮發熱
狂　腰痛足疼步難履　若人捕獲難躲藏　心膽戰兢氣不

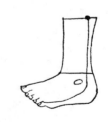

足　更兼胸結與身黃　若欲除之無別法　太谿飛揚取最
良　甲乙：主治身寒少氣熱甚　心驚頭目眩　痔簒項强
癲狂疾　熱病汗不出　取飛揚絕骨附下臨泣立已
〔附錄〕此穴爲膀胱經之絡　別走腎經

胛縫

〔位置〕在背端骨下　直
　　　　腋縫及臂
〔解剖〕肩胛之棘下筋部
〔主治〕肩背痛
〔手術〕針三分　瀉二吸

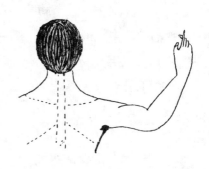

背脊五穴

〔位置〕在第一二椎之上下左右
〔解剖〕癲疾　小兒驚癇
〔手術〕在第二椎上及下窮骨尖二處
　　　　以繩量上下中拆　復量至脊骨
　　　　上點記之共三處　復斷此繩　取其半者爲三拆而合如△
　　　　字樣　以上角對中央一穴　其二角對夾脊兩邊之間　灸
　　　　之凡五處也　各灸百壯　千金翼

背部二穴

〔位置〕自大椎至尾窮骨爲背部　天突穴至陰
　　　　毛際爲腹部　　　　　　　　　　　　參看本穴
〔主治〕癰疽等瘡始發而灸　則不潰自愈　已　　位　置　條
　　　　潰灸之亦生肌止痛　永不復發
〔手術〕灸五百壯　多灸尤妙　初灸痛灸之不痛　不痛灸之痛

十　畫

氣衝（又名）氣街

〔位置〕在歸來下一寸　曲骨旁
　　　　二寸

〔解剖〕在鼠蹊窩普爾篤氏靭帶
　　　　中央之下部　循腓迴及
　　　　下腹動脈　分布腸骨鼠
　　　　蹊神經

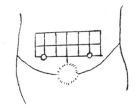

〔主治〕腹滿不得坐　癲疝大腸熱　腹痛　大氣石水　兩丸萎痛
　　　　上搶　心腰痛　不得俛仰　月水不利　子上冲心　胞衣
　　　　不下難產　淋閉

〔手術〕禁針灸七壯　仰臥取之

〔考證〕百症賦：帶下產崩　冲門氣冲而審　素水熱穴論：氣冲
　　　　　三里　巨圩　上下廉　此八者瀉胃中熱也　甲乙：主
　　　　刺石水　腰痛控睪　主熱淋閉不得小便

〔附錄〕此穴爲胃經脈所發　甲乙：灸之不幸令人不得息　素刺
　　　　禁論：刺氣冲中脈血不出　如腫　按即此穴也　如刺此
　　　　穴　宜以小針淺刺

氣舍

〔位置〕水突直下天突
　　　　外開寸半

〔解剖〕喉頭橫狀軟骨
　　　　正中　循瀉總

　　　　頸動脈　分布下頸神經
〔主治〕咳逆上氣　項强不轉側咽腫不消　喉痺瘻瘤　魄戶及氣
　　　　舍主之
〔手術〕針三分　灸三壯　引頸取之
〔附錄〕此穴爲足陽明　胃經脈氣所發

氣戶

〔位置〕在鎖骨下一寸　去中行璇璣
　　　　旁二寸
〔解剖〕在第一軟骨附着部　有大小
　　　　胸筋及內外肋間筋　循第一
　　　　肋動脈　分布前胸及鎖骨神經　內容肺臟

〔主治〕咳逆　上氣喘息　胸背痛不知味
〔手術〕針三分　灸五壯
〔考證〕百症賦：從知脅肋疼痛　氣戶華蓋有靈
〔附錄〕此穴爲胃經脈氣所發

氣海俞

〔位置〕在第十五椎之下去脊橫開二寸
〔解剖〕在長腰筋　大腰筋腰背筋膜及荐
　　　　骨脊中筋中　循腰動脈背枝　分
　　　　布腰背神經背枝

〔主治〕腰痛　痔漏
〔手術〕針三分　灸五壯　伏而取之

氣門

〔位置〕關元之旁　各開三寸
〔解剖〕內外斜腹筋部　循淺腹動脈

　　　分枝　分布腸骨下腹神經

〔主治〕婦人不受胎　胎漏下血不禁

〔手術〕灸五七壯　多至百壯仰臥取之

氣穴（又名）胞門　子戶

〔位置〕關元旁五分

〔解剖〕恥骨上旁　直腹筋部　循下

　　　腹動脈　分布腸骨　鼠蹊神

　　　經

〔主治〕奔豚上氣　腰痛　泄痢不止　目赤痛　月事不調

〔手術〕針三分　灸五壯

〔考證〕千金：姙子不成　墜胎後腹痛漏見赤　子臟閉不受精

　　　又主五淋　不得尿　灸五十壯　扁鵲心書：帶下子宮虛

　　　寒三焦冲任脈不得相榮　腥物多下　以補宮丸　膠艾湯

　　　治之　甚者灸子戶各三十壯　不獨病愈　而且多子　學

　　　古診則胞門則針經之氣穴灸　主月事不以時下賁氣　上

　　　下泄痢不止　又主針血閉無子

〔附錄〕此穴爲足少陰　腎經　冲脈之會

氣端

〔位置〕在足十指之端

〔解剖〕第一二三四五趾尖

　　　端爪甲之發生根部

　　　　循趾背動脈　分

　　　布趾骨神經

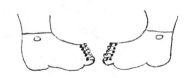

〔主治〕腳氣　足痛　腹痛

〔手術〕灸三壯　舉足取之

〔考證〕外台：張文仲治腹痛　灸兩足趾頭各十四壯　蘇恭：腳
　　　　氣　十趾疼　悶痛漸入腳上者　宜各灸三壯即愈

〔附錄〕每趾各一穴　左右共十穴

氣海（又名）脖䏏下盲丹田季䏏

〔位置〕在臍下一寸五分

〔解剖〕在下腹部白條線中　循下腹動
　　　　脈　分布肋間神經　內容小腸

〔主治〕傷寒飲水過多　腹脹氣喘　心痛　面赤　臟氣虛疲　一
　　　　切氣疾　體瘦奔脈　七疝　瘕癥結塊　臍下冷氣　中惡
　　　　脫陽欲死　四肢冷　卵縮　大便不通　小便赤　經來行
　　　　房赤白帶下　惡露不止　閃腰痛繞臍疼痛　小兒遺尿

〔手術〕針五分至七分　灸七壯　仲臥取之

〔考證〕席弘賦：氣海專能治五淋　又水腫水分兼氣海　噎不住
　　　　時氣海灸定瀉　一時立便愈　百症賦：針三分於氣海
　　　　專司白濁　從遺精　靈光賦：氣海血海療五淋　勝玉歌
　　　　：諸般氣症從何治　氣海針之灸亦宜　玉龍歌：氣喘丹
　　　　田亦可施　氣喘急急不得眠　何當日夜苦憂煎　若得璇
　　　　璣針傳動　更取氣海自然安　行針指要歌：或針虛氣海
　　　　　丹田　委中奇或針吐氣海　膻中　中脘　補反胃吐食
　　　　一般醫　外台甄權云：主下熱小便赤　氣痛狀如刀覽
　　　　圖翼：昔柳公度曰　吾養身無他術　但不使元氣助善怒
　　　　　若能時灸氣海以溫矣　今人既不以元氣助善怒　若能
　　　　時灸氣海使溫亦其次也　余昔多疾常若短氣　醫者敎灸
　　　　氣海　氣遂不促　自是每歲一二次灸之以救氣怯故也
　　　　凡一切眞氣不足　久疾不癒者皆宜灸之　又治一切氣塊

臍下三十六疾　小腹痛欲死者　灸之即生　壽世保元：
治中寒陰症神法　氣海關元灸二七壯　呃逆灸三五壯
濟陽綱目：治關膈症　吐逆　而小便不利　先灸氣海天
樞等穴　其吐必止　後以蓋元散等藥利小便
〔附錄〕此穴爲任脈氣所發　外台：孕婦禁灸　靈九針十二原盲
之原出於季映大成　男子生氣之海

陰市（又名）陰鼎

〔位置〕在膝上三寸　即伏兔下三寸

〔解剖〕在大腿骨前外方　有外大股筋
循外迴旋動脈下行枝　分布股
神經筋枝

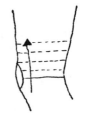

〔主治〕腰足如冰　冷膝痿痺不仁　寒
疝消渴少氣力痿　脹滿少腹痛

〔手術〕針三分　禁灸

〔考證〕玉龍歌：腿身無力立身難　原
因風濕致傷殘　倘知二市穴能
灸　步履悠然漸自安　靈光賦：兩足拘攣覓陰市　勝玉
歌：腿股轉酸難移步　妙穴說與後人知　環跳風市及陰
市　瀉却金針疾自除　雜病穴法歌：心痛手戰少海求
若要除根覓陰市　圖翼：主治膝寒如注水　痿痺不仁
少氣腹痛寒疝

〔附錄〕此穴爲足陽明　胃經脈氣所發　甲乙：禁灸

陰郄

〔位置〕在掌後內側去腕五分

〔解剖〕內尺骨筋腱與淺屈指筋中　循尺骨

動厥　分布尺髮通路及中膊皮下神
經

〔主治〕鼻血　吐血　畏寒　厥熱　驚悸
　　　　心痛　霍亂胸滿

〔手術〕針三分　灸三壯

〔考證〕百症賦：寒慄惡寒二間疏通　陰郄　暗又陰郄後谿　治
　　　　盜汗之多出　甲乙：主悽悽寒嗽　吐血　逆氣心痛　外
　　　　台：主十二癎失音不能言

〔附錄〕此穴爲手少陰腎經之郄

陰陵泉

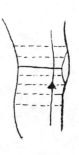

〔位置〕在膝內輔骨陷中　去膝脛骨橫開
　　　　寸餘　與陽陵泉相對

〔解剖〕在脛骨之節需　比目魚筋與腓腸
　　　　筋三角空貳頭股附着部

〔主治〕腹寒不嗜食　水脹腹堅　喘逆腰
　　　　痛　霍亂疝癖　遺精　尿失禁氣
　　　　淋寒熱　陰痛　胸熱暴泄

〔手術〕禁灸　針三五分　垂足取之

〔考證〕玉龍歌：膝蓋紅腫鶴膝風　陽陵二穴亦堪攻　針透陰陵
　　　　尤收效　紅腫全消見異功　太乙歌：腸中切痛陰陵調
　　　　百症賦：陰陵水分　去水腫之臍盈　天星秘訣：如是小
　　　　腸連臍痛　先刺陰陵後湧泉　通玄指要賦：陰陵開通於
　　　　水道　又小便不通陰陵泉　甲乙：腎腰痛不得俛仰　婦
　　　　人陰中痛　千金：治霍瘰　尿精　灸隨年壯　小便不禁
　　　　又水腫不得臥　灸百壯　外台：主霍亂　足痺痛　陰陵

　　　　泉主之

　　〔附錄〕此穴爲脾經所入爲合　按本穴在古書列入禁灸　考銅人

　　　　　：針三分而不言灸　甲乙：有灸三壯術者　如必要時

　　　　　以小炷灸之

陰都（又名）食宮

　　〔位置〕通谷下一寸中脘旁五分

　　〔解剖〕在上腹部有橫直腹筋及內外斜

　　　　　腹筋　循上腹動脈　分布肋間

　　　　　神經前穿行枝

　　〔主治〕瘧疾　寒熱　逆氣心煩　氣噲

　　　　　肺脹脅下熱痛

　　〔手術〕針五分　灸五壯

　　〔考證〕甲乙：身寒　熱心痛　逆氣　陰都主之　千金：小腸熱

　　　　　肺脹　脅下痛　灸隨年壯　圖翼：主心滿　氣逆　婦

　　　　　人無子　大便難　目痛

　　〔附錄〕此穴爲腎經衝脈之會

陰包（又名）陰胞

　　〔位置〕在膝內側上四寸股內廉兩筋間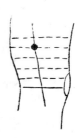

　　　　　內側有槽陷中

　　〔解剖〕大腿內側上踝之上方四頭股筋

　　　　　內緣　循股及上外關節動脈

　　　　　分布內股皮下神經

　　〔主治〕腰痛引小腹　小便難遺溺　月

　　　　　事不調

　　〔手術〕針五分至七分　灸三壯

〔考證〕百症賦：中滿如何去得根　陰包如刺效如神

〔附錄〕此穴爲足厥　陰肝經之別走者

陰交（又名）少關　橫戶　丹田

〔位置〕在臍下一寸

〔解剖〕在下腹部白條線中　循下腹動脈

　　　　分布肋間神經前穿行枝

〔主治〕氣痛如刀刺　腹中堅痛　不得小

　　　便　陰汗濕癢　腰攣　疝痛　鼻衄　臍下熱奔豚　上腹

　　　血崩月事不調　惡露不止　繞臍冷痛　絕子　陰癢　小

　　　兒頤陷

〔手術〕針七分　灸七壯

〔考證〕玉龍歌：水疾之病最難熬　腹滿虛脹食不消　先灸水分

　　　並水道　後針三里及陰交　席弘賦：若是七疝小腹痛

　　　召陰陰交曲泉針　又小腸氣攢痛連臍　速瀉陰交莫再遲

　　　　百症賦：無子搜陰交石關之鄉　甲乙：奔豚　上腹痛

　　　引陰中不得小便　兩丸騫水腫　煩悶　月水不通　乳疾

　　　　陰癢　絕子　陰交主之　肘後方：鬼擊之病得之無漸

　　　　卒如刀刺胸脅　腹內絞痛　或吐血　或鼻血下血一名

　　　鬼栿　灸三壯　又主霍亂　吐止而痢不止　灸臍下一寸

　　　七壯　千金：主大小便不通　轉胞水踵　腰痛　小便不

　　　利　灸隨年壯　神農經：治臍下冷痛　驚不得眠　善斷

　　　水氣　　圖翼：治腹內風寒走痛脹悶　傷寒準繩　凡傷

　　　寒　小便不通　刺入八分　又支溝穴在腕後三寸　刺二

　　　分

〔附錄〕此穴爲腎經　任脈　中脈　三脈之會　千金翼：灸多絕

　　　　孕　外台：孕禁灸

陰陽

　　〔位置〕在足拇趾下屈趾裏頭白肉際

　　〔解剖〕在第一趾骨第二節下部　有長

　　　　　　總趾伸筋之附着部

　　〔主治〕婦人漏下赤白

　　〔手術〕針二三分　灸五壯至三十壯　反足取之

　　〔附錄〕一足兩穴　左右共四穴

陰谷

　　〔位置〕在膝內輔骨之後　大筋之下

　　　　　　小筋之上　即曲泉之下一寸許

　　　　　　與曲泉相隔一筋　亦即膝膕

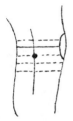

　　　　　　窩橫紋之外側兩筋之間

　　〔解剖〕在脛骨內關節踝之內緣　後部

　　　　　　有半腱樣筋　及半模樣筋　循

　　　　　　膝膕動脈　分布分枝膝膕神經　股神經　及脛骨神經

　　〔主治〕膝痛如錐不得屈伸　股內廉痛　舌縱涎下　煩熱　陰

　　　　　　痿溺難　小便急引陰痛　婦人崩漏不止　腹脹滿　不

　　　　　　得息男子如蠱　女子如娠

　　〔手術〕針三分　灸三壯　正坐垂足取

　　〔考證〕千金：陰谷主腹脹　胃脘暴痛　及腹積聚　肌肉痛　通

　　　　　　玄指要賦：連臍腹痛　瀉足少陰之水　太乙歌：利小便

　　　　　　消水腫　陰谷水分與三里

　　〔附錄〕此穴爲足少陰腎經所入爲合

陰廉

〔位置〕在陰部之旁又如核者各生
　　　　矢骨　該骨之內斜下三分

〔解剖〕在恥骨突起下端　轉筋內
　　　　緣　循外陰動脈　分布鼠
　　　　蹊神經

〔主治〕婦人絕產　經期不調若未
　　　　曾生產者　陰廉主之

〔手術〕針五分　灸三五壯　正坐
　　　　開足　下垂取之

〔附錄〕此穴一云　未經生產者　灸三壯　即有子

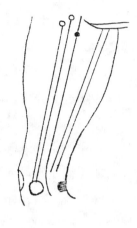

陰莖（又名）勢頭

〔位置〕尿孔上　宛宛
　　　　中

〔主治〕卒軟瘤

〔手術〕灸三壯　得小
　　　　便通即癒

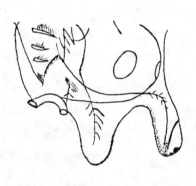

陷谷

〔位置〕次趾外側本節後陷中

〔解剖〕第二三蹠骨中間前端部　總趾
　　　　伸筋之附着部

〔主治〕面目浮腫　水病　腸鳴　腹痛
　　　　　熱病　振寒　瘧瘡

〔手術〕針三五分　灸三壯

〔考證〕百症賦：腹中腸鳴　下脘陷谷能平　甲乙：主治水病留
　　　　飲　胸脅滿　面目癰腫　刺入五分立已　千金：治滿身

腫方　灸隨年壯　凡熱病刺陷谷　先退寒寒上至膝　乃

出針保命　集熱無度不止　刺陷谷出血

〔附錄〕此穴爲胃經所注爲俞　亦即原也

條口

〔位置〕在三里下四寸上　巨墟下一寸

〔解剖〕脛腓二骨之間　循前脛動脈

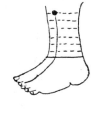

分布深腓骨神經

〔主治〕足麻木　不服風水　膝痛　脛

腫　腳痛轉筋

〔手術〕禁灸　針三分

〔考證〕天星秘訣：足緩難行　先絕骨　次尋條口及冲陽　外台

：主脛寒　麻木轉筋寒酸腫痛

〔附錄〕此穴爲胃經脈氣所發　在古書籍中　原屬禁灸　考甲乙

：有灸三壯　外台：灸五壯　吾人如必要時　宜取小炷

不致償事也

胸鄉

〔位置〕周榮下一寸六分玉堂旁六分

〔解剖〕在第三四肋骨間　有前大鋸

筋　內外筋間筋

〔主治〕胸脅支滿　胸背痛不得臥轉

側難

〔手術〕針三分　灸三壯

〔附錄〕此穴爲足太陰　脾經脈氣所發

通里

〔位置〕在掌後內側　去腕一寸

〔解剖〕內尺骨筋與淺屈指筋間　循尺骨動脈
　　　　分布尺骨及中膞皮神經
〔主治〕目眩　目痛　頭風　痛熱病　懊惱頻
　　　　悲面熱無汗　暴瘖　肘痛苦嘔　少
　　　　氣　喉痺　遺溺　經血過多　崩中
〔手術〕針三分　灸三壯　伸掌取之
〔考證〕玉龍歌：連日虛煩面赤粧　心中驚悸亦難當　若須通里
　　　　穴尋得　馬丹陽十二穴歌：欲言聲不出　懊惱及怔忡實
　　　　則四肢痛　面頰腫虛　則不能食　暴瘖　面無容　總病
　　　　論：主熱病　喉痺　針入三分　灸三壯
〔附錄〕此穴爲手少陰　心經之絡　別走小腸經診則　別走太陰
　　　　之虛里

通谷

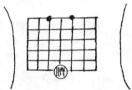

〔位置〕幽門下一寸　上脘旁五
　　　　分
〔解剖〕上腹部直腹筋內緣　循
　　　　上腹動脈　分布肋間神經前穿行枝
〔主治〕眼目痛　口喎　暴瘖　善嘔　舌下腫　舌瘲　喝淚　食
　　　　不化　痃癖　胸滿　神志恍惚
〔手術〕針五分　灸三壯
〔考證〕甲乙：寒熱　目不明　善咳　嘔吐　鳴氣　舌瘲　暢淚
　　　　通谷主之　千金：心痛　惡氣結積　留飲　癲狂　心
　　　　下悸　外台：主失欠　口喎僻不端　善嘔　瘖不得言
　　　　目赤痛　目不明清涕　項如枝
〔附錄〕此穴爲腎經　冲脈之會

通谷

〔位置〕在足小趾外側本節前陷中

〔解剖〕第五趾第一節外側　長總趾伸筋

腱中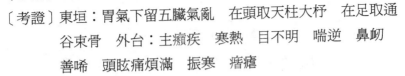

〔主治〕頭重　目眩　善驚　鼻衂　項痛

目䀮䀮留　飲食不化　失欠

〔手術〕針二分　灸三壯

〔考證〕東垣：胃氣下留五臟氣亂　在頭取天柱大杼　在足取通

谷束骨　外台：主癲疾　寒熱　目不明　喘逆　鼻衂

善嚏　頭眩痛煩滿　振寒　瘖瘧

〔附錄〕此穴爲足太陽　膀胱經所溜爲滎

通關

〔位置〕中脘旁開各五分

〔解剖〕在上腹部白條淺側　循上腹動脈

分布肋間神經前穿行枝

〔主治〕五噎左撚能進飲食　右撚能合脾胃

〔手術〕針三分　灸五壯

通天（又名）天血

〔位置〕承光後一寸五分

〔解剖〕顱頂骨部　循顳顬動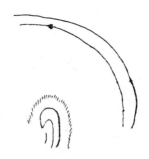

脈後枝　分布顏面顴

顬枝

〔主治〕項不得轉側　癭鼻衂

鼻中諸病　頭旋

尸厥　僵仆

〔手術〕針三分　灸三壯

〔考證〕甲乙：頭項痛　僵仆　鼻中一切疾患　通天主之　千金
　　　　：癭氣　面腫　灸五十壯　入門　主鼻痔　灸隨患之左
　　　　右去一塊如朽骨自愈　百症賦：通天　主鼻內無聞之苦

〔附錄〕此穴爲膀胱經脈氣所發

缺盆（又名）天蓋

〔位置〕在結喉旁與乳頭直對　即肩鎖
　　　　骨上部陷凹中

〔解剖〕大胸筋及濶背筋　循鎖骨上動
　　　　脈　分布頸皮下神經

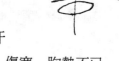

〔主治〕息奔　喘急　水腫　瘰癧　汗
　　　　出　喉痺　缺盆腫痛　胸滿　傷寒　胸熱不已

〔手術〕針三分　灸三壯

〔考證〕素水熱穴論：大杼膺俞　缺盆　背俞此八者　以瀉胸中
　　　　之熱也　甲乙：肩痛引項　寒熱　癧胸　有大氣缺盆
　　　　腫滿者死　外潰者不死　汗出　喉痺　腰痛

〔附錄〕此穴爲胃經脈氣所發　以像其形而稱其名　俗謂鎖子骨
　　　　甲乙：刺太瀉　令人逆息　禁刺論：刺缺盆內陷　氣
　　　　泄令人喘咳逆　圖翼：孕婦禁針　按本穴　勿刺太瀉
　　　　宜以小針淺刺

庫房

〔位置〕氣戶下寸六分　去中行旁四寸

〔解剖〕在第一二肋骨間有大小胸筋及
　　　　內外肋間筋　內容肺臟

〔主治〕胸脅支滿　咳逆　上氣喘促不止　吐濃血沫濁

〔手術〕針三分　灸五壯

〔附錄〕此穴爲足陽明　胃經脈氣所發

秩邊

〔位置〕在二十椎下去　脊旁三寸
　　　　半

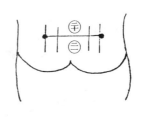

〔解剖〕第三四荐骨椎假　橫突起
　　　　外方有小臀筋及梨子狀筋
　　　　循筋上臀動脈　分布荐
　　　　骨神經

〔主治〕五痔發腫　小便赤　腰痛癃閉大便難

〔手術〕針五分　灸七壯　伏而取之

〔考證〕甲乙：腰痛　骨寒　陰痛下重　不得小便　秩邊主之
　　　　千金：主癃閉下重　大小便難

〔附錄〕此穴爲足太陽　膀胱經脈氣所發

消濼

〔位置〕在肩臂外間　臑會下一寸

〔解剖〕上膊骨結節下方　螺旋狀溝部有
　　　　三頭膊筋　循橈骨及中頭靜脈
　　　　分布後膊皮下神經

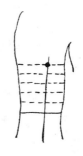

〔主治〕風勞　痹痿　項強　項腫痛　寒
　　　　熱　頭痛　癲疾

〔手術〕針五分　灸三壯

〔考證〕圖翼：一傳海南治牙疼　灸此穴

浮白

〔位置〕在耳後入髮一寸　天冲下一

　　　　寸

〔解剖〕在乳咀突起　耳根之上一寸

　　　　有耳上筋　循耳後動脈

　　　　分布顏面及顳顬神經

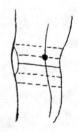

〔主治〕寒熱　耳不聞　齒痛　胸悶

　　　　頸腫　瘰瘤　不語　足不能行　喉痺肩不舉　咳逆

　　痰沫

〔手術〕針三分　灸三壯

〔考證〕百症賦：瘰氣須求浮白　圖翼：一傳治目四時　疼痛

　　　　牙痛　耳嘈不聞　頭風痛

〔附錄〕此穴爲膀胱經　膽經之會

浮郄

〔位置〕在委陽之上一寸

〔解剖〕在大腿後下部外側　二頭股

　　　　筋內側　循膝膕動脈分枝

　　　　分布膝膕神經　腓骨神經

〔主治〕霍亂轉筋　小腸熱　大腸結

　　　　筋　急髀樞　不仁不得臥

〔手術〕針五分　灸三壯　垂足取之

〔考證〕甲乙：不得臥　浮郄主之

　　　　千金：主小腹熱　大便堅

帶脈

〔位置〕臍旁八寸半　季脅下一寸八分

〔解剖〕在第十一筋　遊離端直下　內外斜腹筋中　右爲上行結腸

　　　　部　左爲下行結腸部

〔主治〕腰腹溶溶如坐水之狀　婦
　　　　人小腹痛　裡急後重　赤
　　　　白帶下

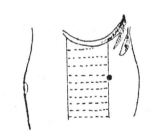

〔手術〕針三分　灸三壯　側臥取
　　　　之

〔考證〕玉龍歌：腎氣冲心得幾時　須用金針疾自除　若得關元
　　　　幷帶脈　四海誰不仰名醫

〔附錄〕此穴爲足少陽　膽經帶脈之會

脊中（又名）神宗脊俞

〔位置〕十一十二胸椎之間　循後肋動
　　　　脈　分布背椎神經後枝

〔主治〕癲邪　風癇　溫疾　黃疸　不
　　　　嗜食　五痔便血積聚　下痢
　　　　小兒脫肛腰強不得俛仰

〔手術〕禁針　禁灸

〔考證〕甲乙：腹滿不能食　刺脊中　千金：主久冷五痔　灸百
　　　　壯瘻　素氣府論　王註：禁灸　灸即令人瘻　素刺禁論
　　　　：刺脊中中髓爲瘻　按即此穴也

脊骨旁

〔位置〕在脊骨旁　突起浮高處

〔解剖〕十一胸椎及一腰椎橫突起　中間
　　　　有濶背筋　下有荐骨脊柱筋

〔主治〕腰背僂傴

〔手術〕針三分　灸五壯至七百壯

陶道

〔位置〕在第一椎之下

〔解剖〕在第一二胸椎間　僧帽筋起始部
　　　　循橫頸動脈分枝　分布背椎神
　　　　經

〔主治〕痰癧　寒熱　汗不出　煩滿　脊強　頭重　目眩　恍惚
　　　　不樂

〔手術〕針五分　灸五壯　俯首取之

〔考證〕百症賦：歲熱時　行陶道　復求肺俞理　乾坤生意：膏
　　　　盲　陶道　身柱　肺俞　治虛癆　五損之緊要穴　千金
　　　　：治諸風　灸百壯　圖翼：一傳此穴　善退骨蒸之熱

〔附錄〕此穴爲膀胱經　督脈之會

素髎（又名）面玉　面正　鼻準

〔位置〕在鼻端準頭

〔解剖〕在鼻軟骨尖端部　鼻壓縮筋中有外鼻神經及茜骨神經

〔主治〕鼻中息肉不消　多涕　生
　　　　瘡　喘急不利　鼻窩辟
　　　　衄血

〔手術〕針一二分　禁灸

〔考證〕甲乙：衄血漬出　窒洞不
　　　　通　不知味　經驗良方　治眼生挑針　在鼻尖上　爆一
　　　　燈火　屢試屢驗神效　風火眼初起　如法爆之亦效　衷
　　　　中參西錄：督脈有素髎穴　刺三分出血　爲治霍亂之要
　　　　穴　凡吐瀉交作心撩亂者　刺之亦效　這穴通督脈　而
　　　　鼻通任脈　刺此一處二脈俱通　而周鼻血脈亦因之覺通
　　　　矣

〔附錄〕此穴爲督脈所發

脅棠

〔位置〕在陰腋下二骨中

〔解剖〕側胸部大胸筋與肋間筋中　循
　　　　肋前動脈　分布肋間神經側穿
　　　　行枝

〔主治〕胸脅　滿顚脹　奔豚喘逆　膽
　　　　視目黃

〔手術〕灸三壯　舉臂取之

旁庭（又名）旁聤

〔位置〕腋下四肋間乳後四寸

〔解剖〕側胸部前大鋸筋及肋間筋中
　　　　循肋間動脈　分布肋間神經側
　　　　穿行枝　內容肺臟

〔主治〕卒中風　飛尸　遁疰　胸脅滿
　　　　痛　嘔吐　逆喘　咽干

〔手術〕灸三五壯　多至五十壯　舉臂取之

指根

〔位置〕在食指本節　近掌處橫紋中

〔解剖〕在食指節中　有指伸筋及手掌
　　　　腱膜

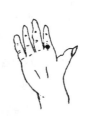

〔主治〕手指生疔毒

〔手術〕針一分或以三稜針出血

〔附錄〕本穴錄自治疔彙要：刺之不惟可以消散　且能避免疔毒
　　　　別入旁指　不論何指生疔　先將本指第三節橫紋中刺之

　　　　然後再刺他指

鬼哭（又名）鬼眼四穴

〔位置〕在兩手大指內側　去爪甲如韭葉

〔解剖〕在手者同手太陰少商穴　在足同

　　　　足太陰脾經隱白穴

〔主治〕五癇正發時

〔手術〕灸五壯　在手者用帛縛兩指　當兩指縫中取之　在足者

　　　　亦同

〔考證〕千金：卒中邪魅恍惚　灸人中及兩手足大指爪甲　用圓

　　　　艾半在爪上　半在肉上　各七壯　如不止　灸十四壯

　　　　又小便數且難　用力輒失精　灸手足大指各三壯　而已

　　　　經三日又灸之　外台：備急救卒者死者及心腹卒滿方

　　　　及口噤不開者　兩手足大拇指白肉際　二十壯　膏肓灸

　　　　法　鬼眼穴主醒狐惑　鬼魅　呆痴大成　小兒胎癇驚

　　　　依法灸一壯　炷如麥大　壽世保元：秦承祖灸鬼法　治

　　　　一切驚狂　妄踰垣上屋　詈罵不避親疏　兩手大拇指

　　　　用麻繩定之　以大艾炷其中　兩介甲及兩指甲角四處著

　　　　火　灸七壯　神效　萬病回春：婦人與鬼交道者　由臟

　　　　腑虛　神不守舍　故鬼氣得爲病也　其狀不欲見人　如

　　　　有悟時　獨言笑或怒泣是也　脈息遲伏或如鳥啄　而鬼

　　　　邪爲病也　又脈來綿綿　不知度數　而顏色不變　亦此

　　　　候也　宜灸鬼哭七壯　若果是邪祟病者　即乞求免灸

　　　　云我自去矣

或中

〔位置〕在俞府下一寸六分　華蓋旁

二寸

〔解剖〕在第二三肋骨間　有大胸筋
　　　　　循肋及內乳動脈　分布前
　　　胸廓神經　內容肺臟

〔主治〕咳逆　喘不能食　胸脅支滿　涎出多唾

〔手術〕針三分　灸五壯

〔考證〕神農經　治氣喘　痰壅灸十四壯　又治咳嗽哮喘　唾血
　　　　甲乙：欬逆上氣　喘逆　多唾　呼吸哮喘坐臥不安

〔附錄〕此穴爲足少陰　腎經脈氣所發

穿鼻

〔位置〕在鼻樑之兩旁

〔解剖〕有內鼻柱骨及嗅覺神經枝

〔主治〕疔瘡

〔手術〕灸三分

十一畫

魚際

〔位置〕在大拇指本節後白肉際散紋間

〔解剖〕第一掌骨後側與舟狀骨關節部
即短外轉拇筋停止部　循橈
骨動脈　分布正中神經

〔主治〕酒病惡　風寒　虛熱　舌上黃
頭痛　少氣　腹痛傷寒　汗
不出　痺走　胸背痛　心煩　咳嗽　肘攣　喉干　寒慄
鼓頷　溺出　嘔血　吐血　心悲　恐乳癰　目眩

〔手術〕針二三分　禁灸　伸掌取之

〔考證〕席弘賦：轉筋目眩針魚際　百症賦：喉痛兮　腋門魚際
去療　千金：產後宜勤擠乳　不令乳汁積蓄　積不去便
成破乳非癰也　急灸二七壯斷癰脈　圖翼：此穴兼經渠
通里治汗不出　便得淋漓　兼三里間使瀉汗至遍身　治
牙痛　不能飲食　左患灸右　右患灸左　男三女四　甲
乙：身寒熱　厥煩心　少氣不足息　肘攣　腹痛　喉干
失瘖干渴　魚際主之

〔附錄〕此穴爲手太陰　肺經所溜爲榮　素刺禁論：刺手魚腹內
陷爲腫　按即此穴也　宜以微針淺刺

魚腰

〔位置〕在眉中間　一云在左右眉中

〔解剖〕前頭骨下際　眉弓中部循鼻

前頭動脈　分布前頭神經及
上眼窩神經

〔主治〕眼生垂簾翳膜

〔手術〕針一分　提眉皮取之

魚尾

〔位置〕在目眥外頭

〔解剖〕在前頭骨部筋中　循上眼窩
動脈　分布眼窩神經

〔主治〕目疾

〔手術〕禁灸　針一二分

〔考證〕玉龍歌：兩目紅腫痛難熬　怕日羞明心自焦　只刺睛明
魚尾穴　太陽出血自然消

偏歷

〔位置〕腕後三寸　陽谿之上

〔解剖〕在總趾伸筋腱間　循橈骨
動脈　分布橈骨神經及外
膊皮下神經

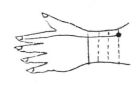

〔主治〕肩肘痛　手腕酸痛　目不明　齒痛　鼻血寒熱　瘲癲疾
咽干　喉痺　耳鳴　汗不出　小便難

〔手術〕針三分　灸三壯　側掌取之

〔考證〕標幽賦：刺偏歷利小便　治水蠱　十二經治症主客絡訣
：太陰多氣而少血　心胸氣脹水發熱　發嗽缺盆痛莫禁
咽腫喉干身汗越　肩內前廉　乳疼　痰結　膈中氣如
缺　所生病者何穴求　太淵偏歷與君脫

〔附錄〕此穴爲胃經脈所發　圖翼：孕婦禁灸

梁門

〔位置〕在承滿下一寸　中脘旁二寸

〔解剖〕第八肋軟骨下部　有外斜
　　　　腹筋及直腹筋　內容胃臟

〔主治〕脅下積氣　飲食不思　大
　　　　腸滑泄　完穀不化

〔手術〕針三五分　灸五七壯

〔考證〕甲乙：主腹中積氣結痛

〔附錄〕此穴爲足陽明　胃經脈所發　圖翼：孕婦禁灸

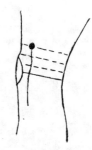

梁邱（又名）跨骨

〔位置〕在膝上二寸兩筋間　陰市下一
　　　　寸

〔解剖〕大眼骨前外側有大服筋　循外
　　　　迴旋股動脈下行枝　分布外股
　　　　皮下神經

〔主治〕膝連腰痛　冷痺不仁　大驚
　　　　乳腫痛

〔手術〕針三分　灸三壯

〔考證〕神農經：治腳膝痛屈伸不得　宜灸七壯

〔附錄〕此穴爲胃經之郄

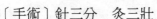

商邱

〔位置〕內踝骨下微前陷中居　中封
　　　　召海二穴中

〔解剖〕內踝下部前之骨陷中　十字靭
　　　　帶下側　前頸骨筋與長伸拇指

間

〔主治〕腹脹　腸鳴太息　痔疾　癲癇　夢壓　好嘔　陰內股痛
　　　　狐疝瘄氣　黃疸　舌強痛　寒瘧　善昧食　不嗜臥
　　　　小兒驚風　目昏　胃脘痛

〔手術〕針三分　灸三壯　垂足取之

〔考證〕玉龍歌：腳背痛起邱墟穴　斜針出血即時輕　百症賦：
　　　　商丘痔瘤而最良　勝玉歌：腳背疼起丘墟穴　千金：治
　　　　脾氣腹脹　胃脘痛

〔附錄〕此穴爲脾經所行爲經夢壓針商邱三陰交

商曲（又名）高曲

〔位置〕石關下一寸　下脘旁五分

〔解剖〕在直腹筋部有橫腹筋　循上腹
　　　　動脈　分布肋間神經穿行枝

〔主治〕目赤痛　腹中腸鳴　不欲食

〔手術〕針五分至一寸　灸五壯　臥取

〔考證〕甲乙：主腹中積聚切痛

〔附錄〕此穴爲足少陰　腎經　冲脈之會

商陽（又名）絕陽

〔位置〕在食指內側去爪甲如韭葉

〔解剖〕在總指伸筋末端附着部　循頭靜
　　　　脈　分布橈骨神經之指背枝

〔主治〕寒熱　痎瘧　熱病不出汗　青盲
　　　　耳聾　耳鳴口干　頷腫　牙痛
　　　　寒慄　胸滿　喘咳　肢腫　肩痛　背痛痛引缺盆

〔手術〕針一二分　灸三壯

〔考證〕百症賦：寒瘧兮商陽太谿驗　千金翼：澶州刺史成君焯
　　　　忽患頸腫如斗　喉閉水粒不下已三日矣　以狀告予以
　　　　使甄權救之　針其右手次指之端　食頃氣即通　明日飲
　　　　噉如故　甲乙：痎瘧　耳中一切疾患　喉痺不能言
　　　　商陽主之口部諸筋收縮　中風卒倒　藥水不下　急以三
　　　　稜針刺出血
〔附錄〕此穴為手陽明　大腸經所出為井

陽谿（又名）中魁

〔位置〕在手腕橫紋上側兩筋陷中直對合谷
〔解剖〕在舟狀骨及橈骨之間　當短伸拇筋
　　　　與長伸拇筋之間
〔主治〕狂言　善笑　見鬼熱病　煩心　目
　　　　赤翳爛歌　逆頭痛　胸不得息虛疾
　　　　　寒嗽　嘔吐喉痺　耳鳴　肘不舉驚掣　痂疥
〔手術〕針三分　灸三壯　握拳側置取之

〔考證〕席弘賦：牙疼腰痛幷咽痺　二間陽谿疾怎逃　百症賦：
　　　　肩顒　陽谿消陰中之熱極　千金：主目赤痛　臂外側痛
　　　　吐舌　戾頸　妄言　主瘧甚苦　寒熱　欬逆　嘔沫
〔附錄〕此穴為手陽明　大腸經所溜為榮

陽谷

〔位置〕在手外側腕中　即銳骨之下陷中
〔解剖〕尺骨瘂狀突起之下際　固有小指伸
　　　　筋內部　循腕側背動脈　分布尺骨
　　　　神經之手背枝
〔主治〕癲疾　狂走汗不出　脅頸痛　寒熱

　　　　妄言　目眩耳鳴　聾牙痛肩不舉　吐舌　戾頸　瘰癧
　　　　小兒舌强不吮乳

〔手術〕針二三分　灸三壯　握拳取之

〔考證〕百症賦：陽谷俠谿　口噤　頷腫幷治　甲乙：泄風　出
　　　　汗　腰項强不得回顧　脅痛不得息　肩弘　肘廢　目痛
　　　　痂疥　頭痛　目眩　千金：主脣齒　喉中諸硬　面目癰
　　　　腫　狂笑

〔附錄〕此穴爲手太陽　小腸經所行爲經　如有見鬼者　可針陽
　　　　谷穴

陽綱

〔位置〕在第十椎下去脊旁開三寸半
　　　　　膽俞旁寸半

〔解剖〕第十及十一胸椎橫突起外方
　　　　有濶背筋　循後動脈　分布肩甲下神經

〔主治〕腹痛　腸鳴　飲食不下　小便赤　身熱　泄痢黃赤
　　　　怠惰

〔手術〕針五分　灸五壯

〔考證〕外台：主熱病　汗不出　風寒熱　狂走　瘧頭痛　目澀
　　　　暴變　主耳鳴聾　呼吸短氣　圖翼：手臂紅腫痛　瀉之
　　　　血出爲妙

〔附錄〕此穴爲手少陽　三焦經所溜爲榮

陽白

〔位置〕在眉上一寸與瞳子相對

〔解剖〕在前頭骨部前頭筋中　循上眼
　　　　窩動脈　分布上眼窩神經

〔主治〕瞳子癢痛　目上視遠視䀮昏　夜不見　目痛　目眵　腰
　　　　背寒慄　重衣不得溫

〔手術〕針一分　灸三壯　正頭取之

〔考證〕甲乙：頭目瞳子痛不可視　挾項强急不可以碩陽白主之
　　　　　千金：陽白主目瞳痛癢　遠視䀮䀮　昏夜無所見　圖
　　　　翼：主治頭痛　目昏　多眵　背痛慄

〔附錄〕此穴爲手陽明大腸經　足陽明胃經　手少陽三焦經　足
　　　　少陽膽經　陽維脈　五脈之會　甲乙：足少陽陽維之會
　　　　氣府論王註　足陽明　陰維二脈之會

陽關

〔位置〕在十六椎之下

〔解剖〕腰椎之棘上突起間有荐骨脊柱
　　　　筋　循腰動脈　分布腰椎神經
　　　　後枝

〔主治〕膝胻伸屈不利　風痺筋攣不仁　嘔吐不止

〔手術〕甲乙：主膝外廉痛不得伸　筋痺不仁　千金：主嘔吐不
　　　　止多涎

〔附錄〕此穴爲督脈氣所發

陽關（又名）關陵　陽陵　關陽

〔位置〕在陽陵泉上三寸　犢鼻上陷中
　　　　即膝蓋骨之外旁兩筋間

〔解剖〕在大腿骨外　上踝之上際　四頭
　　　　股筋停止部之外側　二頭股筋腱
　　　　之前方　循上外膝關節動脈　分
　　　　布股神經之分枝

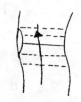

〔主治〕風痺不仁　膝痛不可屈伸

〔手術〕禁灸　針五分　正坐垂足取之

〔考證〕甲乙：膝外廉痛不可屈伸　脛痺不仁　陽關主之　主筋
　　　　攣　膝不得屈伸

陽陵泉

〔位置〕在膝蓋下一寸　胕骨尖之外廉
　　　　骨間陷凹處

〔解剖〕在腓骨小頭之前　下部長腓骨
　　　　筋與長總趾伸筋腱中　循前筋
　　　　動脈分枝　分布腓骨神經

〔主治〕嗌中吤然　膝伸屈不得　髀樞
　　　　骨冷痺　股內外廉不仁　偏風
　　　　半身不遂　頭面無血色　膝冷
　　　　腳氣筋攣

〔手術〕針五分　灸七壯至十壯

〔考證〕玉龍歌：膝蓋紅腫鶴膝風　陽陵二穴亦堪攻　席弘賦：
　　　　最是陽陵泉一穴　腳膝疼痛用針燒　百症賦：半身不遂
　　　　　陽陵遠達於曲池　雜病穴法歌：二陵二蹻與二交　頭
　　　　項手足互相與　又冷風濕痺針環環　陽陵三里燒針尾
　　　　通玄指要賦：脅下肋邊者刺陽陵而即止　天星秘訣：腳
　　　　氣酸痛肩井先　次尋三里陽陵泉　馬丹陽十二穴歌：膝
　　　　腫並麻木　冷痺及偏風　拳足不能起　坐臥似裏翁　千
　　　　金：治諸風　灸七壯又主失尿不知　及頭面腫　圖翼：
　　　　主偏風半身不遂　足冷痺不仁　面無血色　又主筋軟縮
　　　　筋疼　寒熱　頭痛　口舌　咽喉及頭面腫痛　胸滿　心

　　　　中忧惕

　　〔附錄〕此穴爲膽經所入爲合　又筋之會　風筋病統治之

陽交（又名）別陽足節

　　〔位置〕足外踝上七寸　胻骨外廉

　　〔解剖〕在腓骨部　循前腓骨動脈分枝

　　　　　分布瀉腓骨神經

　　〔主治〕胸膈脹滿　寒厥　驚狂　喉痺

　　　　　面腫　膝痛　足胻不收

　　〔手術〕針五分　灸三壯　垂足取之

　　〔考證〕百症賦：驚懼怔忡　取陽交解谿勿誤　雜病穴法歌：二

　　　　　陵二蹻與二交　頭項手足互相與　千金：主喉痺胸滿

　　　　　寒熱

　　〔附錄〕此穴爲陽維脈之郄　一云膽經　陽維之會纂要　三陽異

　　　　　本作二陽　胃經行前　膀胱經行後　此膽經行前後　兩

　　　　　筋分肉間

陽輔（又名）分肉

　　〔位置〕在外踝上四寸微前三分　光明

　　　　　與絕骨二穴之當中

　　〔解剖〕在腓脛二骨間　有長總趾伸筋

　　　　　分布與瀉腓骨神經

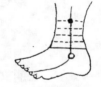

　　〔主治〕腰溶溶如坐水狀　膝腫筋攣

　　　　　百節酸痛　腋下腫　瘰缺盆痛　馬刀俠癭　風痺不仁

　　　　　汗出痠瘤　目銳眥痛　頭頷腫痛　面青　口苦　太息

　　　　　喉痺　胸脅及膝脛至絕骨前廉痛　腰痛如錘

　　〔手術〕針三五分　灸三五壯　垂足取之

〔考證〕神農經：膝外脛酸　麻痺不仁　灸十四壯　甲乙：主四
　　　　肢不舉　喉痺　腰痛如錘　居其中脅腫痛　不得下欬欬
　　　　即縮筋諸節痛　千金：脛外由絕骨至風市　頑痺腫痛不
　　　　仁　須灸陽輔　絕骨　陽陵　風市諸穴
〔附錄〕此穴爲膽經所行爲經　氣穴論註：陽維脈所發

陽維

〔位置〕在耳翼後引耳令前當耳根軟骨之中央
〔解剖〕在顳顬骨部有筋　循耳後動脈　分布
　　　　耳後神經
〔主治〕耳聾　耳鳴
〔手術〕灸五壯至七壯　正頭取之
〔考證〕千金　耳聾　雷鳴　灸陽維　五十
　　　　壯

陽池（又名）別陽

〔位置〕在手表腕上橫紋中
〔解剖〕尺骨與腕骨之關節部　有總
　　　　指伸筋
〔主治〕消渴煩悶　寒熱瘲拆傷　手
　　　　腕臂痛不舉
〔手術〕禁灸　針三分　伸手取之

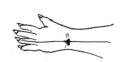

〔考證〕神農經：治手腕無力　灸七壯　十二經治症主客原絡訣
　　　　：三焦有疾　耳中　喉痺　咽干　目腫紅　耳後時疼幷
　　　　汗出　背與心後痛相從　肩背風生連肘角　大便堅閉及
　　　　遺癃　前病治之何穴愈　陽池內關法相同
〔附錄〕此穴爲手少陽　三焦經所過爲原　銅人：禁灸

液門

〔位置〕在小指次指岐骨間陷中

〔解剖〕在小指內側　總趾伸筋腱中　循
第四骨間動脈　分布尺骨神經

〔主治〕驚慄妄言　咽外腫　寒厥　手肘
瘧疾　頭痛目赤　暴聾齗腫

〔手術〕針三分　灸三壯　握拳取之

〔考證〕玉龍歌：手臂紅腫連腕痛　液門穴內用針明　百症賦：
喉痛兮　液門　魚際去療又主呼吸短氣　外台：風寒熱
狂走瘧　頭痛　目澀　暴變　耳聾鳴　圖翼：手臂紅腫
瀉之出血為妙

〔附錄〕此穴為三焦經所溜為榮

率谷

〔位置〕在耳上入髮際一寸五分

〔解剖〕顳顬筋中　循耳後動脈　分布
顏面神經顳顬枝

〔主治〕痰氣　膈痛　腦角強痛頭風
胃寒　煩滿　嘔吐不止

〔手術〕針二三分　灸三壯　正頭嚼牙取之

〔考證〕玉龍歌：偏正頭風痛難醫　絲竹金針亦可絕　沿皮向後
透率谷　一針兩穴世間稀　圖翼：小兒急慢驚風　灸三
壯　神農經：治頭風　兩角疼痛　灸三壯至七壯

〔附錄〕此穴為足厥　陰肝經　膽經　又脾之募臟之會　凡臟病
統治之

章門（又名）長平脅窌肋膠脾募

〔位置〕在臍上二寸　橫開六
　　　　寸尖盡處

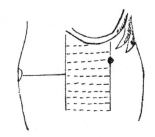

〔主治〕食不化　脅痛　煩
　　　　熱　口干　胸脅　肢
　　　　滿　喘息　心痛　嘔
　　　　逆　腰冷痛　甚溺黃白濁　傷飽黃瘦　奔豚積聚　腹腫
　　　　四肢瘦　倦少氣　善恐　肩臂不舉

〔手術〕針三分至五分　灸三五壯　側臥取之

〔考證〕百症賦：胸脅肢滿何療　章門不用細尋　勝玉歌：經年
　　　　或變勞怯者　痞滿章門訣　千金：扁鵲云卒中惡風　若
　　　　不識人灸七壯　又積聚堅滿　吐逆　飲食不得轉胞　小
　　　　便不利　灸章門百壯　又主口干　嘔無所出　心痛　寒
　　　　中洞　泄不止　主石水身腫　楊氏醫案：給事中陽後山
　　　　公郎　患疳疾　藥日投而而人日瘦　予曰　此子羸瘦
　　　　雖疳症而腹內有積塊附於脾胃旁　若治其疳而不治其塊
　　　　　是不求其本而揣其末矣　乃先針穴章門　消散積塊
　　　　次理脾胃　乃體漸盛　疳疾俱痊　圖翼：治久瀉不止
　　　　癖塊疼痛　奇經考　張仲景大病症後　腰以下有水氣
　　　　灸章門穴　陳修園　不能食而熱可灸此穴

〔附錄〕此穴爲肝經　膽經　又脾之募臟之會　凡臟病統治之

海泉

〔位置〕在舌下中央脈上

〔解剖〕在繫帶處有腦神經第五對
　　　　有三叉神經下頷枝　與舌下
　　　　第十二對神經散佈　並有舌

　　　　　下動脈及舌靜脈與舌下線

〔主治〕消渴

〔手術〕取三稜針出血　捲舌取之

〔附錄〕素刺禁論：刺舌下中脈太過出血不止爲瘖　取法　令病
　　　　人張口　舌舐上顎不動　即可針得本穴　卑有針刺法
　　　　以粗針擇定舌下之正中舌繫帶之微上直刺之約一分　瀉
　　　　針隨刺隨出　不稍停留使其出血一二滴　口渴即愈

患門

〔位置〕在第五六椎之間去脊一寸半

〔解剖〕第五六椎橫突起之兩側　有
　　　　僧帽筋及菱形筋　荐骨脊中
　　　　筋等

〔主治〕一切虛弱　羸瘦無神等病

〔手術〕灸五十壯

〔附錄〕本穴之灸點　共有四處令病人正坐平頭　醫以細繩一條
　　　　環其頸項後　與大椎相平　前與結喉相並　兩繩願齊下
　　　　垂至鳩尾骨處剪斷　然後將繩移轉至背部繩之中心　在
　　　　大椎者移在結喉之處　而結喉之繩移平大椎　而兩繩頭
　　　　就大椎處並齊下垂　適在第六椎之間　繩頭到處用墨點
　　　　記　另以繩一條　由病者之人中起　分向兩邊與口角並
　　　　齊斷之　又以此繩之中央在背點墨之處左右分開　兩端
　　　　亦用墨點記　仍以此原繩之中央　就兩旁點墨之處　上
　　　　下分開　兩端用墨圈定　計脊骨左右共明四處　即是灸
　　　　穴

拳尖

〔位置〕在手中指本節尖上

〔解剖〕伸指總筋與橈骨神經布達

〔主治〕風眼翳膜疼痛

〔手術〕灸三五壯　握拳取之

〔考證〕千金：風翳患右目灸右手五壯　左亦如之　身有白駁漸

長似癬不瘥　方灸三壯　醫學入門：灸瘢風凡贅疣諸痣

灸之　無不立效

高骨

〔位置〕在掌後寸部前五分陷中

〔解剖〕第一掌骨後與舟狀骨關節部　短外

轉拇筋停止部　循橈骨動脈　分布

正中神經

〔主治〕一切手病

〔手術〕針一二分　灸五壯　手掌向上取之

脣裏

〔位置〕在承漿之裏面

〔解剖〕在下唇裡面之粘液膜部口輪

匝筋中　循口冠狀動脈　分布下齒槽神經

〔主治〕馬黃　黃疸

〔手術〕用三稜針刺出血　張口取之

偏對口

〔位置〕在正對口之兩旁

〔解剖〕在後項入髮際一寸　僧帽

筋間後頭動脈　分布大後

頭神經

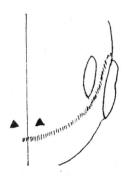

〔主治〕疔瘡

〔手術〕針三分　禁灸

清冷淵（又名）清冷泉　青昊

〔位置〕肘上二寸天井上一寸

〔解剖〕上膊骨後側　鷹咀突起上方

三頭膊筋內緣　循下尺骨動脈

分布內膊皮下及尺骨神經

〔主治〕肩痺臑痛不舉　不能帶衣

〔手術〕針三分　灸三壯　舉臂取之

〔考證〕勝玉歌：眼痛須覓清冷淵

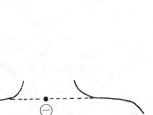

崇骨

〔位置〕在大椎上第一小椎

〔解剖〕在七頸椎與一

胸椎間有肩背

神經分布

〔主治〕瘰癧

〔手術〕灸三壯

十二畫

溫溜（又名）逆注蛇頭
〔位置〕在腕後五寸　下廉下一寸
〔解剖〕在膊橈筋骨間　循橈骨動脈分枝
　　　　分布外膊皮下神經
〔主治〕腸鳴　腹痛　傷寒噦逆　寒熱
　　　　頭痛　善笑　狂言見鬼　四肢腫
　　　　痛　舌腫痛喉痺　吐舌
〔手術〕針三分　灸三壯　屈手取之
〔考證〕百症賦：項強　傷寒期間　溫溜主之
〔附錄〕此穴爲手太陽　大腸經之郄

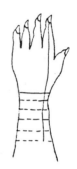

極泉
〔位置〕在臂內腋窩下　動脈應手處
〔解剖〕大胸筋停止部之外側與肩胛下筋
　　　　間　循肩甲及腋窩動脈　分布內
　　　　膊皮下神經
〔主治〕肘臂厥寒不收　心痛干嘔煩渴
　　　　目黃　脅痛　悲愁
〔手術〕針三分　灸三壯　舉手取之
〔考證〕甲乙：極泉主心絞痛　是動則病溢干　心痛渴飲主心所
　　　　生病者　目黃脅痛臂內外後廉及掌中熱痛
〔附錄〕此穴爲手少陰心經脈氣所發

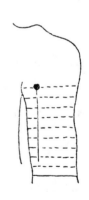

腕骨

〔位置〕在手外側腕前起骨之陷中

〔解剖〕第五掌骨腕骨之間　外尺骨線之

　　　　停止部　外轉小指筋中

〔主治〕熱病脅下痛　頭頷腫　耳鳴　目

　　　　眩　淚流　目瞑狂惕偏枯　頭痛

　　　　驚風　瘈瘲　指掣

〔手術〕針三分　灸三壯　握拳取之

〔考證〕通玄指要賦：固知腕骨去黃　玉龍歌：腕中無力痛艱難

　　　　握物難移體不安　腕骨一針雖見效　莫將補瀉等閒看

　　　　十二經治症主客原絡訣：小腸之病豈爲良　頰腫肢痛兩

　　　　臂膀　頭項強痛難轉側　嗌腫頷痛甚非凡　肩似拔兮項

　　　　似拆　生病耳聾及目黃　臑肘臂外後廉痛　通里腕骨取

　　　　爲詳　圖翼：渾身熱盛　先補徐瀉　肩背冷痛　先瀉後

　　　　補

〔附錄〕此穴爲手太陽小腸經所過爲原

絡却（又名）強陽腦蓋

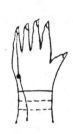

〔位置〕在通天後一寸五分

〔解剖〕在顱頂骨與後骨連

　　　　接處即腦後筋之停

　　　　止部

〔主治〕目眩　青盲　內障

　　　　耳鳴狂走　恍惚

　　　　腹脹　癲疾　僵仆

〔手術〕禁針　灸三壯

〔附錄〕此穴爲膀胱經脈氣所發

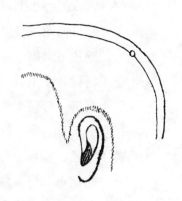

脾俞

〔位置〕在第十一椎之下　去脊橫開二寸

〔解剖〕在十一　十二胸椎之中橫突起外
　　　　方　循後肋動脈　分布背椎神經
　　　　之後枝

〔主治〕腹脹　胸脅引痛　多食身瘦　痃癖積聚　泄痢痰瘧　水
　　　　腫　寒熱　黃疸　善欠不欲食

〔手術〕針三分　灸三壯　正坐取之

〔考證〕百症賦：敢宮脾俞袪殘心下之悽悲　甲乙：欬而嘔膈寒
　　　　食不下　寒熱　皮膚皆痛　少氣不得臥　胸脅痛　上
　　　　氣　肩背寒痛　汗不出　喉痺　沉昏善臥　又濕心痛無
　　　　可據者　脾脹　苦嘔　四肢重痛　脾俞太白主之　又腹
　　　　氣痛引背心　大腸轉氣按如覆杯熱引胃痛　不嗜食　善
　　　　欠　脅滿欲吐　脾俞主之　千金：主轉胞　小便不得灸
　　　　百壯　虛勞　尿血白濁灸百壯　衛生保鑑：脾俞治小兒
　　　　脅滿　泄痢　積聚四肢不收　寒熱　腹脹引背漸漸黃瘦
　　　　黃疸灸此穴七壯　圖翼：此穴主瀉五臟之熱與五臟俞
　　　　同一　傳此穴治水蠱　氣滿　泄瀉久年不止　又久瘧不
　　　　愈　灸七壯　即止　蓋瘧因寒濕傷脾而然　故此穴甚效
　　　　　脾虛者見青屍鬼　脾俞刺入三分留三呼進二分氣至徐
　　　　徐出針即醒

〔附錄〕此穴為足太陽之會　素刺禁論：刺中脾十日死其動為吞

跗陽（又名）付陽

〔位置〕在外踝上三寸　膽經之後筋間

〔解剖〕腓骨外側　循腓骨動脈　分布

　　　　瀉腓骨神經

〔主治〕霍亂轉筋　腰痛坐不能起　膝股　胻酸風痺不仁　頭重
　　　　䯏腫寒熱　四肢不舉

〔手術〕針三分　灸三壯

〔考證〕外台：付陽主痿厥　頭風眩痛　痿痺不仁　時發寒熱
　　　　四肢不舉

〔附錄〕此穴爲陽蹻脈之郄

崑崙（又名）下崑崙

〔位置〕足外踝後五分跟骨上陷中

〔解剖〕在外踝阿斯利比腱凹中　循後
　　　　外踝動脈　分布腓骨及脛骨神
　　　　經

〔主治〕腰尻痛　腳氣足䯏腫痛不能履地　膕如結踝如烈　頭痛
　　　　肩背拘急　咳逆滿欬血　目眩痛如脫心痛　陰中痛瘧
　　　　多汗　胞衣不下　小兒發癎　瘈瘲

〔手術〕針三分　灸三壯

〔考證〕玉龍歌：腿足腫紅草鞋風　須把崑崙二穴攻　靈光賦：
　　　　住喘　足痛　崑崙愈　席弘賦：轉筋針魚腹　承山　崑
　　　　崙立便消　馬丹陽十二穴歌：轉筋腰尻痛　暴喘滿中心
　　　　舉步行不得　一動即呻吟　肘後歌：膝腳經年痛不休
　　　　內外踝邊用意求　千金：治腰痛瘧　多汗　目痛甚
　　　　胞衣不下　喘滿暴痛　狂愓多言不休　甲乙：痙脊強痛
　　　　項　目眩痛　膕如結　䯏如烈　目如脫　項如拔　瘧疾
　　　　又大風　頭多汗腹痛　齒痛　惡聞人聲　癲疾　癎疾
　　　　口閉不開　女子難孕　又大便每腹痛　善嚏悲喘　崑

崙主之　入門：松陽周漢卿善針灸　治一人背曲苦杖而
行　人以風治之　公曰　非也爲針兩足崑崙穴　頃之投
杖而去　捷經：治偏風　神農經：治腰背強痛　足不能
履地　灸此穴七壯　小兒陰腫灸三壯

〔附錄〕此穴爲膀胱經所行爲經　孕婦禁針

湧泉（又名）地衝

〔位置〕置足底中央捲趾居中宛宛處

〔解剖〕在拇指膨癃部之後外側　循後
脛動脈末枝　分布脛骨及內足
蹠神經

〔主治〕尸厥面黑　咳血　喘急目無所見　善恐　舌干咽腫　上
氣心煩　心痛黃疸　腸澼　股痛　嗜臥　善悲　小腸急
痛　泄下　重腰痛　大便難　心中結熱　風疹　風癇
喉痺失音　舌急　胸悶　項痛　目眩　五趾盡痛　足不
踐地　男如蠱女如妊　轉胞無子　善忘　陰痺　小便不
利　風臍痛疝氣　熱病　腰酸　霍亂　轉筋足下熱　不
欲言　頭痛　少氣　寒厥奔豚

〔手術〕針三五分　灸五壯　正坐側足捲趾取之

〔考證〕玉龍歌：傳尸癆病最難醫　湧泉出血免災危　席弘賦：
鳩尾能醫五般癇　若下湧泉人不死　百症賦：寒厥熱厥
湧泉清　通玄指要賦：胸結身黃取湧泉即可　靈光賦：
足掌之下尋湧泉　此法千金莫妄傳　此穴多治婦人疾
男蠱女孕兩病痊　天星秘訣：如若小腸連臍痛　先刺陰
陵後湧泉　雜病穴法歌：勞宮能治五般癇　更刺湧泉病
若挑　肘後歌：頂心頭痛眼不開　湧泉下針足安泰　又

傷寒痞氣結胸中　兩目昏黃汗不通　湧泉妙穴三分許
淳于意曰：此熱厥也　刺足心立愈　千金：靭時發癢
霍亂轉筋灸二百壯　凡熱病　先脛腰酸　數飲身清頭項
痛　顚顚然　先取湧泉及太陽井滎　又女子短氣　無子
　陰中懊憹痛　針三分　扁鵲心書：治遠久年腳氣腫痛
或腳心連脛骨痛　或下腿粗腫沉重失力　可灸十壯　腿
頑麻疼痛灸此穴五十壯　此事難知　兩手大熱爲骨厥如
在火　灸此穴五壯立愈　壽世保元：治自溢氣已脫極重
者　灸湧泉　男左女右　三壯即活

〔附錄〕此穴爲足少陰　腎經所出爲井　又回陽九針之一　凡暴
　　　亡諸陽欲脫者　均宜治之　素刺禁論：刺此脈重虛出血
　　　其舌難以言　千金：刺湧泉穴　刺瀉殺人

然谷（又名）龍淵然骨龍泉

〔位置〕在足內之前下高骨下公孫後一寸

〔解剖〕在舟狀骨與楔狀骨關節部　外轉
　　　拇筋與長拇指附着部之間

〔主治〕咽喉腫脹　心恐　涎出少氣　足
　　　腫痛　寒疝　小腹脹　咳血　喉痺　淋瀝白濁　足寒熱
　　　脛酸　舌瘲　煩滿消渴　自汗心痛如刺　積血男子泄
　　　精　挺陰　婦人陰瘻月事不調　臍風　口噤

〔手術〕針三分　灸三壯

〔考證〕百症賦：臍風須然谷而易醒　雜病穴法歌：腳若轉筋目
　　　發化　然谷承山法自古　甲乙：熱病　煩心　足寒　多
　　　汗先取然谷　後取太谿　又熱病刺然谷　足寒至膝　乃
　　　出針　又主心如懸衷　亂心驚噫　腫喘氣吸吸不足以怠

　　　瘛疝瘻厥　癲疾　黃疸　洞泄　足一寒一熱　舌瘲

　　煩悶　不孕　陰暴　出經水漏　小兒臍風　牙不開　善

　　驚　然谷主之　千金：婦人絕子　灸五十壯　脾腎心痛

　　　京骨崑崙然谷　太谿主咽腫不能言　心痛　心錐刺甚

　　者　足寒至節不息者死　消渴　凡飢不欲食　刺此穴多

　　出血　使人立飢　圖翼：此穴主瀉腎臟之熱　治傷寒

　　宜多出血

〔附錄〕此穴為足少陰　腎經所溜為滎　一云：別入於足太陰脾

　　　　經之郤　甲乙：刺之多見血　使人立飢欲食　素刺禁論

　　　　：刺足下布絡中脈　血不出為腫　按即此穴也

復溜（又名）伏白　昌陽　外命

〔位置〕在內踝上二寸前傍骨是復溜後傍

　　　　骨是交信二穴相隔一筋

〔解剖〕在脛骨後部有後脛骨筋　循後脛

　　　　動脈　分布淺腓骨神經

〔主治〕腸澼　骨寒熱　腰脊引痛　善怒　多言舌干舌動　涎出

　　　　盜汗自汗　足胻寒痛　水病肢腫　五淋　小便如散火

　　　　齗腫　血痔泄後腫

〔手術〕針三分　灸三五壯

〔考證〕玉龍歌：無汗瀉復溜　百症賦：復溜去舌干　口臭之悲

　　　　席弘賦：復溜氣滯難離　靈光賦：治腫如神醫　勝玉

　　　歌：腳氣復溜不須疑　雜病穴法歌：水腫水分與復溜

　　　肘後歌：瘧疾三日得一發　先寒後熱　無他語　寒多熱

　　　少　取復溜　神農經：治盜汗不收　面痿黃　灸七壯

　　　蘭江賦：更有傷寒真妙訣　三陰須要刺陽經　無汗便將

合谷補　復溜穴瀉好旋針　千金：主多涎出　舌捲不言
　主血淋　又瘧多寒不能自溫　腸澼膿血　泄痢重痛如
　最　腹痛如痙狀　太乙歌：刺治腰挫閃疼痛　遊風遍身
〔附錄〕此穴爲足少陰　腎經所行爲經

間使（又名）鬼路

〔位置〕掌後大陵直上三寸兩筋中
〔解剖〕在橈骨尺骨之中　長與短屈拇筋中　循前骨際動脈　分
　　　布正中神經間
〔主治〕傷寒　結胸　心如懸

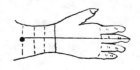

卒狂　胸中澹澹　惡風

寒寒　中掌熱　少氣

腋腫攣肘　卒心痛多驚中風多痰涎　瘖不能言　咽中如
梗　鬼邪　霍亂　干嘔　月水不調　血塊小兒客忤
〔手術〕針三分至五分　灸五壯　伸指取之
〔考證〕百症賦：天鼎間使失音　顑頷而休遲　靈光賦：水溝間
　　使治癲邪　肘後歌：狂言盜汗如見鬼　惺惺間使便下針
　　瘧疾寒熱眞可畏　須知虛實可用意　間使宜透支溝中
　　勝玉歌：五瘧寒多熱更多　間使大杼眞妙穴　通玄指
　　要賦：瘧生寒熱兮　仗間使以扶持　玉龍歌：脾家之病
　　最可憐　有寒有熱兩相煎　間使二穴針瀉動　寒補熱瀉
　　病俱痊　天星秘訣：如中鬼邪先間使　甲乙：主熱病
　　煩心　善嘔胸中澹澹　善動面熱　卒心痛　心敖敖焉
　　又掌熱足跗急腫　善悲　驚狂　目赤　目黃　間使主之
　　千金：治小兒客忤吐不止　灸間使　隱白　三陰交
　　大都各三壯諸且灸七壯　又主狂邪　披髮大喚　言語欲

殺人　不避水火　灸三十壯　又治驚恐歌泣鬼魅　灸此
穴及入髮一寸百壯　干嘔不止　粥食湯藥皆吐　灸三十
壯　若四脈厥沉絕不至者灸之便通　此法能起死人　治
久疸　灸間使後一寸　隨年壯立瘥　又治卒死　無脈
無它形候　陰陽俱偈故也　針間使百餘息及灸人中　又
主咽中如扼　手攣痛　外台：主瘖不能言語　咽中如梗
　頭大侵　捷經：治熱病頻噦

〔附錄〕此穴爲手厥　陰心　包絡經所行爲經

勞宮（又名）五里掌中鬼路

〔位置〕在手掌中心握拳　當中指與無名指
　　　　罅中

〔解剖〕第二三掌骨之中手掌腱膜中　循手
　　　　掌動脈　分布正中神經

〔主治〕中風　善怒　悲笑不休　手痹　熱
　　　　病汗不出　胸脅痛大小便　血衄
　　　　血氣逆煩渴　嘔噦　飲食不下　口中腥臭　口瘡　黃疸
　　　　目黃　小兒斷爛

〔手術〕針二三分　灸三壯

〔考證〕玉龍歌：勞宮穴在掌中尋　滿手生瘡痛不禁　雜病穴法
　　　　歌：心痛反胃刺勞宮　勞宮能治五般癇　靈光賦：勞宮
　　　　醫得身勞倦　百症賦：黃疸消黃諧後谿　勞宮而看　通
　　　　玄指要賦：勞宮退翻胃心痛何疑　甲乙：病發　熱而嘔
　　　　噦　三日以往不得汗怵惕　胸脅滿痛　衄血不止　吐血
　　　　嘔血　氣逆　噫不止　嗌腫痛　舌爛　掌熱　煩心欬
　　　　寒　熱噦　少腹積聚　風熱　善怒　中心喜悲歔郯笑不

休　目黃　尸中腥臭　勞宮主之　千金：心懷懼　刺五
分補之　勞宮主苦渴　食不下　熱痔　總病論：熱病三
日不出汗　胸脅滿　大小便血衄不止　氣逆　煩渴　飲
食不下　針五分瀉之　捷經：主治憂噎　一傳癲狂灸此
穴效

〔附錄〕此穴爲厥陰　心包絡經所過爲滎　又十三鬼穴之一　統
治一切癲狂疾　又回陽九針之一　凡暴亡諸陽欲脫者
均宜治之　明堂：禁灸　灸之令人瘟肉日加

淵腋（又名）腋門泉腋

〔位置〕在腋下三寸與乳頭相平

〔解剖〕側胸部第四肋中前大鋸筋
及肋間筋中　內容肺臟

〔主治〕寒熱馬刀瘻瘍　胸滿無汗
手臂不舉

〔手術〕甲乙：胸滿　肩不舉　馬刀腫瘻　淵腋　期門　章門
支溝主之

〔附錄〕此穴爲膽經脈所發　銅人：禁灸　明堂：不宜灸　灸之
令人生腫　蝕馬瘍內潰者死　寒者生　甲乙：灸之　不
幸生蝕瘍　素刺禁論　刺腋下間內陷　令人欬　按即此
穴

期門（又名）肝募

〔位置〕在乳下二肋端內行五分

〔解剖〕第九肋軟骨付着部尖端　當
第八肋間乳動脈線部　循上
腹部動脈　分布肋間神經側

穿行枝

〔主治〕胸中煩熱　奔豚上下霍亂　瀉痢　喘不得臥　積氣　傷
　　　寒　心痛　嘔噦　飲食不下　脅痛　男女血結　胸痛
　　　面赤火燥　口干　消渴　胸痛不忍　傷寒過經　不散熱
　　　入血　窒下血　譫語　女子月水適來邪乘虛而入產後
　　諸疾

〔手術〕針三分　灸三壯　仰臥取之

〔考證〕席弘賦：期門穴　主傷寒患　六日過經猶未汗　百症賦
　　　：審他項強　傷寒　溫溜　期門主之　通玄指要賦：期
　　　門罷　胸滿　血膨而可已　靈光賦：傷寒過經　期門愈
　　　　蘭江賦：七日期門妙用針　但治傷寒皆用瀉　天星秘
　　　訣：傷寒過經不出汗　期門通里先後看　許學士遇一婦
　　　人患傷寒　寒熱入血熱　醫者不識　以小柴胡湯以遲當
　　　刺　期門予不能針　請善針者針之　如言而愈　傷寒論
　　　：傷寒腹滿　譫語　寸口脈浮而緊　又此肝乘脾也　名
　　　曰縱刺期門　傷寒　發熱惡寒　大渴飲水腹必滿　汗出
　　　小便利　其病欲解　此肝乘肺也　名曰橫當刺期門
　　　太陽與少陽幷病　頭眩強痛　肘如結　胸痞鞕　當刺大
　　　椎　肺俞　肝俞　慎不可發汗　發汗則譫語五六日不止
　　　脈絃當刺期門　又陽明病下血譫語　此為熱入血室
　　　但頭汗出者　期門主之　甲乙：痓腹大者不得息　喘逆
　　　臥不安時寒熱　脅下大滿　目青而嘔瘲　遺溺鼠鼷痛
　　　小便難而白　又霍亂泄注　瘖不能言　婦人產後疾　飲
　　　食不下　足寒　目眩　心切痛　善噫　聞痠臭　期門主
　　　之　千金：奔肫水洼　灸五百壯　經云：肺來乘腎　食

　　　　　後吐水　　灸隨年壯　并治產後噎

〔附錄〕此穴爲足厥　陰肝經　脾經　陰維　三脈之會　又肝之
　　　　募也　活人堂　凡婦人病法　當針期門　不用子午法
　　　　但下針令病人吸五吸　停針良久徐徐出針　凡針期門必
　　　　瀉　勿補　肥人可二寸　瘦人寸半　按上述之諸說　祇
　　　　可採其針法　所謂寸半至二寸瀉　未免針之太過　考期
　　　　門穴當內臟　學者宜注意之穴在臍上六寸半　旁開三寸
　　　　半上直兩乳

紫宮

〔位置〕在華蓋下寸六分陷中
〔解剖〕胸骨休部　循內乳動脈分枝　分布肋間神經穿行枝
〔主治〕胸脅支滿膺　骨痛飲食不下　嘔逆
　　　　上氣煩心　吐血　唾白如膠
〔手術〕針三分　灸三壯
〔考證〕甲乙：胸滿飲食不下嘔逆　上氣　煩
　　　　心紫宮主之
〔附錄〕此穴爲任脈氣所發　在天突下三寸二
　　　　分

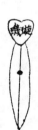

絲竹空（又名）巨窌　目窌

〔位置〕在眉尾陷中
〔解剖〕在前頭骨部筋中　循上眼窩動脈
　　　　　分布上眼窩神經
〔主治〕目眩　目赤　視物不明目上戴眼
　　　　眥毛帶　惡風寒　發狂　吐沫　偏正頭痛
〔手術〕禁灸　針二三分　正頭取之

〔考證〕百症賦：眼若紅腫苦皺眉　攢竹絲空亦堪醫　玉龍歌：

偏正頭風痛難醫　絲竹金針亦可施　百症賦：耳門絲竹

住牙疼於頃刻　通玄指要賦：絲竹治頭痛不可忍　甲

乙：瘈反目　惡風　頭眩痛　小兒臍風目上挿　主瘋癲

狂　癎疾涎沫　煩滿　絲竹主之　外台：主頭痛互引

目赤眈眈　神農經：治頭風宜出血　圖翼：主眼赤痛

針一二分出血　眼科錦囊　治青盲黑障昏化不眞　諸目

疾　灸此穴　每日一壯　積年者二三壯宜用小炷

〔附錄〕此穴爲手少陽　三焦經　膽經脈氣所發　銅人：禁灸

灸之令人目小及昏

華蓋

〔位置〕璇璣下一寸六分陷中

〔解剖〕在胸骨把柄與胸骨體之界　循內

乳動脈分枝　分布肋間神經前穿

行枝

〔主治〕氣喘上氣　咳逆　哮喘　喉痺

咽腫　水漿不下　胸滿

〔手術〕針三分　灸五壯

〔考證〕百症賦：從知脅肋疼痛　氣戶華蓋有靈　甲乙：欬逆上

氣喘不能言　脅痛引胸　華蓋主之

〔附錄〕此穴爲任脈氣所發

筋縮

〔位置〕在第九椎之下

〔解剖〕在第九十胸椎間僧帽筋起始部

循後肋動脈　分布背椎神經

〔主治〕心痛　癲癇　狂走　目轉　反戴上視目澄脊強

〔手術〕針五分　灸三壯　俯而取之

〔考證〕百症賦：脊強兮水道筋縮　勝玉歌：更有天突與筋縮
　　　　小兒喉閉　自然疎　甲乙：主目轉上揷脊強筋縮主之

〔附錄〕此穴爲督脈經所發

痞根

〔位置〕在脊十二椎旁　各開三寸半　一
　　　　云在十三椎下去脊三寸五分

〔解剖〕第二三腰椎橫突起之外　有方形腰筋及濶背筋

〔主治〕痞塊久而不愈　習慣便秘

〔手術〕灸七壯

〔考證〕萬病回春：小兒痞癖　灸法在背脊中　由尾骶骨將手揣
　　　　摸兩旁有血筋發動處　每一穴用銅錢三個按上　以艾炷
　　　　孔中　灸左右七壯　此是癖之根　貫血之所灸之瘡發
　　　　即可見效　灸不着　血筋瘡不發而不效矣　診取痞根穴
　　　　　患左灸右　患右灸左　主癥瘕乳餘疾　圖翼：凡治痞
　　　　者　灸痞根無不獲效　其法於十三椎下去脊三寸半　用
　　　　指摸有動脈處　即點穴　大約穴在臍平　多灸左邊或左
　　　　右皆灸　此痞根也　或患左灸右　患右灸左亦效　痞塊
　　　　在右灸右十四壯　在左灸左十四壯　以腰圍全射法推算
　　　　之

腋下

〔位置〕在腋下象毛下付肋宛宛中

〔解剖〕第八肋軟骨付着部尖端　當第
　　　　八肋乳動脈線部

〔主治〕噦噫膈　中氣閉塞

〔手術〕灸三壯　舉臂取之

腋門

〔位置〕在腋下叢毛中一寸

〔解剖〕在側胸前大鋸筋及肋間筋中
　　　　循肋間動脈　分布肋間神經側
　　　　穿行枝與胸廓神經

〔主治〕一切風疾

〔手術〕灸五壯至七壯　多至五十壯
　　　　舉臂取之

〔考證〕噦噫　胸中氣閉塞　灸腋下聚毛下附肋宛宛中神良

強間（又名）大羽

〔位置〕在後頂後寸五分

〔解剖〕在矢狀縫合後部即三角縫
　　　　合部帽狀腱中　循後頭動
　　　　脈　分布大後頭神經

〔主治〕頭痛　目瞑腦轉煩心　嘔
　　　　吐　項強　狂走

〔手術〕針二分　灸三壯

〔考證〕百症賦：頭痛　項強之際　強間豐隆　甲乙：主癲狂疾
　　　　狂走　搖頭　口喎　戾頸　外台：治頭痛如針刺　項
　　　　如拔不得左右轉

〔附錄〕此穴爲督脈之氣所發　儒門事親　後頂強間風府　腦戶
　　　　不輕用針灸　若有誤不幸令人瘖

插花

〔位置〕在額兩旁髮際上一寸半
〔解剖〕在前頭部有前頭筋　循顱
　　　　動脈前枝
〔主治〕疔瘡
〔手術〕針三分　灸三壯　正面取
　　　　之

厥陰俞（又名）關俞厥俞

〔位置〕在第四椎之下去脊二寸
〔解剖〕第五胸椎橫突起外方有僧帽
　　　　筋及菱形筋　循上肩甲動脈
　　　　分布背椎神經後枝

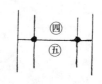

〔主治〕咳逆　牙痛　心痛　胸滿　嘔吐　結聚　煩悶
〔手術〕針三分　灸七壯
〔考證〕千金：胸中膈氣聚痛　好吐　灸隨年壯　胸中膈氣灸百
　　　　壯
〔附錄〕一曰：臟腑皆有俞在背　獨心包絡無俞者　厥陰俞即心
　　　　包絡之愈

散笑

〔位置〕在迎香穴旁開三分
〔解剖〕在上顎犬齒骨上方鼻翼下掣筋
　　　　中　循下眼動脈　分布眼面神
　　　　經

〔主治〕疔瘡　口偏風
〔手術〕禁灸　針一二分　正面取之

十三畫

雲門

〔位置〕在巨骨下距中行璇璣
　　　　旁六寸　即中府微
　　　　斜外上一寸六分

〔解剖〕錠骨外端之下　大胸
　　　　筋之上部　肩峰動脈
　　　　分布側胸神經及鎖
　　　　骨下神經

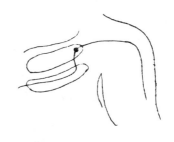

〔主治〕傷寒　喉痺　咳逆喘不得息　短氣　氣上冲心　胸滿
　　　　胸痛引背肩臂痛不舉　癭氣

〔手術〕針三分　灸五壯　舉臂取之

〔考證〕甲乙：欬喘不得坐臥　呼吸不得　胸中熱　肩痛引缺盆
　　　　雲門主之　千金：胸滿　咳逆　短氣　上氣　灸五十壯
　　　　　圖翼：主治傷寒　肢熱　欬逆　短氣冲心　煩滿徹痛
　　　　喉痺　疝氣　素水熱穴論：雲門　肩顒　委中　髓空
　　　　此入者　瀉四肢之熱也

〔附錄〕此穴爲手太陰　肺經脈氣所發　甲乙：刺太深令人逆息
　　　　素穴禁論：刺膺中內陷中　肺爲喘逆所息　按此雲門中
　　　　府勿刺太深　宜以微針淺刺

經渠

〔位置〕在腕後五分寸口脈陷中

〔解剖〕內橈骨筋腱之外部　迴前方筋中　循橈骨動脈及外膊皮

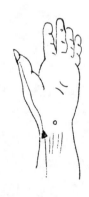

下神經

〔主治〕傷寒　熱病　汗不出　瘧疾
　　　　暴瘖　喉痺　咳逆上氣喘促
　　　　吐嘔　心痛胸脹　胸背攣急
　　　　掌熱

〔手術〕禁灸　針一二分

〔考證〕百症賦：熱病汗不出大都更接
　　　　於經渠　千金：主治咳逆　氣
　　　　喘　掌心熱　外台：主寒熱
　　　　瘖瘧胸背痛　心痛　熱病欲嘔

〔附錄〕此穴爲手太陰　肺經所行爲經　甲乙：不宜灸

經中

〔位置〕在臍下寸半　橫開三寸

〔解剖〕直腹筋下緣　循下腹壁動脈
　　　　分布腸骨下腹神經

〔主治〕大小便不通

〔手術〕兼營冲大腸俞　各灸三壯

滑肉門

〔位置〕在太乙下一寸　水分旁二寸

〔解剖〕在小腸部有外斜及直腹筋　循
　　　　上腹動脈　分布間肋間穿行枝

〔主治〕癲癇　吐血　嘔逆　重舌

〔手術〕針五分至八分　灸三壯

〔考證〕圖翼：主治癲狂　嘔逆　吐血　舌强　重舌

〔附錄〕此穴爲足陽明　胃經脈氣所發

解谿

〔位置〕在足腕上繫鞋帶處陷中　冲陽後
　　　　一寸五分內庭後六寸半

〔解剖〕前脛骨筋之腱與長總趾伸筋間
　　　　當環狀靱帶部

〔主治〕癲疾　瘈瘲　霍亂　頭風　面腫　面赤　目眩目赤　煩
　　　　心　厥氣上冲大便　下重膝脛轉筋痿重

〔手術〕針三五分　灸五壯

〔考證〕玉龍歌：背足疼起邱圩穴　解谿與再商丘識　補瀉行針
　　　　要班明　神農經：治腹脹　目眩　頭疼　灸七壯　甲乙
　　　　：熱病汗不出　善噫　腹脹　譫語　寒熱　煩滿　悲泣
　　　　霍亂　白膜覆珠瞳子無見　解谿主之　又面目赤　口
　　　　痛　齧舌　股重轉筋　圖翼：一傳腹腫　足脛重　灸之
　　　　效　治氣逆發噎將死　寒濕　腳瘡　灸七壯神效

〔附錄〕此穴爲胃經所行爲經

腹哀

〔位置〕在中脘旁四寸微下五分

〔解剖〕在內外斜腹筋部　循上腹動脈分
　　　　枝　內部左容胃臟　右與肝臟下
　　　　緣接近

〔主治〕寒中食不化　腹痛　大便膿血

〔手術〕禁灸　針五分至七分臥取

〔考證〕甲乙：便膿血　食不化腹痛繞臍　搶心　膝寒注痢

〔附錄〕此穴爲手太陰　脾經　陰維脈之會

腹結（又名）腸屈　楊屈　腸結

〔位置〕中行旁三寸半　大橫下一寸三分

〔解剖〕內外斜腹筋部　循淺腹動脈　分布腸骨下腹神經　內容
小腸

〔主治〕咳逆繞臍痛腹　寒瀉　痢氣上搶
心

〔手術〕針五分　灸五壯

〔考證〕千金：主繞臍痛　搶心　外台：主膝痛寒　泄痢　圖翼
：治咳逆中寒　泄痢　腹痛　心痛

督俞（又名）高益

〔位置〕第六椎下去脊橫開二寸

〔解剖〕在背長筋　僧帽　與荐骨脊中
筋　循後肋動脈　分布背椎神
經後枝　內容心臟

〔主治〕寒熱　心痛　腹痛　氣逆

〔手術〕針三分　灸五壯　坐取

〔考證〕圖翼：禁針　按本穴各書　均言灸不言針　以此推測非
大要不針　學者宜注意之

腎俞（又名）高蓋

〔位置〕在十四椎下去脊橫開二寸

〔解剖〕第二三腰椎突起之後方上層有
腰背筋　膜下有脊骨柱筋及方
形腰筋　循腰動脈背枝

〔主治〕虛勞　羸瘦　腎虧　耳聾鳴水　臟久冷　心腹脹滿　小
腹急痛　小便淋漓　目不明　少氣　溺血　精出夢泄
腎中風消渴　五勞七傷　腰痛　足膝拘急　頭重身熱

四肢滛濼洞泄　食不化　乘經交接成勞　寒熱狂來

〔手術〕針三分　灸三壯或隨年壯　正坐取之

〔考證〕玉龍歌：腎虛腰疼不可當　施爲行止甚非常　若知腎俞二穴處　艾火多加體自康　又腎敗腰虛小便頻　夜間起止苦勞神　命門若得金針助　腎俞艾灸起遭迍　勝玉歌：腎敗腰疼小便頻　督脈兩旁腎俞除　通玄指要賦：腎俞把腰疼而瀉盡　甲乙：主寒熱　食多身瘦　兩脅痛心下賁滿　小腹熱急痛　目不明　欠喘咳氣少　溺赤骨寒熱　溲難　又腎脹者　腹痛引背快快然　腎俞太谿主之　千金：治腎寒方　灸百壯　諸風　灸七壯　丈夫夢失精　小便濁難治胞轉　小便不得　又主消渴　小便數灸三十壯　又主洞泄不化　喘逆少氣　頭重百病　扁鵲心書：腎俞二穴　凡一切大病於此灸三二百壯　蓋腎爲一身之根本　先天之眞源本牢則不死　又治中風　失音手足不遂　大風癲疾　圖翼：此穴主瀉五賦之熱　一傳治色慾過度虛腫　耳痛　耳鳴　又腎虛者見黃尸鬼　刺入三分　得氣留補　留三呼又進二分留三呼　徐徐出針

〔附錄〕此穴爲足太陽之會　素刺禁論：刺中腎六日死其動爲嚏

會陰（又名）屏翳金門下極平翳

〔位置〕在前後兩陰之間

〔解剖〕在海球綿體之中尖　循外痔及內陰部動脈　分布會陰神經

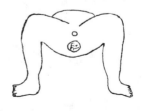

〔主治〕陰汗陰頭痛　陰中諸病大小便不得　男子陰

寒上冲　心窕中熱　皮疼痛　穀道搔癢　久痔　經水不通　卒死　溺死

〔手術〕禁針　灸三壯　仰臥拱足取之

〔考證〕甲乙：小便難　窋中熱痛　實則腹皮痛　虛者搔癢　久痔　凡與陰相通者死　陰中諸病引痛　千金：小兒暴癇腹滿　短氣　灸三壯　或隨年壯　斗門方治癲癇於用艾在陰囊下穀道正門當中間隨年壯灸之　圖翼：治產後昏迷不醒人事

〔附錄〕此穴爲任脈之別絡　使督脈　冲脈之會　一云任脈　督冲三脈所起　任由此行　腹冲由此而行　少陰督由此而行　背凡卒者　溺死者可灸　或針五分至七分　又十三鬼穴之一　統治一切癲狂病

會陽（又名）利機

〔位置〕尾閭骨下旁　側陷凹中各間五六分

〔解剖〕尾閭骨端兩側大臀筋起始部　有肛門舉筋及括約筋　循下痔動脈　分布會陰神經

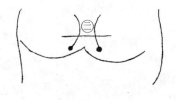

〔手術〕針三五分　灸五壯俯頭伏而取之

〔考證〕甲乙：泄注. 寒辟便血　圖翼：治久痔　陽虛　乏陰汗濕癢

〔附錄〕此穴爲督脈之氣所發

會宗

〔位置〕腕後三寸支溝外開一寸空中

〔解剖〕在尺骨固有小指伸筋中
　　　　循後骨間動脈　分布橈
　　　　骨神經　及後膊皮下神經

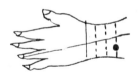

〔主治〕五癇　肌膚痛　耳聾
〔手術〕禁針　灸三壯至五壯
〔考證〕外台：主肌肉痛　耳聾　羊癇　圖翼：主治五癇
〔附錄〕此穴爲手少陽　三焦經之郄　明堂：灸五壯　禁針　甲
　　　　乙：針三分　銅人外台　俱不言針可灸　考以上之說故
　　　　列入禁針之例

膏肓俞

〔位置〕在第四椎下　去脊三寸半
〔解剖〕第四五胸椎橫突起外方　循橫
　　　　頸動脈　分布背椎神經後枝

〔主治〕羸瘦虛損　傳尸骨蒸　夢中失
　　　　精　上氣咳逆　發狂　善志痰病
〔手術〕針三分　灸三壯多至百壯
〔考證〕玉龍歌：膏肓二穴治勞病　靈光賦：膏肓豈祗治百症
　　　　乾坤生意：膏肓　陶道　身柱　肘俞　治虛損五勞之緊
　　　　要穴　行針指要歌：或針勞須向膏肓及百勞　千金：膏
　　　　肓無所不治　圖翼：主百病無所不療　五勞七傷　失精
　　　　　胎前產後灸七十壯
〔附錄〕大成：正坐屈脊伸兩手　以臂着膝令端坐　手大指與膝
　　　　頭齊　以物置肘無令動搖　取之或正坐取之　灸後頭
　　　　灸足三里

意舍

〔位置〕在十一椎之下　去脊旁開三寸
　　　　半　即脾俞旁一寸半

〔解剖〕十一十二胸椎橫突起之外方
　　　　循後肋動脈　分布肩甲下及肋
　　　　間神經

〔主治〕腹滿虛脹　小便赤黃　背痛　惡風寒　嘔吐　消渴　身熱

　　　　熱目黃　不欲食

〔手術〕針三分　灸三壯

〔考證〕百症賦：胸滿更加噎塞　中府　意舍所行　甲乙：腹滿
　　　　大便泄　消渴　身熱　面黃　意舍主之

〔附錄〕此穴爲足太陽　膀胱經脈氣所發

瘂門（又名）舌壓　舌橫　瘖門

〔位置〕在項正中入髮五分

〔解剖〕第一二項椎之間　循後
　　　　頭動脈分枝　分布頸椎
　　　　神經瀉部有涎髓

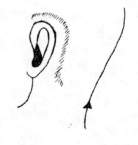

〔主治〕舌急不語　音瘖　熱血
　　　　不止　寒熱　重舌頭重
　　　　　癲疾　脊強反折汗不出　回陽九穴之一

〔手術〕禁灸　針二三分　正頭取之

〔考證〕百症賦：瘂門　風府　關冲　舌緩不語而要緊　玉龍歌
　　　　：偶爾失音　難言　啞門一穴筋間　外台：灸三壯　瀉
　　　　諸陽熱氣　主熱血善衄風　頭痛　汗不出　痙強反折
　　　　癲疾瘈瘲　頭重　醫說：徐德占敎衄者　急灸項後髮際

　　　　上兩筋中三壯立止　蓋血由此入腦注鼻中　常以線勒項

　　　　後倘可止血　風尸厥　暴死不知人事經驗良方　治瘰癧

　　　　痰核方灸此七壯即愈

　　〔附錄〕此穴爲督脈　陽維之會　甲乙：刺入四分　禁灸　灸之

　　　　令人瘖　又回陽九針之一　凡暴亡諸陽欲脫者均宜治之

殷門

　　〔位置〕在承扶下六寸　膕上二筋間　直對委中

　　〔解剖〕大腿後面之中央部二頭股筋與

　　　　半模樣筋中　循股動脈　分布

　　　　坐骨神經

　　〔主治〕禁針　灸三五分

　　〔考證〕甲乙：腰痛不得俛仰　仰則恐

　　　　仆　惡血歸之　得之舉重殷門

　　　　主之

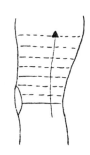

　　〔附錄〕此穴銅人　言針不言灸　甲乙：灸三壯　術者如必要時

　　　　宜以小炷灸之　此穴爲膀胱經

照海（又名）陰蹻

　　〔位置〕在內踝骨下五分陷中前後有

　　　　筋　上有踝骨下有軟骨　穴

　　　　在其中　兩足底相合取之

　　〔解剖〕在跟骨與舟狀骨中外轉拇筋

　　　　中　後筋骨動脈　分布脛骨神經

　　〔主治〕咽干　心悲不樂　四肢倦疲　久瘧　目如見星卒　疝淋

　　　　病嘔吐　嗜臥　大風默默不知所痛　婦女經逆　癲癇夜

　　　　發挺陰　陰癢

〔手術〕針三分　灸七壯

〔考證〕玉龍歌：大便祕結不能通　台海分明在足中　蘭江賦：噤口　風針召海　雜病穴法歌：二陵二蹻與二交　頭項手足互相與　又胞衣召海內關尋　百症賦：大敦照海患寒疝而善觸　靈光賦：陰蹻陽蹻二踝邊　腳氣四穴先尋取　入法歌喉塞　小便淋漓　膀胱氣痛　腸鳴　食黃酒積腹臍　幷嘔瀉反胃更緊　產後昏迷積塊　腸風　下血常頻　膈中快氣　氣核漫召海有功必定　甲乙：目痛引眥　少腹扁痛背僂傴積卒　疝痛引小腹　在左取右　在右取左　立已偏枯不仁　視如見星　水道不通　陰挺淋瀝　照海主之　又漏下赤白　四肢痿削　月經不斷灸隨年壯　主驚臥視如見鬼　外台：肘後治卒　腫滿身面浮洪　大灸三壯即瘥　圖翼：捷經云　治小便頻數淋瀝不通　小腹冷痛　積疝　本腎腫大如升　疼痛冲心　小便淋血　遺精白濁　鬼交不禁　難產子　鞠母心不下　產後腹痛　惡露不止　脾病　血蠱　水氣　石蠱草蠱　女人血氣五心煩熱　頭目昏沉　老人手足轉筋霍亂　吐瀉　腳氣濕干　腳氣大痛　膝踝五距盡疼全身蠱脹　氣喘　婦人虛損　子宮久冷　經水正行頭眩臍腹胸疼痛　及淋漏不斷等症　先以照海爲主　後隨症分加　各穴分治之

〔附錄〕此穴爲陰蹻脈之所生

腦空（又名）顳顬

〔位置〕在承靈後寸半　玉枕骨下陷中

〔解剖〕後頭結節之外側後頭筋部　循後

頭動脈　分布大後頭神經

〔主治〕勞疾　羸瘦　體熱項強　風引目眇　癲風心悸　鼻痛

〔手術〕針三分　灸五壯

〔考證〕甲乙：頭痛　身熱引兩頷急　腦風　目眩　目痛　鼻管
粗發如厲鼻　扁鵲心書：治偏頭痛　眼欲失明　灸此七
壯即愈　痛連兩目及齒灸二十一壯　銅人：魏公苦患頭
風　發則心悶亂　目眩　華陀針腦空立愈

〔附錄〕此穴爲膽經　陽維脈之會

腦戶（又名）合顱　匝風　會額

〔位置〕在強間後一寸五分居枕骨
之上

〔解剖〕帽狀腱膜中　循後頭動脈
分布大後頭神經

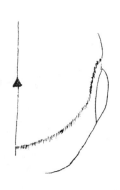

〔主治〕面赤　面黃　頭面腫痛
癭瘤　目不明　風眩

〔手術〕禁灸　針三分

〔考證〕甲乙：瘈目不眴　刺腦戶頭重　項強　目不明　惡風
癲疾骨痠　口噤　羊鳴　瘠不能言　腦戶主之　外台：
主目赤痛面赤　腫舌　本出血　頭面赤腫　腦戶主之

〔附錄〕此穴爲膀胱經　督脈之會　素刺禁論：刺頭中腦戶入頭
即死　銅人：禁灸　灸即令人啞　甲乙：此別腦之會不
可灸令人瘖　儒門事視：後頂強間　風府腦戶不可輕用
針灸　若有誤　不幸令人瘖　少林拳術秘訣：點按致死
九穴之一　腦後名腦海穴　按本穴各書均列入禁針　禁
灸之例　惟考明堂與素註　素骨空論王氏註中　俱有針

三分之文茲錄參考學者愼　勿妄施　宜注意及之

維道（又名）外樞

〔位置〕在章門直下三寸五分五

　　　　樞之前下部陷中

〔解剖〕腸骨前上棘之上部　內

　　　　外斜腹筋中

〔主治〕嘔逆不止　水腫　三焦

　　　　不調　不欲食

〔手術〕針七分　灸五壯　側臥取之

〔考證〕甲乙：主嘔逆不止　三焦有水氣　不嗜食　千金：主嘔

　　　　逆

鳩尾（又名）尾翳　𩨂骬　神府　𩨂骬

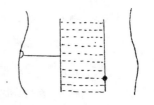

〔位置〕在臆前蔽骨下五分人無蔽骨者由岐骨

　　　　下行一寸

〔解剖〕上腹部白條線中起始部　循上腹　動

　　　　脈分布　肋間　神經前穿行枝

〔主治〕息賁　熱病　偏頭痛引目外眥　噫喘　喉鳴　胸滿　吐

　　　　血　嘔血　喉痺　咽腫　懊悶　驚悸　少氣　精神耗散

　　　　惡人之聲　少年房勞　吐血不止灸百壯奇效　短氣

　　　　大便脫肛

〔手術〕禁針　禁灸　必須針須兩手窩舉方可下針

〔附錄〕靈樞九針十二原　膏之源出於鳩尾　少林拳術祕訣：點

　　　　按致死九穴之一　當門穴又名血穴　即當胸正心口也

　　　　經脈圖考：禁針灸　此穴大難下針　非甚妙高手　不可

　　　　輕刺　外臺　甄權云　宜針不宜灸　甲乙　任脈之別不

可灸刺　銅人　禁灸灸之令人少心力　大妙手方可針
不然針取氣多令人夭　素刺註：不可刺灸　外臺　甄權
云：宜針不宜灸　按以上諸說　故手術項中列入禁針禁
灸之例　惟其應用頗廣如千金外臺以及各歌賦等　俱有
可針可灸之文　雖然亦當愼之　如必要時令病人仰臥
雙手高舉　方可下針　用小針淺刺二三分　灸不過三壯

廉泉（又名）舌本　本池

〔位置〕在頷下結喉之上　舌本之下

〔解剖〕在喉頭結節之上方　舌骨之上部　當
左右舌骨筋停止部中間循上甲狀線動
脈分布顏面及上頸皮下神經

〔主治〕氣逆　喘咳　舌下腫　舌根筋急　舌
瘲不食涎出　口瘡

〔手術〕針三分　灸三壯　邱頭低針取之

〔考證〕百症賦：廉泉中沖舌下腫疼堪取　甲乙：欬上氣窮胠胸
痛者又主舌腫難言　漢藥神效方：治重舌祕方於頷下正
中廉泉穴灸四五壯則小舌縮而愈

〔附錄〕此任脈陰蹻之會　素刺禁論　刺舌下中脈血出不止爲瘖

腰俞（又名）背解　髓孔　髓空　腰戶　腰柱　水府　髓府

〔位置〕在第二十一椎下尾閭門上部
陷凹中

〔解剖〕在荐骨菅烈孔腰背筋膜中循
下臀動脈分布荐骨神經後枝

〔主治〕腰絝背痛　溫瘧汗不出　足
痺不仁　傷寒　胸滿　枝熱

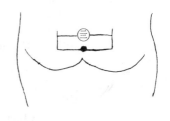

不已　婦人停經

〔手術〕針五分　灸七壯　伏而取之

〔考證〕標幽賦：秋夫針腰兪而免沉痔　席弘賦：冷風泠痺疾難
愈環跳腰兪針與燒　甲乙：腰痛以下至止不仁　不得以
起　女子下赤白腰兪主之　千金：腰兪主不便轉筋急痺
筋攣灸隨年壯　肘後方：治脅痛如打月閉溺赤脊強刺入
二寸留七呼灸三壯　扁鵲心書：腰兪穴在脊骨二十一椎
下治久患風腰痛及寒濕腰痛灸五十壯

〔附錄〕此穴爲督脈氣所發

腰眼（又名）遇仙

〔位置〕在十六　十七椎之間　外開三寸八分有陷
凹處

〔解剖〕第四五腰椎之間　有大腰筋及腰背神經
分布

〔主治〕一切癆病羸瘦衰弱及腎虛腰痛諸疾

〔手術〕針三分　灸五壯　伏取

〔考證〕膏肓灸法：腰眼令其人面壁　以足十趾尖抵地合掌挺身
高舉　則腰間並臍處目有兩窩遂窩點定而　後俯臥灸主
傳尸功勝四花日取癸亥　亥時毋令病人先覺　即點即灸
壽世保元：灸癆虫於癸亥日　灸兩腰眼低陷中　每穴
七壯或十一壯　尤妙　先一日點穴方睡之半夜子午時便
灸　其虫俱從大便處出　用火焚之棄於江河　如虫有黑
咀者　則其在內已傷人腎臟矣　此可治有數虫如蜈蚣
如小蛇　似蝦蟆馬尾亂絲　如爛麵　如壁油虫上紫下白
形銳足細　如有口　皆從大便孔究中出　此皆癆際後

　　　毒若傳至三人　即如人形　如鬼形　醫說：灸瘵疾女

童莊妙眞緣二姊坐瘵疾不起　餘孽亦駸駸見及趙道人言

　　　當以癸亥夜一更元神皆聚之時　在腰間兩旁微陷處腰

眼穴合面臥灸七壯　勞虫或吐出瀉下　即時平安　斷根

不發　便不傳染　敬如其教　因獲出全生

〔附錄〕腰眼眼穴在腰間者稱之取法　病者　裸體　伏臥　兩足

　　　直伸　兩手掌相疊　上承頭頦　兩肘尖與肩平　如是腰

　　　背平直　部左右顯出二凹陷處　即是正穴

當陽

〔位置〕瞳子直上入髮一寸

〔解剖〕在前頭骨部筋中　循上眼窩動脈分
　　　布顏面神經

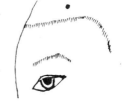

〔主治〕風眩　鼻塞　風癎狂亂　卒不知人
　　　事　目痛

〔手術〕針一二分　灸三壯

〔考證〕千金：眼急痛不能遠視　灸當陽　隨年壯　目昏花　灸
　　　三壯　取法瞳子直上　臨泣穴再上一寸取穴

腸風

〔位置〕在十四椎下各開一寸

〔解剖〕第二三腰椎橫突起外方　上層有背筋
　　　膜　下有荐骨脊柱筋及方形腰筋

〔主治〕腸風諸痔

〔手術〕灸三五壯　正坐取之

腸遺

〔位置〕在中極旁各開二寸半

〔解剖〕在大腸與膀胱接近有下腹動脈分布腸

　　　　骨下腹神經

〔主治〕大便難

〔手術〕灸五壯或隨年壯

睛明（又名）泊孔　淚孔

〔位置〕在目眥內角外一分宛宛中

〔解剖〕眼輪匠筋中有內眼瞼靱帶分布第一枝

　　　　滑車上神經

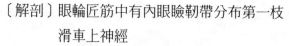

〔主治〕疳眼　目視不明　迎風淚出　頭痛

　　　　目眩內眥赤痛　眥痒　白膜攀睛　雀

　　　　目　疳眼　瞳子生障

〔手術〕禁灸　針一二分

〔考證〕百症賦：觀在雀目肝氣睛明行間而細推靈光賦：睛明治

　　　　眼胬肉攀　席弘賦：睛明治眼未效時合谷光明安可缺

　　　　玉龍歌：兩目腫紅痛難熬　怕日羞明心自焦　只刺睛明

　　　　魚尾穴　太陽出血　自然消

〔附錄〕此穴為小腸經膀胱　胃　經陰蹻　陽蹻五脈之會　甄權

　　　　：不宜灸　明堂：針一分半雀目者　可久留針　然後速

　　　　出針　銅人：針半寸　禁灸　入門：禁用針灸　按本穴

　　　　相近內眥角有重要動脈及神經　苟手技不精初學者　愼

　　　　勿妄刺

睛中

〔位置〕在眼黑珠中

〔解剖〕先用布搭目　外以冷水淋一刻　用三

　　　　稜針於目外角離黑睛一分許刺半分之

微　然後入金針約數分　瀉旁入目　上層轉撥向瞳人

輕輕而下針　插定目角即能見物　一飯頃　出針　輕扶

偃臥　乃用青布搭目　冷水淋三日夜止　初盤膝正坐

將筋一把握手胸前

〔主治〕一切內障　久年不見物　頃刻光明　神祕穴也

〔附錄〕凡初學者失試針　羊眼有內障者能針羊眼　復明方針人

眼　不可造次　要緊要緊

奪命

〔位置〕在曲澤上

〔解剖〕上膊骨內側中央部二頭膊筋與內

膊筋間

〔主治〕目昏

〔手術〕針三分　禁灸

勢頭

〔位置〕在尿孔上宛宛中（參看十畫陰莖穴）

〔解剖〕卒癲病

〔手術〕灸三壯　得小便通即瘥

〔附錄〕查勢頭穴　又說陰莖穴　參看陰莖條

十四畫

膈俞

〔位置〕在第七椎下　去脊二寸

〔解剖〕在僧帽筋脊長筋中　循後肋脈
　　　　分布背椎神經後枝瀉部容心臟

〔主治〕心痛　周痺　吐食　翻胃　食即
　　　　心痛骨　蒸四肢　怠惰善臥痃癖　吐嘔咳逆　熱病汗不
　　　　出　身痛腫脹　胸腹滿自汗

〔手術〕針三五分灸五壯　正坐取之

〔考證〕捷經：膈俞　膽俞可治勞噎　甲乙：悽悽振寒數欠　背
　　　　強食不下　大風汗出　膈俞主之　千金：主心痛如錐刀
　　　　刺　氣結大便難　灸七壯　嘔逆不得食灸百壯　又主腹
　　　　脹胃暴痛　腹積肌肉痛　少氣支滿　胸腹脅痛　灸百壯
　　　　三報之　外台：主全身痺痛汗出癲狂　圖翼：此穴血會
　　　　也　如吐血　衂血虛損昏暈　血熱妄行心肺二經　嘔血
　　　　血不止　諸血病皆宜灸之　陳修園：身斑斑如錦紋
　　　　血熱可灸此穴

〔附錄〕此穴為足太陽　膀胱經脈　所發血之會也　凡血病統治
　　　　之　診要經終論：刺中膈者為傷中　其病雖癒　不過一
　　　　歲必死

厲兌

〔位置〕次趾外側去爪甲角如韭葉

〔解剖〕第二趾第三節外側　爪甲之發生根部　當長總趾伸筋之

付着部

〔主治〕尸厥熱　病寒　無瘡多驚　口
　　　噤氣絕　喉痺唇烈　鼻衄血
　　　面腫黃膽　心腹腫脹好臥　不
　　　欲食　登高而歌　棄衣而走
　　　膝臏腫痛　氣喘逆上股　及胻跗上皆痛　溺黃

〔手術〕針一二分　灸二三壯

〔考證〕百症賦：夢魘不安　屬兌相偕與隱白　甲乙：熱病汗不
　　　出　衄血　眩時仆　足瘈寒　惡聞聲　喉痺多臥善驚
　　　外台：主治尸厥　口噤　氣絕動脈　如故其形無知如中
　　　惡狀

〔附錄〕此穴爲足陽明　胃經　所出爲井

膈關

〔位置〕在第七椎下　去脊橫開三寸半
〔解剖〕第七八胸椎橫突起　外方有僧帽
　　　筋　及背長筋
〔主治〕背寒惡風　腰强痛　嘔穢　胸中
　　　咽悶　多涎　大便不節　小便黃赤　吐血　下血
〔手術〕針三分至五分　灸五壯
〔考證〕外台：主背痛　惡寒脊强　俯仰難
〔附錄〕此穴爲膀胱脈所發經脈　圖考　此亦血之會治諸血病

漏谷

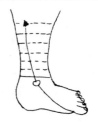

箕門

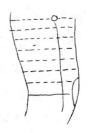

膀胱俞

〔位置〕在十九椎下　去脊橫開二寸

〔解剖〕第二三荐骨棘突起外方　上層爲
　　　　腰背筋膜　下層爲荐骨脊柱筋

〔主治〕風別少氣　脊急痛　小便赤　遺
　　　　溺陰瘡脛　寒腹寒痛　泄利　腳膝失力　女子瘕聚

〔手術〕針三分　灸三壯　伏而取之

〔考證〕百症賦：脾虛穀不以消脾俞　膀胱俞覓　甲乙：熱痙互
　　　　引汗不出　尻臀內痛　腰强痛引　背小腹腰至足不仁
　　　　膀胱俞主之　千金：治久風虛　尿精積聚　灸廿一壯
　　　　圖翼：主小便赤澀遺尿　痢疾足腳冷無力　女子瘕聚

魂門

〔位置〕第九椎之下　去脊橫開三寸
　　　　半

〔解剖〕第九十胸椎橫突起　外方有
　　　　濶背筋　循後肋動脈　分布
　　　　背椎及肋間神經

〔主治〕尸厥走挂　背椎連心痛　飲食不下　大小便不節　嘔吐

〔手術〕針五分　灸三壯

〔考證〕胃冷食而難化　魂門胃俞堪責　標幽賦：筋骨攣痛宜補

　　　　魂門

〔附錄〕此穴爲足太陽膀胱經氣所發

養老

〔位置〕在手外踝尖上　有空陷中

　　　　即手腕後一寸　骨開有孔

〔解剖〕尺骨瘯狀突起正中部　外

　　　　尺骨筋腱之外側　分布尺

　　　　骨神經

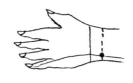

〔主治〕目視不明　肩臂痠痛

〔手術〕針二三分　灸三壯　手掌向內開骨縫取之

〔考證〕甲乙：目覺䀮䀮急取養老天柱　肩痛如折項　如拔不得

　　　　自上下　圖翼：張文仲治傅灸治仙法　療腰痛重轉　側

　　　　起艱難　筋攣　足痺不屈伸

〔附錄〕此穴爲手太陽　小腸經之郄

僕參（又名）安邪

〔位置〕在崑崙直下　足跟骨下陷中

〔解剖〕跟骨後下部結節　稍偏於外

　　　　側之所　阿斯利氏腱停止部

　　　　外側　腓骨動脈　分布脛骨

　　　　神經

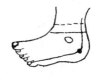

〔主治〕足痿轉筋　足跟痛　腳氣　吐逆　尸厥　癎癲　狂言

　　　　腳膝腫

〔手術〕針三分　灸三壯

〔考證〕靈光賦：後跟痛在僕參求　雜病穴法歌：兩手痠麻補太
　　　　谿僕　參借庭盆相楚　千金：主恍惚尸厥煩悶　小兒馬
　　　　癇

〔附錄〕此穴爲膀胱經　陽蹻脈之會

瘈脈（又名）資脈

〔位置〕在耳根之後上方　青絡脈上即
　　　　翳風上一寸

〔解剖〕在顳顬骨筋部　有耳上筋循耳
　　　　後動脈　分布耳後神經

〔主治〕頭風　耳鳴　小兒驚癇　瘈瘲
　　　　瀉痢　無時瘈多　目不明

〔手術〕針一二分　灸三壯　正頭取之

〔考證〕甲乙：小兒癇瘲　嘔吐　驚恐　失精泄注　目不明眵矇
　　　　耳鳴瘈脈長强主之

〔附錄〕千金甲乙　俱禁灸

聚泉

〔位置〕在舌上中央　有絲陷處

〔解剖〕在舌面有乳頭排列　分布舌之後中
　　　　部

〔主治〕哮喘　久嗽不癒　舌苔　舌强

〔手術〕取羌片切如錢厚　放穴上灸七壯　或以小針出血　伸舌
　　　　張口取之

〔考證〕千金：百邪所病第十三針　名鬼封在舌頭一寸中下縫
　　　　刺貫出舌面上　仍以一板橫口吻　安針頭令舌不得動搖

團岡（又名）環岡

〔位置〕小腸俞下二寸　橫三間之下一云
　　　　小腸俞下二寸橫紋下

〔解剖〕在二三荐骨椎　假橫突起外方
　　　　有大小臀筋　及梨手狀筋　循上
　　　　臂動脈　分布坐骨神經之後枝

〔主治〕腹中閉結　大小便難　腰痛連胸

〔手術〕灸五壯多至百壯　伏而取之

鼻準（又名）鼻膠

〔位置〕在鼻端尖頭

〔解剖〕鼻軟骨尖端部　壓縮筋中　循外鼻
　　　　動脈　分布篩骨神經

〔主治〕疔瘡　鼻中息肉

〔手術〕針二分　禁灸

鼻環

〔位置〕在鼻兩環笑縫中

〔解剖〕在方形上唇筋中　當齒斷部　循下
　　　　眼窩動脈　分布顏面及三叉神經之
　　　　枝別

〔主治〕疔瘡　目疾

〔手術〕針三分　灸三壯　正面取之

鼻交頞中

〔位置〕鼻梁即鼻痙

〔主治〕癲風　弓角反張　羊鳴大風面如虫
　　　　行卒風　多腫健忘心悸　口噤　卒
　　　　倒不識人　黃疸急黃

〔手術〕針三分　得氣即瀉留五吸　亦宜灸
　　　　然不及針

漏陰

〔位置〕內踝下五分動脈微上
〔解剖〕在跟骨與舟狀骨中前後有筋　上
　　　　有踝骨下有軟骨
〔主治〕漏下赤白　四肢瘦削
〔手術〕灸三拾壯　垂足取之

十五畫

衝陽（又名）會屈　會湧　趺陽

〔位置〕在足付上五寸　足背最高動脈中

〔解剖〕在足背之最高所　第二三楔狀骨

與二三蹠骨關節部　循足背骨間

動脈　分布脛骨及淺腓骨神經

〔主治〕偏風　口目歪斜　傷寒寒熱　振

寒而欠腹空大　身痛　不嗜食　登高而歌　棄衣而走

跗腫足緩不收

〔手術〕禁針灸三壯　垂足取之

〔考證〕天星秘訣：足緩難行　先絕骨　次尋條口及冲陽　十二

經治症　主客原絡訣：腹塡心滿意悽愴　惡人惡火惡燈

光　耳聞响動心如惕　鼻衄唇喎瘧又傷　棄衣驟步身中

熱　痰多足痛與瘡惕　氣蠱胸腿疼難止　冲陽公孫一刺

康　千金：善齧　頰唇齒痛　癭氣　灸隨年壯　齒齲

振塞而欠瘧　從腳瘲起

〔附錄〕此穴爲胃經所過爲原　素刺禁論：刺跗上中大脈　血出

不止者死　素至眞要大論：冲陽絕死不治　按本穴當大

動脈上　宜禁刺　如須刺此穴　無使出血慎之慎之

衝門（又名）慈宮　上慈宮

〔位置〕府舍下七分　去中行三寸半

〔解剖〕腸骨前之內　上棘內方當鼠蹊皺溝之中　外端相近之所

內外斜腹筋下部

〔主治〕腹寒氣滿積聚　疼癃　溢灘　陰疝　婦人乳難姙娠子上
　　　　冲心不得息

〔手術〕針三分　灸三壯

〔考證〕百症賦：帶下產崩　冲門

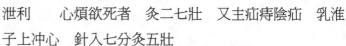

　　　　氣冲宜審　又痃癖兮　冲

　　　　門血海強　千金：主霍亂

　　　　泄利　心煩欲死者　灸二七壯　又主疝痔陰疝　乳淮

　　　　子上冲心　針入七分灸五壯

〔附錄〕此穴爲脾肝二經之會　一云脾經　陰難脈之會

魄戶（又名）魂戶

〔位置〕第三椎下　去脊橫開三寸半　膽
　　　　俞旁一寸半

〔解剖〕第三四胸椎　橫突起前外方　有
　　　　僧帽筋　菱形筋循橫頸動脈　分布背椎神經後枝

〔主治〕背痛　肺勞虛萎　傳尸走疾項強　咳逆喘息　煩滿嘔吐
　　　　霍亂

〔手術〕針三分　灸五壯　正坐取之

〔考證〕百症賦：勞際傳尸取魄戶膏肓之路　標幽賦：體熱勞嗽
　　　　而瀉魄尸　千金：主寒熱　悽悽不得臥　欬逆上氣癃神
　　　　農經：治癆疒可灸十四壯

〔附錄〕此穴爲膀胱經脈氣所發

輒筋

〔位置〕在腋下三寸　當乳中與淵腋
　　　　二穴之間

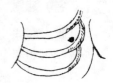

〔解剖〕第四肋中有前大鋸筋　及肋

間筋　內容肺臟

〔主治〕胸中暴滿　小腹熱不得臥　太息善悲　語言不正　欲走
四肢不收　嘔宿汁吐酸

〔手術〕針三五分　灸五壯　側臥屈上足取之

〔考證〕甲乙：胸中暴滿不得臥　輒筋主之

〔附錄〕此穴爲膀胱經　膽經之會　又膽之募也　按十二經中募
計十一以心與心包絡共乃一募　此募乃載於針灸大成
及中國醫學辭典中備錄研究之也

膺窗

〔位置〕屋翳下一寸六分　去中行玉
堂旁四寸

〔解剖〕在第三四肋骨之間　有大小
胸筋內外肋間筋　循前肋間
動脈　分布肋間神經　內容肺臟

〔主治〕胸滿短氣　脣腫泄注　乳癰　寒熱　臥不安

〔手術〕針三分　灸三壯

〔考證〕甲乙：主寒熱短氣　臥不安　圖翼：主胸滿短氣不得臥
腸鳴泄注　乳癰寒熱

〔附錄〕此穴爲胃經脈氣所發

膝關

〔位置〕在內犢鼻下二寸　向內橫開一
寸五分

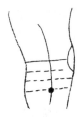

〔解剖〕脛骨內側上部　循膝關節動脈
分布脛骨及薔微神經

〔主治〕風痺　膝內廉痛　臏不得屈伸

咽喉中痛

〔手術〕針三分　灸五壯

〔考證〕玉龍歌：髖骨兩股兩腿疼　膝頭紅腫不得行　必針膝眼

膝關穴　圖翼：主治風痺　膝內腫痛不得屈伸　及寒濕

走疰白虎　歷節風痛　咽喉腫痛

〔附錄〕此穴爲足厥　陰肝經脈氣所發

膝眼（又名）膝目

〔位置〕在膝頭骨下陷中

〔解剖〕腳氣膝臏痠痛　足腫步履艱難

〔主治〕腳氣　膝臏痠痛　腿腳腫痛不

能屈伸步履艱難

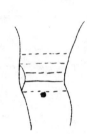

〔手術〕禁灸　針五分垂足取之

〔考證〕外台：腳氣灸膝目二穴蘇恭腳

氣　若心腹氣定兩髀　外連膝悶者　灸七壯　壽世保元

：婦人家得此者時舉發　手捲奉束如難　爪疼痛取左右

膝骨兩旁兒眼穴　灸三壯即愈　圖翼：刺五分禁灸　治

足冷痛不已　昔有人膝痛　灸此穴遂致不起　以禁灸也

〔附錄〕本穴考　諸前人皆有灸之文　惟圖翼：禁灸此或偶然耳

膝旁

〔位置〕在曲瞅橫文頭四處

〔主治〕腰痛不伸　腳痠難久立

〔手術〕灸三壯四處一齊下火　一

處灸不到　其症不瘥

髮際

〔位置〕在前額之正中　即眉心直上三寸

〔解剖〕在前頭部有筋　循前頭動
　　　　脈　分布前頭神經

〔主治〕頭風痛　眩暈

〔手術〕灸三壯　正頭取之

〔附錄〕從眉心直上髮際邊點取穴
　　　　前額痛或重壓不舒者灸三壯

璇璣

〔位置〕在天突下一寸陷中

〔解剖〕胸骨體部當在左右　第六肋間之中
　　　　央　循內乳動脈分枝　分布肋間神
　　　　經

〔主治〕胸脅支滿　咳逆上氣　喘不能言
　　　　喉癰水漿不下　胃中有積

〔手術〕針三分　灸三壯

〔考證〕百症賦：胃中有積刺璇璣　玉龍歌：氣喘急急不得眠
　　　　何苦日夜苦憂煎　若得璇璣針瀉動　更取氣海身然安
　　　　雜病穴法歌：內傷食積針三里　璇璣相應塊亦消　甲乙
　　　　：主喉痺咽腫水漿不下璇璣主之

〔附錄〕此穴爲任脈氣所發

踝下

〔位置〕在內踝下　白肉際

〔解剖〕舟狀骨與楔狀骨關節部外　轉拇
　　　　筋與長掘拇筋付着部之間

〔主治〕滿身赤腫　面浮洪大

〔手術〕灸三壯

十六畫

隱白（又名）鬼壘　鬼眼

〔位置〕在大趾內側　去爪甲角如韭葉

〔解剖〕第一趾第一節末端內緣　爪甲
　　　　之發生根部外　轉拇筋腱膜中
　　　　循趾背動脈　分布內足蹠神
　　　　經

〔主治〕腹脹　喘滿不得安臥　嘔吐暴泄　不知人尸厥　衄血
　　　　月事過時不止　小兒急慢驚風

〔手術〕禁灸　針一分垂足取之

〔考證〕百症賦：夢魘不安屬先相借與隱白　雜病穴法歌：尸厥
　　　　百會一穴美更　針隱白效迢迢　甲乙：氣喘熱病衄不止
　　　　煩心善悲　逆息不得臥　脛寒中悶　嘔吐尸厥死　不
　　　　知人隱白主之　保命集：諸血不止　衄血　大小便血
　　　　血崩當刺隱白　神農經：月事過時不止　刺之立愈

〔附錄〕此穴為脾經所出為井　十三鬼穴之一　統治一切癲狂病
　　　　按本穴列入禁灸　考銅人　甲乙均有灸三壯之文　術
　　　　者如必要時　以小炷灸之　並此穴治血崩試之屢驗

頰車（又名）機關鬼床曲牙

〔位置〕在耳曲頰端陷中　約距耳下角八分

〔解剖〕下顎骨隅之前方咬筋存在　循外顎及咬筋動脈　分布咬
　　　　筋及下顎神經

〔主治〕中風　牙關不開　失音　牙車疼痛　頷腫牙不得嚼物

　　　　項强口且歪斜

〔手術〕針三分　灸三壯

〔考證〕百症賦：頰車地倉正口喎於片時

　　　　玉龍歌：口目歪斜最可瘥　地倉妙

　　　　穴連頰車　雜病穴法歌：牙風面腫

　　　　頰車神　靈光賦：頰車可灸牙齒愈

　　　　　圖翼：主中風牙關不開　失瘖不

　　　語　口眼歪斜　凡口眼歪斜者　喎則左瀉右補　斜則左

　　　補右瀉

〔附錄〕此穴爲胃經脈氣所發　又十三鬼穴之一　統治一切癲狂

　　　病

頰裏

〔位置〕在口吻角邊內面入一寸　即內

　　　　面頰之中

〔解剖〕在口輪匝筋部　循上下唇動脈

　　　　　分布顏面神經

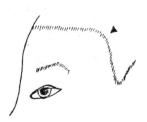

〔主治〕馬黃疸　寒濕瘟疫等病

〔手術〕取三稜針　出血張口取之

頭維

〔位置〕在額角入髮際　神庭旁

　　　　四寸五分

〔解剖〕前頭骨部有前頭筋　循

　　　　顳顬動脈前枝　分布顏

　　　　面神經顳顬枝

〔主治〕頭痛如破　目痛如脫

　　　　　目爛淚出　偏風　目視不明

〔手術〕禁灸　針三分

〔考證〕百症賦：淚出刺頭維臨泣之處　玉龍歌：眉間疼痛苦難
　　　　當　攢竹沿皮刺不妨　若是目昏皆可治　更針頭維即安
　　　　康　甲乙：寒熱　頭痛　目痛　喘逆　煩滿多汗　嘔吐
　　　　難言　頭維主之

〔附錄〕此穴爲膽經　胃經之會　甲乙：禁灸

築賓

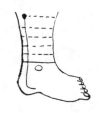

〔位置〕在內踝上五寸　即三陰交上二
　　　　寸後一寸二分　腨上分肉間

〔解剖〕在比目魚筋　與腓腸筋下垂部
　　　　　分布脛骨神經

〔主治〕癩疝　小兒胎疝痛　狂癲狂言　吐舌嘔涎　足腨痛

〔手術〕針三分　灸三壯

〔考證〕甲乙：主癲狂　大疝　絕子　千金：主癲疾　狂惕　妄
　　　　言怒罵　癩疝　吐沫腹痛　濟陽綱目：小兒偏墜得於父
　　　　母　少年多病　陰痿精怯　強力入房因而有子　胎中疝
　　　　也此疝不治　惟築賓一穴灸五壯

〔附錄〕此穴爲陰難脈之郄

橫骨（又名）下極曲骨

〔位置〕天赤下一寸　曲骨旁五分

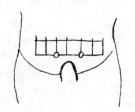

〔解剖〕恥骨上方直腹筋部　循下
　　　　腹壁動脈　分布腸骨鼠蹊
　　　　神經

〔主治〕五淋　小便不通　陰器下

瘙引痛　小腹滿　目赤黃失精　五臟虛竭

〔手術〕禁針　灸三壯仰臥取之

〔考證〕百症賦：目如盲俞橫骨瀉五淋三久積　席弘賦：氣滯腰

　　　　疼不能立　橫骨大都宜救急　甲乙：小腹痛溺難陰縱

　　　　橫骨主之　千金：婦人遺尿不知脫肛　歷年不愈　灸百

　　　　壯　外台：主小腹痛　小便難　卵中痛

〔附錄〕此穴爲腎經冲脈之會　素水熱穴論：髓空一穴各書均以

　　　　爲腰俞　查腰俞祇一穴屬督脈　如是乃七數而非八矣

　　　　戴張素註即橫骨是也

濁浴

〔位置〕俠膽俞旁各開五寸

〔解剖〕第七八胸椎橫突起　外方

　　　　有僧帽筋及背長筋　循橫

　　　　頭動脈　分布肩背椎神經

〔主治〕胸中一切疸病　畏恐多驚少力口苦

〔手術〕灸七壯或隨年壯

〔考證〕千金翼：主胸中疸病　多驚　口苦少力無味　灸隨年壯

濁谷

〔位置〕查係濁浴穴參看濁浴條

　　　　（參看濁浴條）

獨陰（又名）獨會

〔位置〕在第二趾下橫紋中

〔解剖〕第二趾第一骨下部　有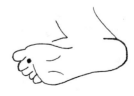

　　　　長總趾伸筋付着

〔主治〕小腸疝氣　婦人干嘔

　　　　　噦吐　　月經不調　　死胎胞衣不下
〔手術〕灸三五壯　　舉足取之
〔考證〕診測　　名獨會灸主難產

燕口

〔位置〕在口吻兩邊赤白肉際
〔解剖〕口輪匝筋部　　循外頸動脈之枝別

　　　　　及上下唇動脈　　分布顏面神經
〔主治〕狂風罵詈　　偏風口喎
〔手術〕灸三壯　　正面取之
〔考證〕千金：狂邪鬼語　　灸十五壯　　小兒大便不通灸各一壯

頷厭

〔位置〕在耳前曲周上顳顬之上廉
〔解剖〕前頭骨與顱頂骨縫合部循

　　　　　淺顳顬動脈　　分布顏面神
　　　　　經
〔主治〕偏正頭風痛　　目眩　　耳鳴
　　　　　目無所見　　外眥急手捲
　　　　　腕痛　　頸痛驚癇　　好嚏歷節風
〔手術〕針三分　　灸三壯
〔考證〕百症賦：懸顱頷厭之中　　偏頭痛止　　甲乙：頭痛身熱
　　　　　目眩無所見　　偏頭痛　　引目外眥耳鳴
〔附錄〕此穴為三焦經　　膽經　　胃經　　三脈之會　　銅人：瀉刺令
　　　　　人耳鳴

龍玄

〔位置〕在手腕上側　　即列缺上側動脈之中

〔解剖〕舟狀骨橈骨之中　長短伸拇筋中　循橈骨動脈　分布橈
　　　　骨正中神經

〔主治〕一切手疼　牙痛

〔手術〕禁針　灸五壯側腕取之

〔考證〕診則　紫脈中灸主牙疼　千金：
　　　　治卒中風口喎不正　灸手交脈上
　　　　三壯　左患灸右　右患灸左　橫
　　　　安之　兩頭下火　又兼合谷三里
　　　　呂細　列缺各三壯　治牙頰痛

龍舌（內）

〔位置〕在尺澤穴直上　老鼠肉中

〔解剖〕上膊骨內側中央部　二頭膊筋及
　　　　內膊筋間　循上膊　及頭靜脈
　　　　分布下膊皮下神經

〔主治〕疔瘡

〔手術〕針三分　灸三五壯　舉臂取之

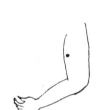

龍舌（外）

〔位置〕肘骨直上之正中　與內龍舌相
　　　　對

〔解剖〕上膊骨內側　二頭膊筋內線下
　　　　爲內膊骨際陷中　循內窩及
　　　　重要動脈　分布內膊皮下神經

〔主治〕疔瘡　肩臂痛

〔手術〕針一二分　灸三壯　平臂取之

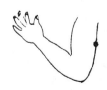

龍頷

〔位置〕在鳩尾上一寸

〔解剖〕在第左右大肋之中央　循內乳動
　　　　脈分枝　分布肋間神經

〔主治〕心痛　冷氣上

〔手術〕禁針　灸百壯

醒醒

〔位置〕在手膊上側筋骨陷中　即蝦蟆肚
　　　　肉上

〔解剖〕在肩峰突起之下方　三角筋中央

〔主治〕暈針

〔附錄〕暈針不可起針　宜以別針就旁刺
　　　　之　以袖掩病人口鼻回氣用　熱湯飲之即醒　良久再針
　　　　甚者可針此穴或手三里穴　即醒

十七畫

臑俞（又名）頭衝　頸衝

〔位置〕在肘上三寸　肩顒下三寸兩筋
　　　　中

〔解剖〕上膊骨外側三角筋停止部　循
　　　　後迴旋上膊動脈　分布後膊皮
　　　　下神經

〔主治〕寒熱　臑痛不舉　瘰癧項強

〔手術〕禁針　灸五壯　屈肘平舉取之

〔考證〕百症賦：五里臑俞生癧瘡而能治　千金：諸癭法灸頭冲
　　　　伸直　兩手向前令臑着頭　對鼻尖所注處　灸之隨年壯

〔附錄〕此穴爲太陽經之絡　別入三焦經之臑會　一曰　小腸經
　　　　膀胱經　陽維脈三脈之會

翳風

〔位置〕在耳根後按之引耳中痛

〔解剖〕耳下線部微上　乳咀突起與下顎
　　　　枝中間

〔主治〕耳鳴耳聾　口眼歪斜　脫頷頰腫
　　　　口禁不開　小兒善欠

〔手術〕針三分至五分　灸三五壯

〔考證〕百症賦：耳聾氣閉全憑聽會翳風　玉龍歌：耳聾氣閉痛
　　　　難言　須針翳風穴始痊　亦治項上生瘰癧　甲乙：主治
　　　　痓不能言　口僻不正失欠耳中聾　口噤不開暴瘖難言

〔附錄〕此穴爲手少陽　三焦經　足少陽　膽經之會

瞳子髎（又名）太陽前關後曲

〔位置〕在目外眥　外開五分

〔解剖〕在顳顬部前頭骨　與觀骨突起
　　　　關節後際　眼輪匝筋中　循眼
　　　　窩動脈分布顏面神經及顳顬枝

〔主治〕目癢　翳膜　青盲無見　目視不明　赤痛淚出　多眥頭
　　　　痛　喉閉

〔手術〕針三分　灸三壯正面取之

〔考證〕外台：主治青盲無見不明　目中有膜膚翳　圖翼：治頭
　　　　痛　目癢　外眥赤痛　翳膜青盲　不能遠視　淚出多眥
　　　　　一云兼尺澤　治婦人乳腫

〔附錄〕此穴爲小腸　三焦　膽經　胃經三脈之會

環岡

〔位置〕在小腸俞下　二寸橫紋中

〔解剖〕第三四荐骨肋突起外方　有腰背筋
　　　　及中臀筋

〔主治〕大小便不通

〔手術〕灸七壯

環跳（又名）髀骨分中

〔位置〕在髀樞中並足而立　大
　　　　轉子有陷凹處

〔解剖〕大腿骨大轉子　與髀凹
　　　　關節上緣中間之後部
　　　　上有大臀筋下有小臀筋

　　　　循上臂動脈　分布荐骨神經後枝

〔主治〕冷風痺不仁　風疹遍身　半身不遂　腰跨痛　膝不得轉
　　　　側難伸縮

〔手術〕針一寸二分　灸五壯或十壯　側臥屈上足取之

〔考證〕玉龍歌：環跳能醫腿骨風　天星秘訣：冷風濕痺針何處
　　　　先針環跳次陽陵　百症賦：後谿環跳腿疼　刺宜即輕
　　　　標幽賦：中風環跳宜直刺　懸鐘環跳華陀刺　蹙足而
　　　　復行　席弘賦：冷風濕疾難愈　環跳腰俞針與燒　勝玉
　　　　歌：腿股轉痠難移步　妙穴說與後人知　環跳風市及陰
　　　　市　馬丹陽十二穴歌：折腰莫能碩冷風　幷濕痺腿跨連
　　　　腨痛　轉側重都歔肘後歌：腰痛腿疼十年春　應針環跳
　　　　千金：仁壽宮患腳氣偏風　甄權奉刺針環跳　陽陵
　　　　巨圩　下廉　凡四穴　即能起行　楊氏醫案：庚辰夏工
　　　　部　即許鴻宇公　患兩腿風　日夜痛不止　臥床月餘
　　　　命予治之　公曰　兩腿無處不痛豈一二針可能愈　予曰
　　　　治病必求其本　得其本穴　會歸之處痛可立止痛　止即
　　　　步履　旬日之內必能進步　爲針環跳絕骨　隨針而愈
　　　　不過旬日　果進步　又辛酉夏中貴　患癱瘓不能動　履
　　　　久治不愈　予視曰　此疾一針可瘳　遂針環跳穴　果能
　　　　即安履

〔附錄〕此穴爲足少陽　膽經　膀胱經之會　指微　已刺不可搖
　　　　恐傷針　又回陽九針之一　凡暴七諸陽欲脫者均宜治之

騎竹馬

〔位置〕在第九椎之旁開一寸

〔解剖〕第九椎橫突起外側　有濶背筋

　　　　　　及背長肋諸筋　循後動脈　分布背椎神經後枝

〔主治〕一切癰疽　發背無名腫毒

〔手術〕灸五壯多至三十壯

〔附錄〕取竹片一根由病者之尺澤穴量起　直至中指端中冲穴止
　　　　截斷　然後病人踝體騎跨於竹木槓上　以兩人抬起病人
　　　　之足　離五分挺身兩邊以人扶定　即以量的竹片在脊下
　　　　尾閭骨豎立槓幹上　上端適在背之九椎上下用墨點記兩
　　　　旁各開一寸　是灸穴故名騎竹馬灸

營池（又名）陰陽

〔位置〕內踝前後兩邊池中脈上

〔解剖〕內踝骨尖　前後脛骨動脈　分
　　　　布脛神經後枝

〔主治〕女人漏下赤白

〔手術〕針二三分　灸五壯至七壯

〔附錄〕一足兩穴　兩足共四穴

十八畫

關門

〔位置〕梁門下一寸　建里旁二寸

〔解剖〕第八肋軟骨下　有外斜及直腹
　　　　筋　循上腹動脈　分布肋間神
　　　　經　內容橫行結腸

〔主治〕腹滿積氣　泄利不食　俠臍急痛　身腫　痎瘧振寒遺溺

〔手術〕針五分八分　灸百壯

〔考證〕甲乙：胸腹脹滿　積氣遺溺　神門　關門主之　圖翼：
　　　　主積氣脹滿腸鳴　切痛泄利　不食俠臍急痛　痎瘧振寒

〔附錄〕此穴爲足陽明　胃經脈氣所發

關元俞

〔位置〕在十七椎下　去脊橫開二寸

〔解剖〕背長筋　腰背筋膜　循腰動脈
　　　　分布荐骨神經

〔主治〕風勞　腰痛　泄利　虛脹小便難　婦人瘕聚

〔手術〕針三分　灸三壯伏取

〔考證〕千金　治消渴小便數　灸腰目在腎俞下三寸　亦俠脊骨
　　　　兩傍一寸半左右　以指按取關元一處　兩旁各開二寸二
　　　　處

〔附錄〕此穴明堂　銅人：俱不言灸

關元（又名）下紀次門　丹田大中極小腸募

〔位置〕在臍下三寸　石門下一寸

〔解剖〕循下腹壁動脈　分布第十二肋間神經前穿行枝　瀉部小
　　　　腸　女子則容子宮底

〔主治〕積冷虛弱　臍下絞痛痛引陰中發
　　　　作　無時結塊空氣入腹　失精淋
　　　　濁溺血　七疝風眩頭痛　小便不
　　　　通　黃赤勞熱泄利　奔豚搶心　臍下結血　赤白帶下
　　　　月經不通　絕嗣不育　產後惡露不止

〔手術〕針五分　灸五壯　仰臥取之

〔考證〕席弘賦：若是七疝關元好　小便不禁關元針　若是七疝
　　　　小腹痛　台海　陰交　曲泉　針不應　之時　求氣海關
　　　　元同瀉效如神　玉龍歌：腰痛腎敗發甚頻　氣上攻心似
　　　　死人　關元兼刺大敦穴　行針指要歌：或針虛氣海　丹
　　　　田　委中奇　神經治痃癖氣痛可灸二十一壯　甲乙：奔
　　　　豚寒氣入小腹　時欲嘔傷中　下血小便數　背連臍痛引
　　　　陰中　泄不止　頭重眩身　盡熱小腹滿　轉胞暴疝氣癃
　　　　溺黃　關元主之　又主絕子　衃血在內不下　外台：
　　　　肘後療　霍亂苦繞臍痛急者法　灸臍下三寸五十壯　集
　　　　驗療石水痛引脅下脹　頭眩重身盡熱　灸關元　扁鵲心
　　　　書　紹興間劉武軍中步卒王超者　本太原人　後入重湖
　　　　爲盜　曾遇異人授以黃白注世之法　年至九十精彩腴䐜
　　　　能日淫十女不衰　後被擒　臨刑監官問之曰　汝有異
　　　　術信乎　曰無也　惟火力耳　每夏秋之交　即灼關元千
　　　　炷　久久不畏寒暑　累日不飢　至今臍下一塊如火之暖
　　　　豈不聞　土成磚木成炭千年不朽　皆火之力耳　死後
　　　　刑官令剖其腹之煖處　得一塊非肉非骨凝然如石　即艾

火之效也　故素問云　年四十而陽氣衰而起居乏　五十
體重耳目不聰矣　六十　陽氣大衰陰痿九竅不利　上實
下虛　涕泣皆出　夫人之眞元乃一身之主宰　眞氣壯則
人強　眞氣虛則人病　眞氣脫則人死　保命之法　艾灼
第一　丹藥第二　附子第三　人至三十　可三年一灸
臍下三百壯　五十可二年一灸　六十可一年一灸三百壯
　余五十時　常灸關元五百壯　即服保命丹　長壽丹
漸至身健康　羨進飲食　六十三時死脈息現於左手之寸
部　十九動而一止　乃灸關元命關門各五百壯　五十日
後死脈不再見矣　每年常如此灸　逐得老年健康　竇材
灸法：中風半身不遂　語言謇澀　乃腎氣虛損也　灸關
元一百壯傷寒女陰證大脈　緩大昏睡自語　身重如山
或生黑靨　噫氣　吐酸　足冷過節　意灸三百壯　可保
之　傷寒太陰證　身涼六脈弦緊　足冷發黃紫斑　多涎
沫　發燥熱　灸關元命門各三百壯　腦疽發背諸般疔瘡
惡毒　又虛勞咳嗽　潮熱　咯血　吐血六脈絃緊　此乃
腎氣脫　灸關元三百壯　服保元丹　可保性命　又小便
不通　氣喘不臥　此乃脾氣大損也　急灸命關關元二三
百壯　以扶腎水自運消失　又脾泄法下　此乃脾腎虛損
　二三日能損人性命　亦灸命關關元各二百壯　又小便
下血　乃房勞橫腎氣　砂淋石淋諸藥不效　乃腎家虛火
所凝也　可灸二三百壯　又上消病日飲水三五升　心肺
壅熱　又吃冷物傷腎氣　灸一百壯　可以免死　耳輪枯
焦　面色漸黑　此乃腎勞也　灸五百壯　老人氣喘　大
便不禁　脾腎氣衰　灸左命關關元二百壯　又兩目昏黑

欲成內障　乃脾腎氣虛所致　灸三百壯　破傷風　牙
關緊項強　灸關元百壯　醫學入門：關元主諸虛損　及
老人泄瀉　遺精白濁　圖翼：主積冷諸虛百損　臍下絞
痛漸入陰中　夜夢遺精　白濁　五淋　七疝瘦弱溲血
轉胞不得溺　帶下瘕聚　經水不通　不姙或姙後下血
產後惡露不止或血冷　月經斷絕又陰證傷寒　小便多
婦人赤白帶下　俱當灸　此多者千餘壯　少者二三百壯
　　活人多矣然　須頻次灸之　仍下兼三里　故曰　要丹
田安三里不曾乾　壽世保元：陰厥者始得之　身冷脈沉
　　四肢厥逆　唇口青小便白　宜四逆理中湯之類　灸關
元百壯　鼻尖有汗爲度

〔附錄〕此穴爲足太陰　脾經　腎經　肝經　任脈四脈之會　又
小腸之募也　圖翼：此穴處於大身上下四旁之中　故有
名大中極　乃男子藏精之所　女子蓄血之處　明堂：姙
娠禁針　若針而胎落　胎多不出　針外崑崙立出

關衝

〔位置〕在無名指外側　去爪甲角如韭葉
〔解剖〕第四指骨　第三節外側　爪甲之
發生根部
〔主治〕喉痺　舌捲　口干　霍亂　頭痛
目生翳膜　視物不明　氣噎不
食　肘臂痛不舉

〔手術〕針一分　灸二三壯　伸指取之
〔考證〕玉龍歌：三焦熱氣壅上焦　口苦舌干豈易調　針刺關冲
出毒血　口生津液病俱消　百症賦：啞門關冲舌緩不語

而要緊　捷經：治熱病煩心滿　悶汗不出　掌心大熱如

火　舌本痛口干　久熱不退　乾坤生意：此爲十井穴

治同少商穴　甲乙：主肘痛不能帶衣　頭眩頷腫　目痛

　　風痹　肩背不可顧　霍亂關冲主之　外台：主熱病汗

不出　霍亂寒熱　耳聾鳴　保命集：目大眥痛　圖翼：

主三焦邪熱口喎口氣唇焦熱病宜瀉此出血

〔附錄〕此穴爲手少陽　三焦經所出爲井

關儀

〔位置〕在膝外邊上一寸陷中

〔解剖〕大腿骨上踝之上際　四頭股筋

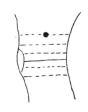

　　　　停止部外側　循上膝關節動脈

　　　　分布股神經分枝

〔主治〕女子陰中痛　引心下小腹絞痛

　　　　腹中五寒

〔手術〕灸五壯多至百壯

臑會（又名）臑髎

〔位置〕在臂後廉肩頭下　三寸直垂

　　　　天井

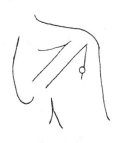

〔解剖〕上膊後面之上部　三角筋停

　　　　止部外緣　下層有三頭膊筋

〔主治〕臂痠痛無力　肩痛不舉　項

　　　　癭　氣瘤　寒熱　瘰癧

〔手術〕針五分至七分　灸七壯舉臂取之

〔考證〕外台：主項癭氣瘤肩臂痠痛　圖翼：主治肘臂氣腫痠痛

　　　　無力不能舉　癭瘤瘰癧

〔附錄〕此穴爲大腸經　三焦經之會　一云三焦經　陽維脈之會

歸來（又名）谿穴

〔位置〕水遺下一寸　中極旁二寸

〔解剖〕在膀胱接近　內容小腸　循下腹動脈　分布腸骨下腹神經

〔主治〕卵上入腹　莖中痛七疝　　婦人血臟久冷

〔考證〕勝玉歌：小腸氣痛歸來治　甲乙：奔豚卵上入腹　引莖中痛　女子陰中寒歸來主之　千金：婦人陰冷腫痛灸三十壯

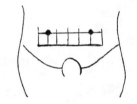

〔附錄〕此穴爲足陽明　胃經脈氣所發

髀關

〔位置〕在膝上一尺二寸　稍行向裏些　伏兔上六寸

〔解剖〕在腸骨前下棘之外側　有大腿筋及鼠蹊神經

〔主治〕腰痛　小腹痛　引喉膝寒痿痺不仁　股內筋急　不得屈伸

〔手術〕禁灸　針五分垂足取之

〔考證〕圖翼：主腰痛　黃疸　足麻木不仁　痿痺筋急不得屈伸小腹痛引喉

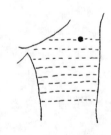

〔附錄〕此穴爲胃經脈氣所發

豐隆

〔位置〕外踝骨上八寸胻骨外廉

〔解剖〕脛腓兩骨之間　有長總趾伸
筋　循前脛動脈　分布瀉腓
骨神經

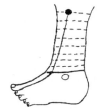

〔主治〕厥逆　風逆　頭痛　喉痺卒
瘖　胸痛如刺　腹若刀切　寒濕四肢腫　膝痠　大小便
難　見鬼善笑　登高而歌　棄衣而走

〔手術〕針三分：灸三壯至七壯

〔考證〕玉龍歌：痰多宜向豐隆尋　百症賦：强間豐隆頭痛難
禁肘後歌：哮喘發來寢不得　豐隆刺入三分瀉　千金：
主胸痛如刺　腹若刀切　厥逆甲乙：厥頭痛　煩心　狂
見鬼　善笑不休　喉痺不能言　豐隆主之　十二經治症
主客原絡訣：脾經爲病舌本强　嘔吐反胃痛　腹脹　陰
氣上冲噫難寥　體重脾搖心事忘　瘧生振寒兼體羸　秘
結袒黃身執杖　股膝內腫　厥而疼　太白豐隆取爲而

〔附錄〕此穴爲足陽明　胃經　足太陰　脾經之會

臑俞

〔位置〕肩髎後大骨下　肩貞上一
寸外開八分

〔解剖〕在肩胛後關節窩後方三角
筋之中動脈　分布腋下神
經

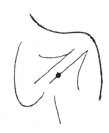

〔主治〕肩痠痛無力　寒熱氣腫脛
痛　肩痛不舉

〔手術〕針五分　灸三壯　舉手取之

〔考證〕甲乙：寒熱肩痠痛　寒熱頸癧　肩痛不舉　臑俞主之

〔附錄〕此穴爲手太陽　小腸經　足太陽　膀胱經　陽維脈　陽
蹻脈四脈之會

竅陰（又名）枕骨

〔位置〕浮白下一寸　完骨上七分

〔解剖〕乳咀突起後上部　顳顬骨　顱頂骨　後頭骨三骨之聯合
部

〔主治〕四肢轉筋　目痛　頭項痛
耳聾舌本出血　骨勞癥
疽煩熱　舌强脅痛咳逆口
中惡苦

〔手術〕針三分　灸三壯

〔考證〕甲乙：頭痛引項癲疽屬風者　索刺其腫上按出惡血　腫
盡乃止　千金：頭痛如錐刺　鼻癲疽　頭痛不可動　動
則煩心

〔附錄〕此穴爲膀胱經　膽經之會

竅陰（足）

〔位置〕在足第四趾外側　去爪甲角如
韭葉

〔解剖〕第四趾第三節　外側爪甲發生
根部　長總趾伸筋付着之外側

〔主治〕脅痛　咳逆不得息　手足煩熱　汗不出　舌强口干　喉
痺肘不舉　卒聾夢魘　目皆皆痛

〔手術〕針一二分　灸三壯

〔考證〕甲乙：手足煩熱汗不出　頭痛如錐刺　喉痺　舌捲　舌
　　　　干耳鳴　耳聾　千金：主欬逆脅痛四肢轉筋
〔附錄〕此穴爲足少陽　膽經所出爲井

臨泣（頭）

〔位置〕在瞳子直上入髮五分
〔解剖〕顱頂骨部　帽狀腱膜中　循上眼窩動脈　分布上眼窩及
　　　　顏面神經
〔主治〕目眩　目淚　白膜反視　目外眥痛　枕骨痛　鼻塞　驚
　　　　痛卒　中風不知人事
〔手術〕禁灸　針二三分　正頭取
　　　　之
〔考證〕百症賦：淚出刺臨泣頭維
　　　　之處　蘭江賦：眼目之症
　　　　諸疾苦　更須臨泣用針擔　通玄指要賦　眵𥄮冷淚　臨
　　　　泣尤準　甲乙：目不得視　目沫泣出兩目眉　頭痛驚癎
　　　　反視臨泣主之
〔附錄〕此穴爲膀胱經膽經　陽維三脈一會　甲乙：刺三分灸五
　　　　壯　圖翼：禁灸　外台：言灸不言針　銅人：言針不言
　　　　灸　考以上諸說不一　如要灸時　宜取小炷灸之

臨泣（足）

〔位置〕在小趾次趾岐骨中　俠谿上
　　　　一寸五分
〔解剖〕第四五蹠骨後間　長及短總
　　　　趾伸筋腱中

〔主治〕胸脅支滿飮盆　及腋下馬刀

瘰瘤周痺　痛無定處　牙痛　目痛　胻痠枕骨頭痛
心痛厥逆　氣喘不能行　淫濼痎瘧日發　善嚙　頰乳癰
婦人月事不調

〔手術〕針三分灸三壯

〔考證〕玉龍歌：兩足有水臨泣瀉　雜病穴法歌：赤眼迎香出血
　　　　奇　臨泣太沖合谷侶　又耳聾臨泣與金門　合谷針後聽
　　　　人語　八法歌：手足中風不舉　痛麻發熱不語　頭風頭
　　　　腫　項頭連目腫　赤疼頭眩　齒痛耳聾咽腫　浮風搔癢
　　　　　筋縮腿疼　脊脹肋肢偏　臨泣針時有驗　標幽賦：陽
　　　　蹻陽維並督帶　主肩背腰腿在表之病　捷經：治足付痛
　　　　腫不消　手足麻痺不知　痛癢手足不仁　白虎歷節走挂
　　　　腎虛挫閃　腰痛舉動艱難　諸處百損濕帶　四肢行動無
　　　　力　積氣塊痛　善　自齒齧舌頰　目澀　寒熱痠疼頭痛
　　　　　按以上諸症　光以臨泣為主　復隨證分穴治之　圖翼
　　　　：本有餘者宜瀉此　或兼陽輔使火虛而木自平

〔附錄〕此穴為足少陽膽經所注為俞

膻中（又名）元兒　元見　上氣海胸堂

〔位置〕玉堂下寸六分　兩乳之正中

〔解剖〕在胸骨體部循內乳動脈分枝
　　　　分布肋間神經前穿行枝

〔主治〕上氣短氣膈氣　咳逆　喉鳴
　　　　喘咳　嘔吐　心胸痛　涎沫婦
　　　　人少乳　咳嗽肺癰

〔手術〕禁針　灸五壯至七壯　仰臥取之

〔考證〕百症賦：膈痛飲蓄難針　膻中巨闕便針　玉龍歌：哮喘

之症最難禁　夜間不睡氣遑遑　天突妙穴宜尋得　膻中
着艾便安康　行針指要歌：或針氣　膻中一穴分明記
或針吐　中脘氣海膻中補　千金：吐血　唾血灸百壯不
可針　又胸痺　心痛欬逆　短氣　卒心痛　煩心　懊憹
數欠頻伸　心悸悲恐　陽尿灸一百壯　神農經：哮喘肺
癰喘欬灸七壯　圖翼：治傷寒風痰壅盛
〔附錄〕此穴爲脾經　腎經　三焦經　小腸經四脈之會　又任脈
氣所發氣之會也　凡氣病統治之　明堂　圖翼：俱禁針
甲乙：針三分

十九畫

犢鼻

〔位置〕在膝臏下脛骨上外端　大筋陷
　　　　中　即膝眼外側陷中

〔解剖〕在膝蓋靭帶下外側　循膝關節
　　　　動脈網　分布脛骨腓骨神經

〔主治〕膝痛不仁　腳氣膝臏腫痛

〔手術〕禁灸針

〔考證〕靈光賦：治風邪疼痛　千金：
　　　　凡腳氣初灸風市　次灸伏兔犢鼻各五十壯

〔附錄〕此穴爲胃經所發　以其形如牛鼻故名　善治風濕　邪元
　　　　腳氣　銅人：用洗熨之法　而後微刺之便愈　素刺禁
　　　　論：刺膝臏出液爲跛　按即此穴也　如刺此穴　勿使出
　　　　液　如灸此穴宜用小炷

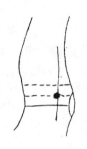

二十畫

譩譆

〔位置〕在第六椎下　去脊橫開三
　　　　寸半　督俞之勞一寸五分

〔解剖〕第六七胸椎橫突起外方
　　　　有僧帽及菱形筋　循橫頸
　　　　動脈下行枝　分布肩甲背神經

〔主治〕大風汗不出　癆損瘟瘧寒瘧胸滿　頭痛目眩　腋拘脅痛
　　　　不得臥　衂血喘逆臂內廉痛　五心煩熱　小兒食時頭痛

〔手術〕針三分至五分　灸五壯

〔考證〕甲乙：喘逆衂血肩背痛　不可俛仰　痙互引身熱然谷譩
　　　　譆主之　轉筋者立而取之　可令遂已　痿厥　張而引之
　　　　可令立秩矣　又主小兒食晦頭痛　千金：主多汗瘧病灸
　　　　五十壯

〔附錄〕此穴為膀胱經脈所發　甲乙：以手按痛之病者　言譩譆
　　　　是穴　素骨空論王註：以手壓之病人　呼噫嘻之聲　則
　　　　指下動矣　診則註　蓋應手作痛聲也

顖會（又名）顖上鬼門　顖門

〔位置〕在上星後一寸

〔解剖〕在前顖骨上緣　顱頂骨縫合
　　　　部　帽狀腱膜中

〔主治〕驚悸　目上戴不識人　腦虛
　　　　冷頭痛如破　衂血　頭皮

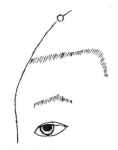

　　　　暴腫　白屑風頭　目眩暈　鼻塞

〔手術〕禁針　灸三壯

〔考證〕百症賦：顖會連於玉枕　頭風療以金針　玉龍歌：中風不語最難醫　髮際頂門穴要知　神農經：治頭風疼痛小兒急慢驚風灸三壯　甲乙：主頭痛顏青　暫起僵仆惡風寒面　赤腫顖會主之　圖翼：治腦虛冷痛　頭風腫痛　風癇風眩　面腫不聞香臭　目昏不識人　灸二七壯　又頭風生白屑針之彌佳　針訖以生鹽和麻油揩髮根下　乃即頭風永除　資生經：予少刻苦年踰壯則腦冷或飲酒過度則頭疼　如破後因灸此穴非特頭不復冷　他日酒醉且亦不疼矣　凡腦冷者皆宜灸之

〔附錄〕此穴爲督脈氣所發　銅人：八歲以下不可針　因顖門未合針之令人夭　按各書及各家歌賦　戴有可針之文　斯或指成年之人　與手技精熟者而言之　凡初學者切勿妄刺

鶴頂

〔位置〕在膝蓋骨尖上

〔解剖〕股直肌與筋骨肌之筋腱　及脛骨股神經之散佈

〔主治〕足癱瘓無力

〔手術〕灸五壯至七壯　垂足取之　令病者坐板上　兩足直伸　點取膝蓋之正中　灸七壯

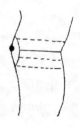

臍旁穴

〔位置〕以蠟繩量患人兩口角　作三析成三角　以一角按臍心

兩角在臍下兩旁盡處點記

〔主治〕冷心痛疝氣

〔手術〕灸二七壯

〔附錄〕奔豚氣繞臍上冲　灸二七壯

　　　　兩丸騫塞　右患灸左　左

　　患灸右　並灸氣冲三壯

臍下六寸穴

〔位置〕在臍下六寸旁開一寸

〔主治〕冷氣冲心痛

〔手術〕灸三七壯

〔附錄〕治冷氣冲心　加灸內關　太冲

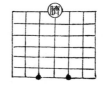

　　　獨陰各三壯

二十一畫

懸鐘（又名）絶骨

〔位置〕在外踝上三寸

〔解剖〕腓骨之前緣　長總趾伸筋與長
　　　　腓筋中央　循前腓骨動脈　分
　　　　布淺腓骨神經

〔主治〕心腹脹滿　胃中熱不食　腳氣
　　　　足不收　膝脛攣疼　逆氣虛勞　寒損喉痺項強　心中欬
　　　　痛　痔漏　瘀血陰急泄法　大小便澀　中風手足不隨
　　　　鼻衄鼻干　煩滿狂滿

〔手術〕針五分　灸五壯

〔考證〕玉龍歌：僂補曲池瀉人中　又寒濕腳氣不可熬　先針三
　　　　里及陰交　後將絶骨穴兼刺　腫痛頓時立見消　席弘賦
　　　　：腳痛膝腫針三里　懸鐘　二陵　三陰交　標幽賦：懸
　　　　鐘環跳華陀刺　躄足而立行　天星秘訣：足緩難行先絶
　　　　骨　次尋條口及冲陽　肘後歌：傷寒須補絶骨　是熱則
　　　　絶骨瀉無憂　雜病穴法歌：兩足難行絶骨　千金：絶骨
　　　　灸百壯　治身風重心煩　又主虛勞逆氣　喉痺項強　腸
　　　　痔　血痔　衄血　陰急骨痛　鼻干狂走　嘔吐膝脛骨搖
　　　　痺瘓不仁　濕痺流腫五淋轉筋　筋宿諸痿析　主馬刀瘻
　　　　腋腫凡二十病　皆灸五十壯　此事難知百節痠疼實無所
　　　　知　以三稜針刺絶骨出血

〔附錄〕此穴爲足三陽之大絡　又髓之會　凡髓病統治之　滑伯

仁絕骨一名陽輔　在外踝上四寸　諸髓皆屬於骨　故謂髓會

懸樞

〔位置〕第十三椎之下

〔解剖〕第一二腰椎　棘上突起間　有　
荐骨脊柱筋　分布腰椎經之後
枝

〔主治〕腰脊强痛　積氣上下行水穀不化　下痢腹中留疾

〔手術〕針三分　灸三壯

〔考證〕甲乙：主腹中積氣上下水穀不化　外台：主下痢腰脊强

〔附錄〕此穴爲督脈氣所發

懸釐

〔位置〕耳前曲周上顳顬之下廉

〔解剖〕前頭骨與顱頂骨縫合下部顳顬筋　
中　循淺顳顬動脈　分布顏面神
經

〔主治〕面皮赤腫　偏頭痛　煩心不食
熱病汗不出　目銳眥赤痛

〔手術〕針二三分　灸三壯

〔考證〕甲乙：偏頭痛　善驚　羊鳴　煩滿汗不出　外台：主耳
鳴善嚏

〔附錄〕此穴爲手少陽三焦經　足少陽膽經　手陽明大腸經　足
陽明胃經四脈之會　氣府註：刺瀉令人耳無聞

懸顱（又名）水孔

〔位置〕耳前曲周　上顳顬中廉

〔解剖〕在前頭骨部　顳顬筋中　循淺顳顬動脈　分布顏面神經

〔主治〕頭痛　牙痛　面赤腫　偏頭痛　目外眥赤　汗不出　洞
　　　　鼻濁下不止

〔手術〕針二三分　灸三壯三面取之

〔考證〕百症賦：懸顱頷厭之中　偏頭
　　　　痛止　甲乙：熱病汗不出　頭
　　　　痛引目外眥　面皮赤痛　懸顱
　　　　主之

〔附錄〕此穴爲三焦經　膽經　大腸經　胃經四脈之會

蘭門

〔位置〕在陰莖根上各開三寸

〔解剖〕腸骨前之上棘　內方
　　　　內外斜腹筋及膜筋
　　　　循下腹壁動脈　分布
　　　　腸骨　鼠蹊神經

〔主治〕七疝奔豚

〔手術〕針五分　灸五壯臥取

齦交

〔位置〕在上唇內齒斷縫中

〔解剖〕在上唇內面之粘膜　口輪匝筋
　　　　中　循口冠狀動脈　分布上齒
　　　　槽神經

〔主治〕鼻中息　肉蝕瘡一切不利　項
　　　　強目淚眥多　牙疳腫痛　面赤白膜內眥刺痛　心煩黃疸
　　　　瘟疫癖久不除

〔手術〕針一二分　灸三壯張口取之

〔考證〕百症賦：鼻痔必取齦交　甲乙：目痛不明　齒床落痛
　　　　口不開引鼻中鼻息肉不利　蝕瘡頭額中痛　千金：此穴
　　　　正當人中及唇針三鋥　治馬黃瘟疫等病　又主鼻寒喘急
　　　　不利　鼻喎僻多涕　衂血有瘡　外台：治瘈病煩滿癲疾
　　　　互引

〔附錄〕此穴爲任脈督脈之會　一云：督脈任脈胃經三脈之會

二十二畫

聽宮（又名）多所聞

〔位置〕在耳前夫瓣珠子　旁按之有孔

〔解剖〕咬筋附着部後緣　循耳前動脈　分
　　　　布顏面及三叉神經

〔主治〕失音　癲疾　心腹滿　耳聾晬耳

〔手術〕針二三分　灸三壯

〔考證〕百症賦：聽宮脾俞去心下之悲悽　甲乙：癲狂疾　瘈瘲
　　　　眩仆　瘖不能言　羊鳴耳聾懵懵如無聞　破聲刺此聽
　　　　宮主之　驗方新編：牙疼腿痛名腿青牙疳　一人患此
　　　　痛苦八年不愈　一乞道人以艾火在耳明邊肉上　切蒜片
　　　　隔住　連燒五下　立時痊癒神效非常　或左痛燒右　右
　　　　痛燒左　或兩耳全燒　無不奇效

〔附錄〕此穴爲三焦經　膽經　小腸經三脈之會

聽會

〔位置〕在耳珠前陷中　開口有空上關下寸

〔解剖〕下顎顆狀突起　循耳前動脈　分布顏
　　　　面神經

〔主治〕耳鳴耳聾　牙車脫臼齒痛不得嚼物
　　　　狂走恍惚　中風口喎　手足不隨

〔手術〕針三分　灸三壯　側臥張口取之

〔考證〕玉龍歌：耳聾之症不聞聲　痛癢蟬鳴不快情　紅腫生瘡
　　　　須用瀉　宜從聽會用針行　席弘賦：但患傷寒　兩耳聾

　　　　金風聽會疾如風　又耳聾氣閉聽會針　甲乙：發熱惡

　　寒　目泣出頭不痛者耳聾溲若風　聽會主之　外台：主寒

　　熱喘喝　目痛不能視　目泣頭痛　耳中癲　颶風齒齲痛

〔附錄〕此穴爲手少陽　三焦經脈氣所發

攢竹（又名）始光　夜光　明光　員柱

〔位置〕在眉頭陷凹中

〔解剖〕前頭骨之下際眉弓之內端部　有

　　　皺眉筋　循鼻前頭動脈　分布上

　　　眼窩神經

〔主治〕目視物不明　目眩瞳子癢　眼中赤痛　臉胸動不得　仰

　　　頰痛尸厥　癲邪神狂鬼魅

〔手術〕禁灸　針二分正面取之

〔考證〕玉龍歌：眉間疼痛苦難當　攢竹沿皮刺不妨　勝玉歌：

　　　目內紅腫苦皺眉　攢竹絲竹亦堪醫　甲乙：主頭風痛

　　　鼻衄　目如脫　汗出寒熱　面赤頰痛項強　目系急　癲

　　　疾互引攢竹主之

〔附錄〕此穴爲膀胱經脈氣所發　按本穴素註灸三壯　明堂亦有

　　　灸一壯之記載備錄　學者研究之

蠡溝（又名）交儀

〔位置〕內踝上五寸　即脛骨內側付着

　　　部

〔解剖〕脛骨之內面有脛骨筋及比目魚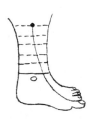

　　　筋　循後脛動脈　分布脛骨神

　　　經

〔主治〕疝痛　小腹脹滿　癃閉驚悸

　　　　　少氣不樂　咽中悶如有息肉　背不得仰伏　臍下積氣

　　　　　小便不利　足脛寒喧　赤白帶下　月水不調

〔手術〕針二分　灸三壯

〔考證〕十二經治症主客原絡訣：膽經之穴何病主　胸滿肋疼足

　　　　　不舉　面體不澤頭目眩　缺盆腋腫汗如雨　頸項癭瘤堅

　　　　　似鐵　瘰生寒熱連骨髓　以上病症欲除之　須向丘圩蠡

　　　　　溝取　甲乙：陰跳陰痛實則延長　遺溺偏大　虛則暴癢

　　　　　　氣逆　卒疝　小便不利如癃狀　恐悸氣不足　嗌如息

　　　　　肉　女子疝少腹腫赤白　溏時多時少　背攣不得俯仰

　　　　　蠡溝主之　千金：女子漏下赤白　月經不調　灸三十壯

〔附錄〕此穴爲足厥陰肝經之絡　別走足少陽膽經

囊底

〔位置〕在陰囊下十字紋中

〔解剖〕在海球綿體下方　循外痔

　　　　　動脈及外陰動脈　分布外

　　　　　痔神經

〔主治〕腎臟　風瘡　小兒疝氣悉

　　　　　主腎家一切症侯

〔手術〕灸七壯　炷如鼠糞

髓骨

〔位置〕在梁丘兩傍　各開一

　　　　　寸五分一足兩穴

〔解剖〕大腿骨前外方大股筋

　　　　　中　循外迴旋股動脈

　　　　　分布股皮下神經

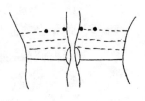

〔主治〕腿痛　膝腫
〔手術〕灸七壯
〔附錄〕一足兩穴　左右共四穴

二十三畫

顳枝

〔位置〕在眉眼尾中間

〔解剖〕顳顬骨部　有顳顬枝筋　分布淺顳
顬神經枝

〔主治〕溫病

〔手術〕針一分　灸三壯

二十四畫

靈臺

〔位置〕第七椎之下

〔解剖〕第十及十一胸椎之中　當腰背
　　　　筋膜之起始部　循後肋動脈
　　　　分布背椎神經後枝

〔手術〕針三分　灸三壯

〔考證〕素氣穴論：背與腔相引而痛所　治天突與十椎　千金：
　　　　眼暗灸此二百壯　惟多惟佳至驗　圖翼：一傳此穴能退
　　　　熱進飲食　灸三壯常有效

〔附錄〕此穴為督脈氣所發　各書俱無其名　惟素氣府論王氏註
　　　　中有載　茲列入參考故主治從略不錄

靈墟

〔位置〕在神藏下寸六分　中行玉堂
　　　　旁二寸

〔解剖〕在第三四肋骨間有大胸筋
　　　　循肋動脈分布前胸廓神經
　　　　內容肺臟

〔主治〕咳逆　吐嘔　胸脅支滿不得息　不欲食

〔手術〕針三分　灸三壯

〔考證〕甲乙：胸中支滿痛引　膺不得息　不欲食　靈墟主之

〔附錄〕此穴為足少陰腎經脈氣所發

靈道

〔位置〕在掌後內側　去腕寸半

〔解剖〕尺骨下部前緣內　尺骨筋腱橈骨
　　　　側　循尺骨動脈　分布尺骨及中
　　　　膊皮下神經

〔主治〕暴瘖　心痛乾嘔　悲恐瘈瘲肘攣

〔考證〕肘後歌：骨寒髓冷　火來燒靈道
　　　　妙穴　分明記　千金：主肘攣
　　　　心痛　瘈瘲相引　暴瘖不能言

〔附錄〕此穴爲手少陰心經所行爲經

二十五畫

顱息（又名）顱衝

〔位置〕耳翼之後　上部有青絡脈　即瘈
　　　　脈上一寸

〔解剖〕在顱顬骨部有筋　循耳後動脈
　　　　分布淺顱顬及耳後神經

〔主治〕耳鳴　喘息　小兒嘔吐涎沫　癲
　　　　癇　胸脅痛　相引身熱　頭痛不得臥　耳腫流膿汁

〔手術〕禁針　灸三壯至五壯　正頭取之

〔考證〕百症賦：瘈病非顱息而不瘳　甲乙：主身熱頭痛胸脅痛
　　　　不得轉側　圖翼：主治耳鳴喘息　小兒嘔吐　驚癇　瘈
　　　　瘲　身熱頭痛　聤耳流膿

〔附錄〕銅人：灸七壯　禁針　明堂：針一分灸三壯　不得出血
　　　　否則殺人　甲乙：針一分灸三壯　考以上諸說不一
　　　　如必欲針時　宜以小針淺刺

二十六畫

顴髎（又名）兌骨

〔位置〕在面鳩骨下廉　直下　即顴骨
　　　　結節下陷凹中

〔解剖〕顴骨筋之起部　有笑筋　循橫
　　　　顏面動脈　分布下眼窩及咬筋
　　　　神經

〔主治〕口喎面赤　目瞤不止　目黃
　　　　順腫齒痛

〔手術〕禁灸　針二三分

〔考證〕百症賦：目瞤兮顴髎大迎　甲乙：順腫唇癰　面目赤黃
　　　　顴髎主之　外台：主面赤　口不能嚼

〔附錄〕此穴爲手少陽三焦經　小腸經之會　圖翼：禁灸　素刺
　　　　禁論：刺面中溜脈　不幸爲盲　按即此穴也　王註：刺
　　　　面中溜脈者　手太陽任脈之交會　手太陽脈至顴而斜行
　　　　　至目內眥任脈自鼻瓹兩旁上行至瞳子下　故刺面中溜
　　　　脈者　不幸爲盲

鍼灸經穴辭典

附 錄

手太陰肺經

手太陰肺經凡十一穴　左右共二十二穴　起於中府　止於少商　井在少商榮在魚際　兪在太淵　經在經渠　合在尺澤　絡在列缺　郄在孔最募在中府　本在太淵　標在天府

手太陰經循行歌：手太陰肺經中焦起　下絡大腸胃口行　上膈屬肺行肺系　橫出腋下臑內榮　前於心與心包絡下肘　循臂骨下廉遂入寸口上　魚際大指內側　爪甲根支絡還從腕後出　接次指交陽明經

手太陰肺經主病歌：手太陰肺經主病脹滿　喘欬　缺盆痛　甚則交兩手而瞀此爲臂厥　肺是動肺所生病　欬上　氣喘促　煩心　胸滿促　臑臂之內前廉痛厥　掌中熱　別絡靑氣盛有餘　胸背痛　汗出　中風溲數欠　氣虛則肩背痛寒　少氣乏息溺色變

手太陰肺經經穴歌：手太陰肺經十一穴　中府　雲門　天府　列俠白尺　澤孔　最存　列缺　經渠　太淵涉　魚際　少商　如韭葉

手太陰肺經分寸歌：太陰中府三肋間　上行雲門六寸許　雲在旋旁六寸巓　太府腋三動脈連　俠白距肘上五寸　尺澤肘中約紋間　孔最腕側七寸許　列缺腕上寸半偏　經渠寸口陷中尋　太淵掌後橫紋間　魚際節後散脈裡　少商指側如韭葉

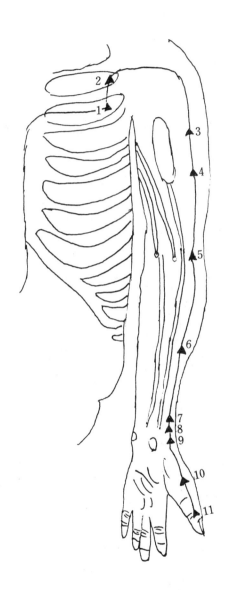

肺經穴圖

1. 中府
2. 雲門
3. 天府
4. 俠白
5. 尺澤
6. 孔最
7. 列缺
8. 經渠
9. 太淵
10. 魚際
11. 少商

手陽明大腸經

　　手陽明大腸經循行歌：手陽明經大腸脈　次指內側起商陽　循指上廉入合骨　兩骨兩肋中間行　循臂入肘上臑會　肩顒前廉柱骨旁會　此下入缺盆內絡肺下膈屬大腸支行　缺盆上入頸　斜貫兩頰　下齒當挾齒口人中　交左右上挾鼻孔盡迎香

　　手陽明大腸經主病歌：手陽明動　下齒痛必惡熱　飲順頷腫　津液病　目黃　口干　鼽衄喉痹　不妨言　肩俞臑會痛相引　大次二指不用疼　氣盛所過　發熱腫虛則寒慄溫補行

　　手陽明大腸經經穴歌：手陽明脈起商陽　二間三間合谷詳　陽谿偏歷及溫溜　下廉上廉三里長　曲池肘膠並五里　臂臑肩顒巨骨當　天鼎禾膠扶突起　鼻旁五分號迎香

　　手陽明大腸經分寸歌：陽明井穴屬大腸　食指內側起商陽　本節前取二間穴　三間節後陷中藏　虎口歧骨尋合谷　陽谿腕中上側詳　偏歷腕後去三寸　溫溜歷後二寸當　池下四寸取下廉　上廉池下三寸長　曲池肘膠並五里　池下二寸手三里　曲池肘紋骨輔當　肘膠池上近外廉　五里大筋之中央　肘上三寸行向裡　臂臑肘上七寸量　肩顒舉臂骨空中　巨骨肩尖頂上行　天鼎喉旁三寸眞　扶突在頂上一寸

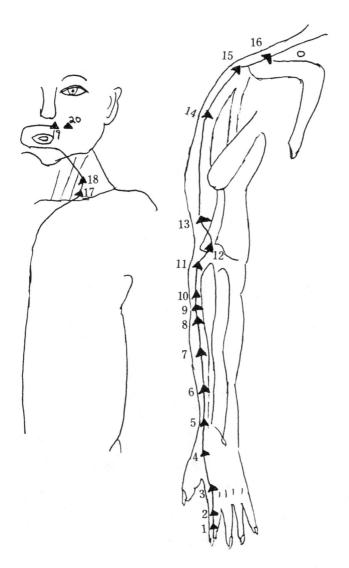

大腸經穴圖

1. 商陽
2. 二間
3. 三間
4. 合谷
5. 陽谿
6. 偏歷
7. 溫溜
8. 下廉
9. 上廉
10. 三里
11. 曲池
12. 肘髎
13. 五里
14. 臂臑
15. 肩髃
16. 巨骨
17. 天鼎
18. 扶突
19. 禾髎
20. 迎香

足陽明胃經

　　足陽明胃經凡四十五穴　左右共九十穴　起於頭維　止於厲兌　井在厲兌　榮在內庭　俞在陷谷　原在冲陽　經在解谿　合在三里　郄在巨虛　募在中脘　本在厲兌　標在人迎

　　足陽明胃經循行歌：足陽明胃鼻順起互交旁　納足太陽下　循鼻內入上齒　挾口環唇交承漿頤後　大迎頰車逢耳前髮際入額顱　支行喉嚨　入缺盆　下膈屬胃絡脾州者　下乳挾中　支起胃口腹裡通下　至氣街中合　遂下髀關伏兔逢膝臏之中脛　外足　外跗　中趾內終支者　下廉三寸　別下入中指外間列　又有支者別跗上　大指之間　太陰接

　　足陽明胃經主病歌：足陽明動洒洒寒　善伸數欠黑侵顏　病至惡見人與火　聞木聲心驚惕然　閉戶塞牖欲獨處　登高而歌棄衣走　賁向血中爲暴厥　主血生病狂瘧見　濕搖汗出鼻衄血　口喎唇脈脛喉腫　大腹水腫膝臏痛　膺乳氣街股伏兔　骭外足付上皆痛　下至中指不爲用　氣盛身前盡皆痛　消穀善肌溺色黃　不足身前皆寒慄　胃中寒則脹滿起

　　足陽明胃經經穴歌：四十五穴足陽明　承泣四白巨髎臨　地倉大迎與頰車　下關頭維對人迎　水突氣舍連缺盆　氣戶庫房屋翳純　膺窗乳中連乳根　不容承滿至梁門　關門滑肉及太乙　天樞外陵大巨存　水道歸來氣冲經　髀關伏兔陰市近　梁丘犢鼻三里上巨連　條口程下巨虛側取豐隆　解谿冲陽陷谷分　內庭厲兌終此經

　　足陽明胃經分寸歌：足陽明兮胃之經　承泣目下七分尋　再下三分爲四白　巨髎鼻孔旁八分　地倉接吻四分近　頷下三寸是大迎　氣戶

下旁只一寸　相去璇璣四寸平　再下六寸庫房門　屋翳膺窗乳中正
每肋寸六而認眞　乳下寸六是乳根　不容巨闕旁二寸　其下承滿與梁
門　關門太乙滑肉　每穴相距一寸程　天樞臍平旁二寸　樞下一寸是
外陵　陵下一寸名大巨　巨下一寸水道分　水下一寸歸來穴　歸下一
寸氣冲明　下壹寸無多少　多開中行二寸眞　髀關膝上尺二定　伏兔
膝上六寸明　陰市伏兔下三寸　梁丘市一寸眞　犢鼻膝臏陷中　鼻下
三寸名三里　里下三寸上巨圩　圩下一寸條口生　又下一寸下巨圩
豐隆踝上是八寸　外開五分下巨平　解谿足中繫鞋處　冲陽解下高骨
動　陷谷庭上二寸眠　內庭次中歧骨間　厲兌趾側外韭葉

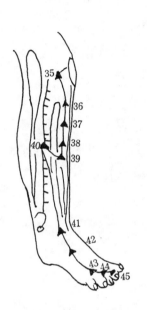 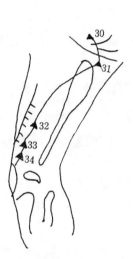 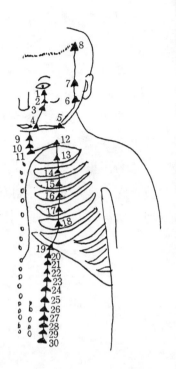

胃經穴圖

1.承泣	2.四白	3.巨膠	4.地倉	5.大迎	6.頰車
7.下關	8.頭維	9.人迎	10.水突	11.氣舍	12.缺盆
13.氣戶	14.庫房	15.屋翳	16.膺窗	17.乳中	18.乳根
19.不容	20.承滿	21.梁門	22.關門	23.太乙	24.滑肉門
25.天樞	26.外陵	27.大巨	28.水道	29.歸來	30.氣冲
31.髀關	32.伏兔	33.陰市	34.梁丘	35.犢鼻	36.三里
37.上巨處	38.條口	39.下巨圩	40.豐隆	41.解谷	42.冲陽
43.陷谷	44.內庭	45.厲兌			

足太陰脾經

　　足太陰脾經共廿一穴　左右共四十二穴　起於隱白　止於大包　井在隱白　榮在大都　俞在太白　經在商丘　合在陰陵　絡在公孫與大包　郄在地機　募在章門　本在三陰交　標在脾俞

　　足太陰脾經主病歌：足太陰動舌本強　食嘔胃脘腹脹痛　善噫得後快然衰　身體皆重脾生災　舌本痛體不能動　食不能下心煩痛　寒瘧溏泄瘕水閉　水腫黃疸不能臥　強立股膝內腫痛　厥為足大趾不用

　　足太陰脾經經穴歌：足太陰經脾中州　隱白出兮大趾頭　大都太白至公孫　商丘三陰交可求　漏谷地機陰陵泉　血海箕門冲門由　府舍腹結大橫排　腹哀食竇天谿留　胸鄉周榮垣直上　迴屈如鈎大包謀

　　足太陰脾經分寸歌：足太陰脾廿一穴　大趾內側隱白訣　節前陷中求大都　太白節後白肉際　白後一寸是公孫　商丘內踝微前陷　踝上三寸三陰交　再上三寸漏谷接　膝下五寸名地機　機上四寸陰陵泉　血海膝臏上內廉　箕門海上大寸間　冲門去曲三寸半　腹結府舍上三寸　結上三寸大橫填　大橫居腹哀下却　與臍平莫糊亂　橫上四寸即腹哀　食竇乳根旁二寸　膻中去六是天谿　再上六寸胸鄉穴　周榮相去亦同然　大包穴在腋窩下　鳩開八寸無差疑

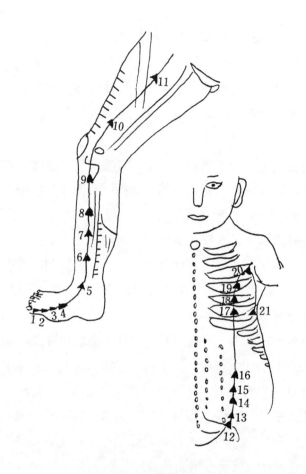

脾經穴圖

1.隱白	2.大都	3.太白	4.公孫	5.商丘	6.三陰交
7.漏谷	8.地機	9.陰陵泉	10.血海	11.箕門	12.冲門
13.府舍	14.腹結	15.大橫	16.腹哀	17.食竇	18.天谿
19.胸鄉	20.周榮	21.大包			

手少陰心經

　　手少陰必經凡九穴　左右共十八穴　起於極泉　止於少冲　井在少冲　榮在少府　兪在神門　經在靈道　合在少海　絡在通里　郄在陰郄　募在巨闕　本在神門　標在心兪

　　手少陰心經循行歌：手少陰脈起心經下膈直絡小腸　承支者挾咽繫目　系直從心　系上肺騰下腋　循臑後廉出太陰心主之　後行下肘循臂抵掌後銳骨之端外指停

　　手少陰心經主病歌：手少陰動病嗌干　心痛喝飲臂厥緣　心病目黃脅滿痛　臑臂痛厥掌中熱

　　手少陰經心經經歌九穴：心經手少陰　極泉青靈少海瀉　靈通通里陰郄穴　神門少府少冲存

　　手少陰心經分寸歌：心脈九穴手少陰　腋下肋間極泉瀉　青靈肘上三寸覓　少海肘後五分明　靈道掌後一寸半　通里掌後一寸平　陰郄去腕五分得　神門掌後銳骨尋　少府小指本節末　小指內側少冲行

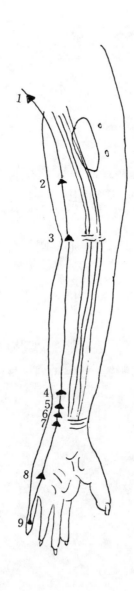

心經穴圖

1. 極泉
2. 青靈
3. 少海
4. 靈道
5. 通里
6. 陰郄
7. 神門
8. 少府
9. 少冲

手太陽小腸經

　　手太陽小腸經凡十九穴　　左右共三十八穴　　起於少澤　　止於聽宮
井在聽宮　　榮在前谷　　俞在後谿　　原在腕骨　　經在陽谷　　合在少海
絡在支正　　郄在養老　　募在關元　　本在養老　　標在睛明

　　手太陽經循行歌：手太陽經小腸脈　　小指之端起少澤　　循手上踝出
宛中　　上臂骨出肘內側　　兩筋之間臑後廉　　出肩解而繞肩胛　　交肩之
上入缺盆　　直絡心中循嗌咽　　下膈抵胃屬小腸　　支行缺盆上頭頰　　至
目銳眥入耳中　　支者別頰斜上䪼　　抵鼻至於目內眥　　其絡與足太陽接

　　手太陽小腸經主病歌：小腸經一十九　　手太陽動病　　嗌腫　　頷腫
肩臑拔折形　　夜病　　耳聾　　目色黃　　頰腫　　肩頸　　肘臂痛

　　手太陽小腸經分寸歌：太陽十九小腸穴　　小指外端少澤連　　前谷本
節前外側　　節後橫紋後谿接　　腕骨腕前骨側陷　　陽谷銳骨陷中眠　　養
老腕後高骨覓　　支正腕後五寸偏　　小海肘端離五分　　肩貞甲下兩筋間
　　臑俞大骨下陷潛　　天宗穴居秉風後　　宗上舉空秉風容　　斜內一寸屬
曲垣　　去脊三寸外俞行　　椎旁二寸肩中俞　　天窗扶後天容下　　耳下頰
後乃天容　　陷下顴凹顴髎當　　耳前珠旁為聽宮

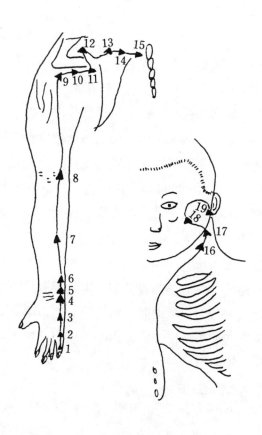

小腸經穴圖

1.少澤

2.前谷

3.後谿

4.腕骨

5.陽谷

6.養老

7.支正

8.小海

9.肩貞

10.臑俞

11.天宗

12.秉風

13.曲垣

14.肩外俞

15.肩中俞

16.天窓

17.天容

18.顴髎

19.聽宮

足太陽膀胱經

足太陽膀胱經凡六十七穴　左右共一百三十四穴　起於睛明　止於至陰　井在至陰　滎在通谷　兪在束骨　原在京骨　經在崑崙　合在委中　絡在飛揚　郄在金門　募在中極　本在跗陽　標在睛明

足太陽膀胱經主病歌：足太陽動冲　頭痛　目似脫兮　項似拔　脊痛　腰折髀難曲　膕如結兮　腨如烈　踝厥主筋所生病　痔瘧狂兮頭顖痛　目黃淚出　及衄血　項背　腰尻　膕腨足痛及小趾不能用

足太陽膀胱經穴歌：太陽膀胱六十七　睛明內眥紅肉藏　攢竹眉冲與曲差　五處寸半上承光　通天絡却下玉枕　天柱後際大筋昂　大杼背中開二寸　風門肺兪厥陰當　心兪督兪下膈兪　肝膽脾胃次第量三焦腎兪並氣海　大腸關元到小腸　膀胱中膂白環兪　各穴去脊半寸長　上次中下四髎穴　一空二穴腰踝藏　肓門志室至胞肓　二十椎下名秩邊　承扶臀股紋中央　直下殷門浮郄穴　委陽委中與合陽　承筋承山並飛揚　跗陽崑崙僕參詳　申脈金門京束骨　通谷至陰小趾旁

足太陽膀胱經分寸歌：足太陽兮膀胱經　六十七穴宜審清　內眥一分起睛明　眉頭陷中攢竹行　眉冲直上旁神庭　曲差在庭旁寸半　五處直後五分尋　承通絡却共四穴　循後俱是寸半程　天柱項後髮際內大筋外廉陷中存　由此脊中開二寸　第一大杼二風門　三椎肺兪四厥陰　五心六督七膈兪　九肝十膽十一脾　十二椎旁胃兪臨　十三三焦十四腎　氣海兪居十五眞　十六大腸七關元　小腸穴十八是十九膀胱　廿中膂　白環兪穴廿一　程上次中下腰荐後　會陰會陽尾閭骨分　又從脊開三寸半　第二椎下附分穴　三魄四膏五神堂　大譩譆七膈關　九椎魂門　十陽綱十一意舍二胃倉　十三肓門四志室　十九

胞肓廿秩邊　背部此行俱下　循承扶臀後股紋上　直下六寸爲殷門
曲膝得之浮郄眞　委陽委中旁一寸　委中膝膕陷中紋　下行二寸循合
陽　承筋腨上正中央　承山腨下分肉間　外邊七寸龍揚塵　付陽外踝
上三寸　崑崙穴在外踝後　僕參崑下白肉際　申脈踝上五分長　金門
在外踝下一寸　圓骨邊際京骨生　束骨節通谷前　至陰趾外如韭葉

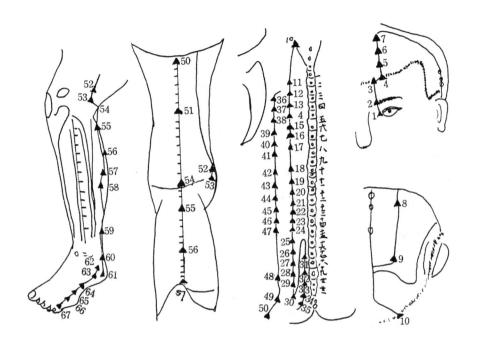

膀胱經穴圖

1.晴明	2.攢竹	3.眉冲	4.曲差	5.五處	6.承光
7.通天	8.絡却	9.玉枕	10.天柱	11.天杼	12.風門
13.肺俞	14.厥陰	15.心俞	16.督俞	17.隔俞	18.肝俞
19.膽俞	20.脾俞	21.胃俞	22.三焦俞	23.腎俞	24.氣海俞
25.大腸俞	26.關元俞	27.小腸俞	28.膀胱俞	29.中膂俞	30.白環俞
31.上髎	32.次髎	33.中髎	34.氣海俞	35.會陽	36.附分
37.魄戶	38.膏盲俞	39.神堂	40.譩譆	41.隔關	42.魂門
43.揚綱	44.意舍	45.胃倉	46.肓門	47.志室	48.胞盲
49.秩邊	50.承扶	51.殷門	52.浮郄	53.委陽	54.委中
55.合陽	56.承筋	57.承山	58.龍陽	59.跗陽	60.崑崙
61.僕參	62.申脈	63.金門	64.京骨	65.束骨	66.通谷
67.至陰					

足少陰腎經

足少陰腎經凡二十七穴　左右共五十四穴　起於湧泉　止於俞府
井在湧泉　榮在然谷　俞在太谿　經在復溜　合在陰谷　絡在大鐘
郄在水泉　募在京門　本在召海　復溜交信　標在腎俞

足少陰循行歌：足腎經脈屬少陰　斜從小趾趨足心　出於然谷循內
踝　入跟上腨膕內尋　上股後廉直貫脊　屬腎下絡膀胱瀉　直者從心
直貫膈　入肺挾舌循喉嚨　支者從肺絡心上　注胸交於手厥陰

足少陰腎經主病歌：足少陰病飢不食　面如紫　血欬　唾血　喝喝
而喘　坐欲起　肒肒無見　如懸飢　善恐惕惕如人捕　骨厥　主腎生
病是口熱　舌干及咽腫　上氣嗌干痛煩心　心痛　黃疸　並腸澼　腰
脊與股內外廉痛痿厥　嗜臥　精神匱　足下熱　痛經　氣逆

足少陰腎經分寸歌：足少腎經廿七穴　足心陷中起湧泉　然谷湧泉
大骨陷　太谿踝後五分間　大鐘跟後踵邊取　水泉谿下一寸覓　照海
踝四分處　復溜踝上二寸連　交信溜後約五分　築賓溜上三寸前　陰
谷膝側內輔取　橫骨大赫並氣穴　四滿中注皆一寸　中行旁開五分邊
　盲俞上行亦一寸　平臍橫開寸半聯　商曲石關與陰都　通谷幽門共
五穴　每穴相距俱一寸　各開中行半寸前　步廊神封靈圩延　神藏或
中至俞府　上行六寸開二寸　俞府確在璣旁取

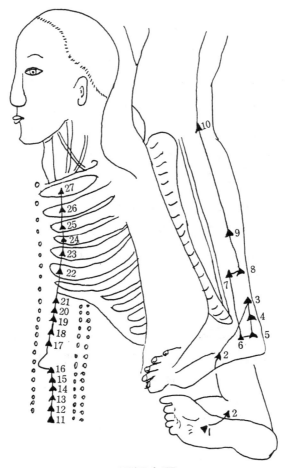

腎經穴圖

1.湧泉	2.然谷	3.太谿	4.大鐘	5.水泉	6.照海	7.交信
8.復溜	9.築賓	10.陰谷	11.橫骨	12.大赫	13.氣穴	14.四滿
15.中注	16.肓兪	17.商曲	18.石關	19.陰都	20.通谷	21.幽門
22.步廊	23.神封	24.靈圩	25.神藏	26.或中	27.兪府	

手厥陰心包絡經

　　手厥陰心包絡經凡九穴　左右共十八穴　起於天池　止於中冲　榮在勞宮　俞在大陵　經在間使　合在曲澤　絡在內關　郄在郄門　募在巨闕　本在內關　標在天池

　　手厥陰心包絡經循行歌：手厥陰經心主標　心包下膈絡三焦起　自胸中支出　脅下腋三寸　循臑迢　太陰　少陰　中間走　入肘下臂兩筋招行掌心　出中指端支從次趾小指交

　　手厥陰心包絡經主病歌：手厥陰動心手熱　臂肘攣急及腋腫　甚則胸脅支滿結　心中澹澹而大動　面赤目黃笑不體　煩心心痛掌熱極

　　手厥陰心經經穴歌：厥陰九穴　心包　天池　天泉　曲澤沼郄門間使　出內關　大陵　勞宮　中冲稍

　　手厥陰心包絡經分寸歌：心包九穴手厥陰　穴起天池乳後尋　乳旁一寸腋下三　天泉曲腋下二寸　曲澤曲肘陷中取　郄門腕後五寸平間使去腕恰三寸　使前一寸內關尋　大陵掌後橫紋求　勞宮握掌四指內　中指末稍中冲尋

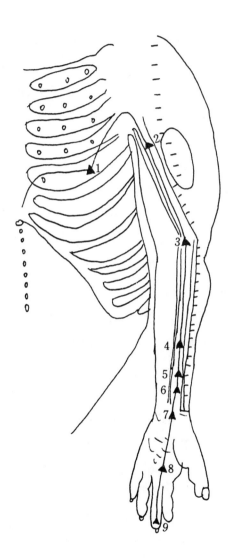

心包絡經穴圖

1. 天池
2. 天泉
3. 曲澤
4. 郄門
5. 間使
6. 內關
7. 大陵
8. 勞宮
9. 中衝

手少陽三焦經

手少陽三焦經凡二十三穴　左右共四十六穴　起於關冲　止於絲竹空　井在關冲　止於絲竹空　井在關冲　榮在液門　俞在中渚　原在陽池　經在支溝　合在天井　絡在外關　郄在四瀆　募在石門　本在液門　標在角孫

手少陽三焦經主病歌：手少陽動病　耳聾　渾渾婷婷·咽喉腫氣所生病者　汗出　目銳眥痛　頰部腫　耳後肩臑　肘臂痛　小指次數不爲用

手少陰經穴歌：三焦廿三手少陽　關冲液門中渚旁　陽池外關支溝正會宗　三陽四瀆長天井　清冷淵消濼臑會肩髎天髎堂　天牖翳風瘛脈青　顱息角孫耳門穴　和髎絲竹空有常

手少陽三焦經分寸歌：三焦經屬手少陽　二十三穴宜審詳　關冲無名指外側　液門小次指陷量　中渚液門上一寸　陽池腕上表中藏　外關腕後上二寸　關上一寸支溝當　外開一寸　名會宗　溝上一寸三陽絡　肘前五寸稱四瀆　天井腋骨後一寸　井上一寸清冷淵　消濼臑下二寸強　臑會肩端前三寸　肩髎肩前陷中詳　天髎鎖骨上窩部　天牖完下天容後　翳風耳根後五分　瘛脈翳上一寸量　顱息翳上青絡上　角孫耳下髮中藏　耳門耳前缺口處　和髎髮銳尖下方　絲竹空居眉稍外　眉後陷中細推詳

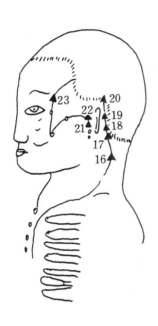
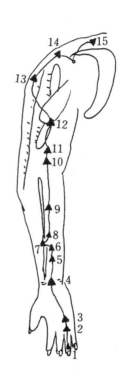

三焦經穴圖

1.關衝	2.液門	3.中渚	4.陽池	5.外關	6.支溝
7.會宗	8.三陽絡	9.四瀆	10.天井	11.清冷淵	12.消濼
13.臑會	14.肩髎	15.天髎	16.天牖	17.翳風	18.瘈脈
19.顱息	20.角孫	21.耳門	22.和髎	23.絲竹空	

足少陽膽經

足少陽膽經凡四十四穴　左右共八十穴　起於瞳子髎　止於竅陰
井在竅陰　榮在俠谷　俞在足臨　泣原在邱墟　經在陽輔　合在陽陵
絡在光明　郄在外邱　募在日月　本在足竅陰　標在聽宮

足少陽膽經循行歌：足少陽脈膽經傳　起於兩目銳眥邊　上抵頭角
下耳後　循頸行在少陽前　至肩却出少陽後　陽明缺盆之外旋　支者
耳後入耳中　出走耳前銳眥縫　直者缺盆下腋胸　季脇下合髀厭中
下循髀陽膝外廉　下於外輔骨之前　直抵絕骨出外踝　循輔入小次指
間　支別輔上入大指　循趾歧骨出其端　橫貫爪甲出三毛　足厥陰經
於此連　足少陽膽經主病歌：足少陽動病　口苦太息脇痛不能轉　甚
而無塵體無澤　足外反熱陽厥逆　骨痛頭頷銳眥痛　缺盆腫痛脅下連
　馬刀挾瘻振寒慄　胸脅髀膝痛　外至脛絕骨　外踝諸節痛　小指次
指不爲用

足少陽膽經經穴歌：足少陽經瞳子髎　四十四穴行迢迢　聽會上關
頷厭連　懸顱懸厘曲賓繞　率谷天沖浮白次　竅陰完骨本神邈　陽白
臨泣目窓妙　正宮承靈腦空搖　風池肩井與淵液　輒筋日月京門際
帶脈五樞下維道　居髎環跳風市抬　中犢陽關陽陵泉　外邱陽髎光明
宵　陽輔懸鐘邱墟外　足臨泣下地五會　俠谿小趾歧骨中　竅陰四趾
外側飄

足少陽膽經分寸歌：足少陽兮膽氣高　四十四穴上下迢　外眥五分
瞳子髎　耳珠前陷聽會際　上行一寸客主人　內斜曲角頷厭抬　風池
耳後髮際陷　肩井缺盆上寸半　淵液腋下三寸搖　輒筋復前行一寸
日月乳下二肋交　臍上五分旁九五　季脇夾脊京門朝　季下八寸爲帶

脈　帶下三寸五樞眞　章下五三屬維道維　下三寸居髎名　環跳椑樞之陷中　風市垂乎中指稍　膝上五寸中瀆穴　踝上五寸　光明宵　陽輔光下約一寸　再下一寸懸鐘敲　踝下前陷名邱墟　墟下三寸足臨泣　泣下五分地五會　小次趾歧俠谿邀　四趾外側爪甲角　韭葉之處竅陰標

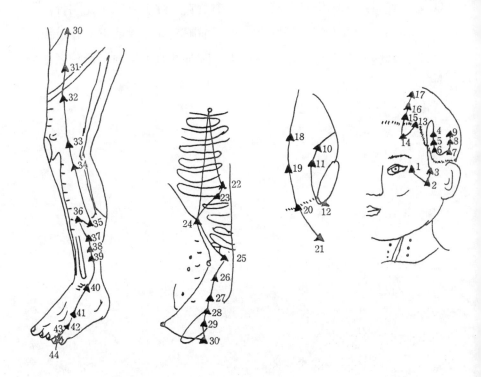

膽 經 穴 圖

1.瞳子髎　　2.聽會　　　3.上關　　　4.頷厭　　　5.懸顱　　　6.懸厘
7.曲賓　　　8.率谷　　　9.天冲　　　10.浮白　　11.竅陰　　12.完骨
13.本神　　14.陽白　　15.臨泣　　16.目窗　　17.正營　　18.承靈
19.腦空　　20.風池　　21.肩井　　22.淵液　　23.輒筋　　24.日月
25.京門　　26.帶脈　　27.五樞　　28.維道　　29.居髎　　30.環跳
31.風市　　32.中犢　　33.陽關　　34.陽陵泉　35.陽髎　　36.外邱
37.光明　　38.陽輔　　39.懸鐘　　40.邱圩　　41.臨泣　　42.地五會
43.俠谿　　44.足竅陰

足厥陰肝經

　　足厥陰肝經凡十四穴　左右共二十八穴　起於大敦　止於期門　井在大敦　榮在行間　俞在太冲　經在中封　絡在蠡溝　郄在中都　募在期門　本在中封　標在肝俞

　　足厥陰肝經循行歌：足厥陰脈肝所終　起於大趾毛際叢　循足附上內踝　出太陰後入膕中　循股入毛繞陰器　上抵小腹　挾胃通屬肝絡膽上　貫膈布於脅肋　繞喉嚨上　入頏顙連目系　出額會督頂巔　逢其支　復行目系出　下行頰裡　交環唇支者　從肝別貫隔上注於肺乃交宮

　　足厥陰肝經主病歌：足厥陰動病　腰痛　丈夫　㿉疝　婦腫　甚則咽干　面脫色　是主肝經所生病　胸滿　嘔逆　殘泄頻　狐疝　遺精溺閉癃　此是肝臟主病訣　存心濟世仔細窮

　　足厥陰肝經經穴歌：十四穴足厥陰　大敦　行間　太冲　中封　蠡溝　中都　並膝關　曲泉　陰包　臨五里　陰廉　足脈　係章門　遙望見期門

　　足厥陰肝經分寸歌：足厥陰肝經　十四肝　大敦大趾外側端　行間大次趾縫後　太冲行後一寸半　中封兩踝前一寸　蠡溝踝上五寸間　中都在溝上二寸　犢下二寸爲膝關　曲泉屈膝橫紋頭　膝上四寸陰包連　氣冲三寸下五里　陰廉去冲止二寸　急脈陰旁二寸五　臍上二寸外旁六　章門眞穴在此間　乳上寸半內五分　期門妙穴理傷寒

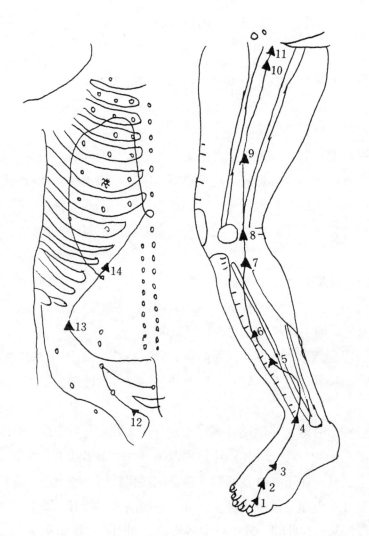

肝經穴圖

1.大敦
2.行間
3.太冲
4.中封
5.蠡溝
6.中都
7.膝關
8.曲泉
9.陰包
10.五里
11.陰廉
12.急脈
13.章門
14.期門

任　脈　經

任脈經凡二十四穴　起於會陰　止於承漿　絡在會陰

任脈經循行歌：任脈起中極下　上循腹裡行關元　循內上行會冲脈浮　外循臍至喉咽別絡　口唇承漿已過　足陽明上頤間　循面入目至睛明會督爲陰脈傳

任脈經主病歌：任脈男子結七疝　女子帶下瘕聚　見脈別實則腹皮痛　虛則騷癢尾醫緣

任脈經經穴歌：任脈廿四起　會陰　曲骨　中極　關元　臨石門　氣海　陰交　並神闕　水分　下脘　行建里　中脘　連上脘　巨闕　鳩尾　蔽骨憑　中庭膻中　玉堂上　紫宮　華蓋　璇璣冲　天突　結喉是廉泉　唇下宛宛承漿明

任脈經分寸歌：任脈腹前廿四穴　會陰起兩筋間　曲骨穴居毛際叢　中極臍下四寸聯　關元臍下三寸取　臍下二寸石門穴　臍下寸半氣海邊　臍下一寸號陰交　臍之中央橋神闕　水分下脘與建里　上中二脘及巨闕　鳩尾諸穴各一寸　中庭膻中下六寸　兩乳之間是神闕　玉堂紫宮華蓋鮮　璇璣各穴皆六寸　天突喉下四寸前　廉泉頷下喉尖上　承漿下唇陷凹中

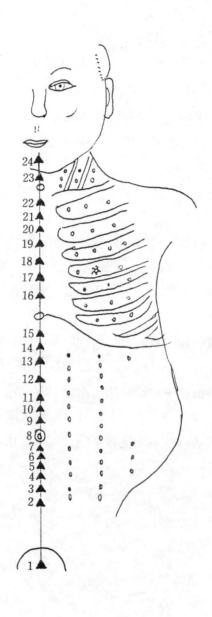

任脈經穴圖

1. 會陰
2. 曲骨
3. 中極
4. 關元
5. 石門
6. 氣海
7. 陰交
8. 神闕
9. 水分
10. 下脘
11. 建里
12. 中脘
13. 上脘
14. 巨闕
15. 鳩尾
16. 中庭
17. 膻中
18. 玉堂
19. 紫宮
20. 華蓋
21. 璇璣
22. 天突
23. 廉泉
24. 承漿

督　脈　經

督脈經凡二十八穴　起於長強　止於齦交　絡在長強

督脈經循行歌：督起小腹骨中央　入繫延孔絡陰器　合纂之後別繞臀　與巨陽絡少陰比　至股貫脊屬腎行　相隨太陰起內眥　上額交巔絡腦間　下項循眉仍俠脊　抵腰絡腎循男莖　下纂亦與女子類　又從少腹貫臍中　貫心入喉頤唇宮　上繫兩目下中央　此爲並任亦同冲　大抵三脈同道起　靈素言之每錯誤

督脈經主病歌：督脈少腹冲心痛不得　前後　前冲疝　實則脊強而反則虛　則頭重　高搖巔　女子不孕　患癃痔　下爲遺溺　上嗌乾

督脈經經穴歌：督脈中行二十八　長強　腰俞　陽關密　命門　懸樞　接脊中　中樞　筋縮　至陽逸　靈台　神道　身柱長　陶道　大椎　平肩的啞門　風府　腦戶　瀉強間　後頂　百會　奇前頂　顖會與上星　神庭　素髎　水溝　關兌端　口上唇中央　齦交唇內任督脈

督脈經分寸歌：督脈廿八行　脊樑尾端骨起　長強二十一椎　名腰俞　十六陽關細推詳　十四命門三懸樞　第十一椎脊中當　十中樞九筋縮　七椎之罅爲至陽　六神五靈三身柱　一椎之下陶道良　大椎正在一椎上　入髮五分啞門藏　髮上一寸名風府　府上寸半腦戶當　拉上寸半稱強間　再上寸半後頂當　百會七寸頭頂取　耳尖直上髮中央　前頂順後一寸半　頂後一寸顖會量　髮際一寸上星穴　五分神庭切勿志　鼻端準頭爲素髎　水溝鼻下人中藏　兌端唇上端中央　齦交脣上齦中央

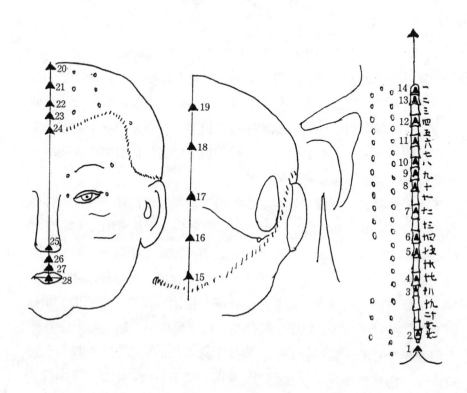

督脈經穴圖

1.長強	2.腰俞	3.陽關	4.命門	5.懸樞	6.脊中
7.中樞	8.筋縮	9.至陽	10.靈台	11.神道	12.身柱
13.陶道	14.大椎	15.啞門	16.風府	17.腦戶	18.強間
19.後頂	20.百會	21.前頂	22.顖會	23.上星	24.神庭
25.素髎	26.水溝	27.兌端	28.齦交		

附奇經八脈穴名十五絡穴

1. 任　脈：起於會陰　曲骨　終於齦交。（共二十四穴　參看任脈經
　　　　條）任脈之病　男子內結七疝　女子帶下瘕聚
2. 督　脈：起於泉門　會陰　會陽　長強　終於水溝（共二十八穴
　　　　參看督脈經條）督脈之為病令人脊強反折
3. 衝　脈：會陰　橫骨　大赫　氣穴　四滿　陰交　中注　盲兪　商
　　　　曲　石關　陰都　通谷　幽門　共計左右二十二穴　另中
　　　　有會陰　陰交二穴在於中行不計　衝脈之病逆氣裡急
4. 帶　脈：帶脈　五樞　維道合計左右共六穴　其病腰腹縱容如囊水
　　　　之狀
5. 陽蹻脈：申脈　僕參　跗陽　居髎　臑兪　巨骨　肩髃　地倉　巨
　　　　髎　承泣　睛明　風池　左右共二十四穴　其病也　予人
　　　　陰緩而陽急
6. 陰蹻脈：照海　交信　睛明　左右共六穴　其病也　令人陽緩而陰
　　　　急
7. 陽維脈：金門　分肉　陽交　天髎　肩井　臑兪　風池　瘖門　風
　　　　府　腦空　承靈　正營　目窗　臨泣　陽白　本神　頭維
　　　　左右共三十穴　中有二穴　其病也　令人苦寒熱
8. 陰維脈：築賓　衝門　府舍　大橫　腹哀　期門　天突　廉泉　左
　　　　右共十二穴　中有二穴　陰維為病苦心痛
　　　　說明：奇經蓋以人之氣血　常行於十二經　經者常脈也　奇經
　　　　八脈　則不拘於常　故謂之奇經　十二經滿溢則流入奇經　奇
　　　經有八脈　督脈督於後以司管諸陽　任脈任於前以司管責諸陰

衝脈爲諸脈之海　陽維則維絡諸陽　陰維則絡諸陰　陰陽自相維持　則諸經常調　維之外有帶脈者　束之猶帶也　至於兩足蹻脈　有陰有陽　陽蹻行諸太陽之外　陰蹻本諸少陰之別譬猶聖人圖設溝渠　以備水潦斯濫溢之患　人有奇經　亦若是也　凡各奇經之本　病則刺各該奇經之穴

十五絡穴：手太陰肺絡列缺　手陽明大腸絡偏歷　足陽明胃絡豐隆　足太陰脾絡公孫及大包　手少陰心絡通里　手太陽小腸絡支正　足太陽膀胱經絡委陽　足少陰督絡大鐘　手厥陰心包絡之絡穴內關　手少陽三焦絡外關　足少陽膽絡光明　足厥陰肝絡蠡溝　任脈之絡屏翳　督脈之絡長強

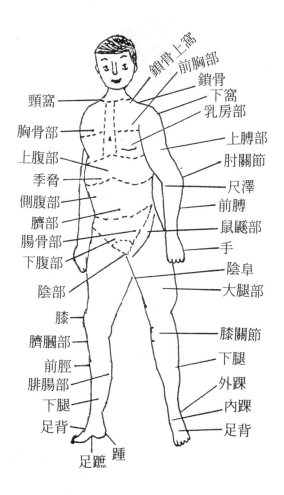

鎖骨上窩
前胸部
鎖骨
下窩
乳房部
上膊部
肘關節
尺澤
前膊
鼠蹊部
手
陰阜
大腿部
膝關節
下腿
外踝
內踝
足背

頸窩
胸骨部
上腹部
季脅
側腹部
臍部
腸骨部
下腹部
陰部
膝
臍膕部
前脛
腓腸部
下腿
足背
足蹠　踵

人體之前面

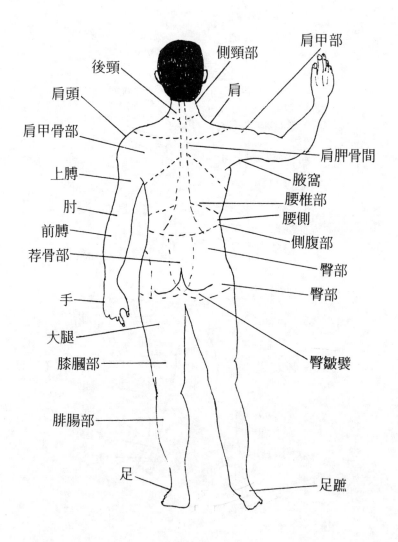

後頸　側頸部　肩甲部
肩頭
肩甲骨部　　　　　　肩
上膊
肘　　　　　　　肩胛骨間
前膊　　　　　　腋窩
荐骨部　　　　　腰椎部
　　　　　　　　腰側
手　　　　　　側腹部
大腿　　　　　臀部
膝膕部　　　　臀部
腓腸部
　　　　　　臀皺襞
足　　　　　　足蹠

人體之後面

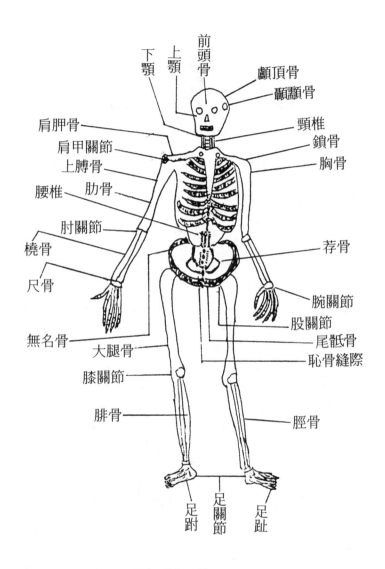

前頭骨
上顎
下顎
顱頂骨
顳顬骨
肩胛骨
肩甲關節
上膊骨
腰椎
肋骨
肘關節
橈骨
尺骨
無名骨
大腿骨
膝關節
腓骨
頸椎
鎖骨
胸骨
荐骨
腕關節
股關節
尾骶骨
恥骨縫際
脛骨
足蹠
足關節
足趾

骨　骼

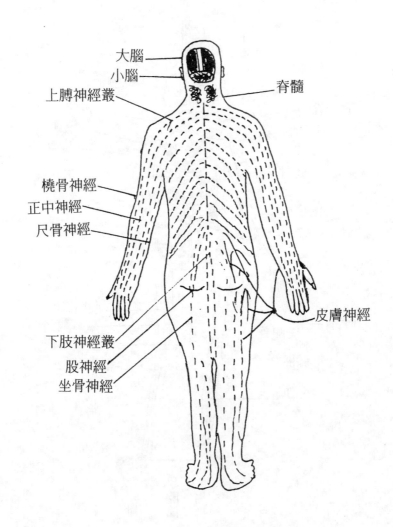

大腦
小腦
上膊神經叢
脊髓
橈骨神經
正中神經
尺骨神經
皮膚神經
下肢神經叢
股神經
坐骨神經

神經中樞及神經末稍之分佈圖

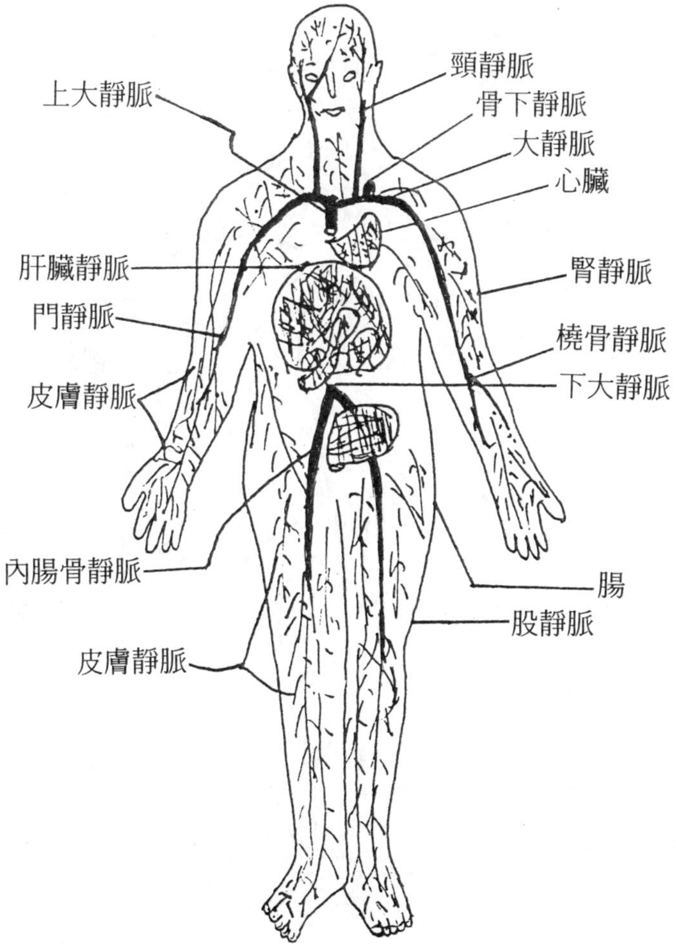

上大靜脈

頸靜脈
骨下靜脈
大靜脈
心臟

肝臟靜脈
腎靜脈

門靜脈
橈骨靜脈
下大靜脈

皮膚靜脈

內腸骨靜脈
腸

股靜脈

皮膚靜脈

全身靜脈分佈圖

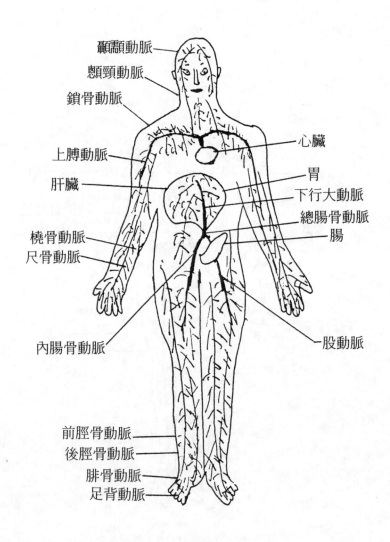

顳顬動脈
顋頸動脈
鎖骨動脈
上膊動脈
肝臟
橈骨動脈
尺骨動脈
內腸骨動脈
前脛骨動脈
後脛骨動脈
腓骨動脈
足背動脈
心臟
胃
下行大動脈
總腸骨動脈
腸
股動脈

全身動脈分佈圖

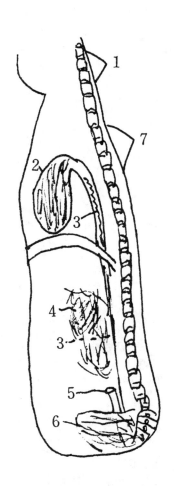

交感神經系

1. 交感神經節
2. 心叢
3. 動脈
4. 內臟叢
5. 腸
6. 膀胱
7. 脊髓神經

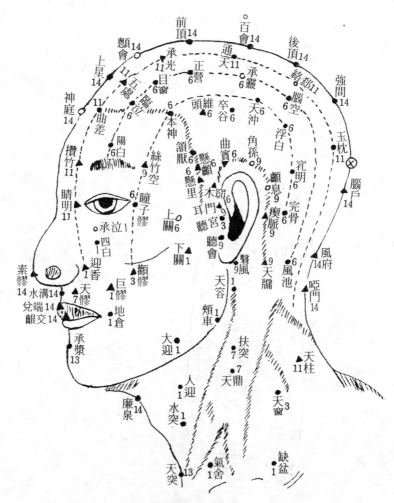

第一圖　頭部　顏面　頸部　合計七十四穴

1. ●正穴
2. 胃脈
3. 脾脈
4. 小腸脈
5. 肝膽
6. 膽脈
7. 大腸脈
8. 肺脈
9. 三焦脈
10. 心包絡
11. 膀胱脈
12. 腎脈
13. 任脈
14. 督脈

⊗ 禁針灸穴
▲ 禁灸針
○ 禁針穴

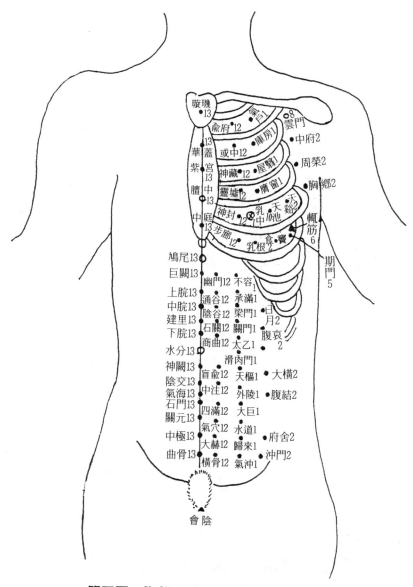

第二圖　胸部　腹部　合計七十二穴

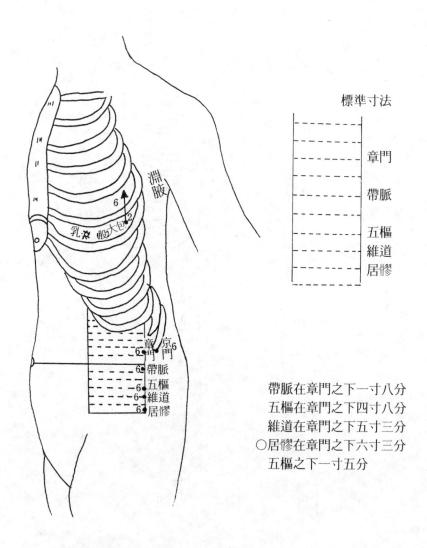

標準寸法

章門
帶脈
五樞
維道
居髎

淵腋

乳 腋大包

章原
門門

帶脈
五樞
維道
居髎

帶脈在章門之下一寸八分
五樞在章門之下四寸八分
維道在章門之下五寸三分
○居髎在章門之下六寸三分
五樞之下一寸五分

第三圖　側胸部　側腹部　合計八穴

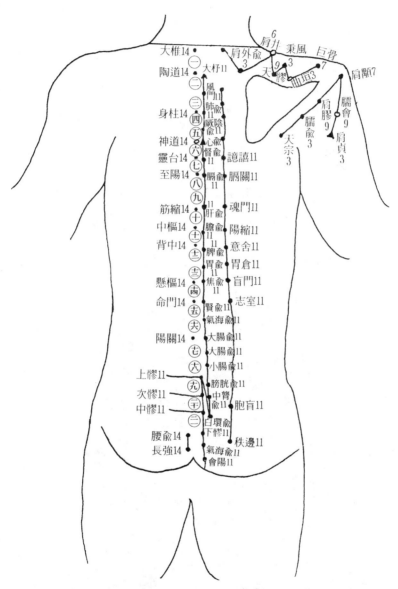

第四圖　背部　腰部　臀部　肩胛部　合計六十三穴

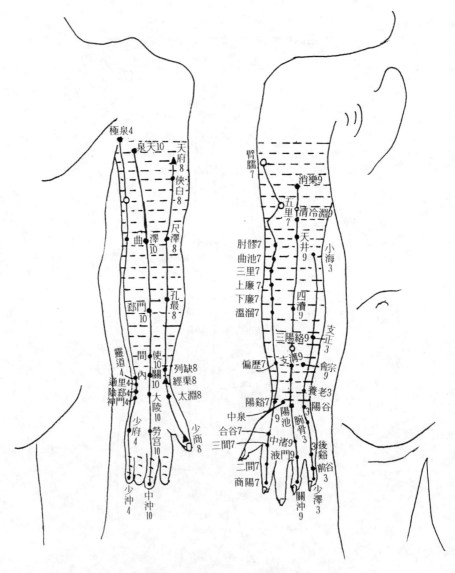

極泉4
泉天10
天府8
俠白8
尺澤8
曲澤10
郄門10
孔最8
靈道4
間使10
通里4
陰郄4
神門4
內關10
少府4
大陵10
勞宮10
少衝4
中衝10
少商8
太淵8
經渠8
列缺8

臂臑7
消濼9
五里7
清冷淵9
肘髎7
天井9
曲池7
小海3
三里7
上廉7
四瀆9
下廉7
溫溜7
三陽絡9
支正3
偏歷7
支溝9
養老3
陽谿7
陽谷9
中泉
陽池9
腕骨3
合谷7
中渚3
後谿3
三間7
液門9
前谷3
二間7
關衝9
少澤3
商陽7
俞宗9

第五圖　上肢　合計六十穴

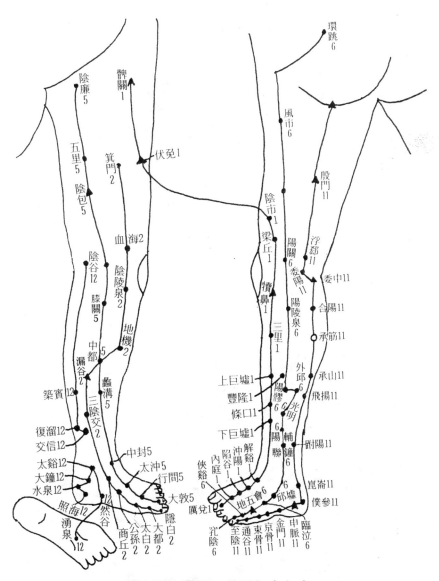

第六圖　下肢　共計七十九穴

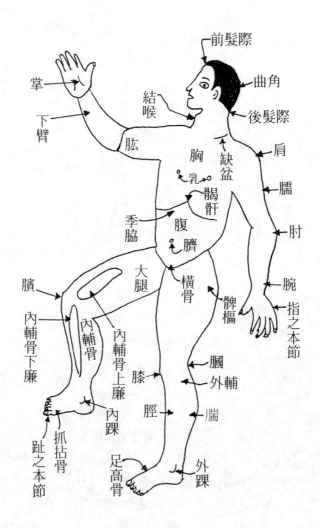

人身骨度圖

取寸線

手足部中指取寸法

經穴學略說

　　經者猶道路之經常不息者也　穴者孔也　分隸於周身各經者也　屬於陽者穴皆在關節之際　屬於陰者穴藏諸郄膕之中　茲考諸科學之發明　復證以解剖之理論　悉心推測是可知其要焉　蓋古人所謂經者乃刺激之路徑　各經之穴即疾病治療之點　其十二經與奇經八脈實爲各穴之系統　古人分人體四肢爲三陰三陽　稱曰十二經　以通氣血之道　所謂十二經者　即手太陰肺經　手少陰心經　手厥陰心包絡經　手太陽小腸經　手少陽三焦經　手陽明大腸經　足太陰脾經　足少陰腎經足厥陰肝經　足太陽膀胱經　足少陽膽經　足陽明胃經　此十二者　位於人身之左右　更有奇經八脈　曰督脈　任脈　冲脈　帶脈　陰維　陰蹻　陽維　陽蹻　背上之督脈　位於人體之後腹上　之任脈位於人身之前　以此二脈合上述之十二經　乃謂十四經　其餘六脈則介乎人體背腹四肢　內科據此而立方　針灸憑此而施治　故名之曰經穴學也。

經脈之定義

　　正經之名稱共有十二　奇經之名稱共有八　而於經穴學之略說中曾詳言之矣　若以合而述之　太陰者乃脾肺二經之代名詞　陰氣之極盛　太陽者乃小腸膀胱之代名詞　陽氣之極盛　太者大也　亦即初也如日月之初昇而且大也　其在背側之一面屬陽稱曰太陽　腹側之一面屬陰稱曰太陰　行於手者曰手太陰手太陽　行於足者曰足太陰足太陽　少陰者　乃心腎二經之代名詞　陰氣之初生　少陽者三焦膽二經之

代名詞　陽氣之初生者　微也亦即衰也　如日月之西斜而光衰也　其
經行四肢及背腹之兩側　偏於背一面者　屬陽稱曰少陽　偏於腹之一
面屬陰稱曰少陰　行於手者曰手少陰手少陽　行於足者曰足少陰足少
陽　陽明者乃大陽胃二經之代名詞　陽氣之最盛適當日中　其經循介
乎足手背足之中者　在手曰手陽明　在足者曰足陽明　厥陰者乃心包
絡肝二經之代名詞　陰氣之已盡適當夜半　其經循赤介乎手足背腹之
中者　在手者曰手厥陰　在足者曰足厥陰　任脈者其經循腹面之中央
　總主諸陰經而任之　督脈者其經循背面中央　總主諸陽經而理之
冲脈者其脈起於胞中　善能上冲　帶脈者其脈循腹周圍如束帶狀　陽
蹻陰蹻者其脈由足至頭　行於內者　屬陰曰陰蹻　行於外者　屬陽曰
陽蹻　陰維陽維者　其脈與陰經之穴而連繫者　屬陰曰陰維　陽經之
穴而連繫者　屬陽曰陽維　以上之說悉本古人之定義　然於今日革新
時代　實於科學觀點上不無疑義　但內科假其處方　針灸賴其取穴
爲中醫之根本學識　吾儕研究斯術　當作經脈上假定名詞觀之　以此
成爲經穴之系統耳

經穴之分類

　經穴之定名歷今四千餘年　詳載內經維不合現代化科學上之解釋
何以能一針甫下沉疴立起　其他之治療未見若是之效者　證諸實驗
則與之科學未嘗不符　或許近代之新學不能以哲理而釋之　亦未可知
　蓋科學與物質爲標準　哲學則無憑可稽　試觀反射線有光有聲　轉
瞬則滅　豈有物質之可求也　哉今人不以細加研究　妄言古人之玄空
　且也學識隨時代之演進　吾人不能以數千年前之學理而毀於一旦
當測前人著書時代與所立意義　然後相粗荐精　刪繁節要　以資盡善

盡美庶幾　不負前人之創學苦心矣　若以彼攻此　以此繫彼　相引攻繫　實爲世所不許　如專泥古說不敢輕意更改　則與時代之進步　亦非所宜也　孔子曰溫故而知新　旨哉斯言信不虛也　後之學者　亦當由舊說而革新說　萬勿捨本逐末　而蹈離經背道之譏矣　茲將正經與奇經分而言之

　　正經　手太陰肺經穴凡十一　手陽明大腸經穴凡二十　足陽明經凡四十五　足太陰脾經穴凡二十一　手少陰心經穴凡九　手太陽小腸經穴凡十九　足太陽膀胱經穴凡六十七　足少陰腎經穴凡二十七　手厥陰包絡經穴凡九　手少陽三焦經穴凡二十三　足少陽膽經凡四十四　足厥陰肝經穴凡十四　以上十二經穴計三百零九　左右統共六百一十八穴

　　奇經　任脈穴共二十四　督脈穴共二十八　冲脈穴共十一　左右共二十二　帶脈穴三　左右共六　陰蹻穴二　左右共四　陽蹻穴十　左右共二十　陰維穴七　左右共十四　陽維穴十七　左右共三十四　以上除任督二脈並立外　其餘悉付正經中

　　內經本藏論曰經脈氣者　行氣血而行陰陽　又曰經脈者　血氣之道路也　由是以觀　經爲神經　脈爲血管　二者交相互利　各盡其造化運行之妙　蓋血之行也　由於心臟之鼓動　心鼓動之發生點　則屬於心臟神經叢　擴張與收縮性之機能作用　內經所謂氣至機能性之神經纖維付繞之　以發揮其輸血之作用　內經所謂氣主輸之者是也　神經系統之營養　則全持血行之活潑　內經所謂血主濡是也

周身之名位

　　凡研究醫學者　必須明白全身之名位　於是在診斷上方爲準確　而

爲針灸醫師者　更當知之其如經脈之循行　分野以及穴位之屬於何部
不能不瀉　思牢記　而於臨床上所有別識耳　茲將前人所定之一百十
種周身之名位詳列於下

　　頭—人之首也　凡物獨出之手皆名曰頭

　　腦—骨髓也　俗名腦子

　　巓—頭也　顚頂之骨　俗名天靈蓋

　　顖—顚前頭骨也　小兒初生未闔　名曰顖門　已闔曰顖骨　即天
　　　靈蓋後合之骨也

　　面—居頭之前故名面也

　　顔—眉目間名稱也

　額顱—額前髮際之下　兩眉之上曰額　曰顙骨即額之謂也

　頭角—額兩旁積處之骨也

　鬢骨—兩太陽之骨也

　　目—司視之竅也

　目胞——名目窠　一名目裹　即上下兩目之外衞胞也

　目綱—上下目胞之兩臉邊　又名曰睫　司目之開合也

目外眥—鼻鬢前之眼角　其小而尖　故稱目銳眥也

目內眥—近鼻之內眼角　其大而圓　故稱名大眥也

　目珠—目睛之俗名也

　目系—目睛入腦之系也

目骨眶—目窠四圍之骨也　上曰眉稜骨　下即䪼骨　䪼骨之外即顴骨

　　頞—鼻樑即山根也

　　鼻—司臭之竅也　兩孔之介骨曰鼻柱　下至鼻之盡處　名曰準頭

　　䪼—目之下眶骨　顴骨內下連上牙床者也

　　䪼—䪼內鼻旁間　近生門牙之骨也

顴—兩旁之高骨突起也

䪼—俗呼爲顎　口旁頰前內空軟骨處

耳—司聽之竅也

蔽—耳門也

耳郭—耳輪也

曲頰—頰之骨也　由如環形受頰車骨尾鈎者也

頰—耳前顴側　面兩旁之稱也

頰車—下牙床之骨也　總載諸齒能嚼食物　故命頰車

人中—鼻柱下唇之上穴　名水溝

口—司言食之竅也

脣—口端也

吻—口之四周也

頤—口角後　䪼後下也

頦—口之下唇末處　俗名下巴　也

頜—頜下結喉上　兩側內空軟處也

齒—口齦生之骨也　名牙有門牙　虎牙　槽牙　上下牙盡根之別

舌—司味之竅也

舌本—舌之根也

頏顙—口內之上二孔　司分氣之竅也

懸壅垂—張口視喉上　似乳頭之小舌也

會厭—覆喉管之上竅　似皮似膜　發聲則開　咽食則閉　故爲聲音之戶也

咽—飲食之道路也

喉—通聲氣之路也　居咽之前

喉嚨—喉也　肺之系也

　嗌—咽也　　胃之系也

結喉—喉之管頭　其人瘦者多現頸前　肥者隱肉內多不見

胸膺—胸者缺盆下腹之上有骨之處　膺者胸前兩旁高處一名日骨俗
　　　名胸膛

䯏骭—胸之衆骨名也

　乳—膺上突起　兩肉有頭　婦人似乳者也

鳩尾—蔽心骨也　其質係脆骨在胸之下歧骨間

　膈—胸下腹上　界內之膜也　名日羅隔

　腹—膈下曰肚腹　俗名肚臍　下日少腹

　臍—人初生胞帶之處也

毛際—小腹下橫骨間　叢毛之際也

　篡—橫骨之下　兩股前相共結之凹也　前後兩陰間　名下極穴
　　　又名屏翳　會陰穴即男女陰器之所也

睪丸—男子前陰兩丸也

上橫骨—在喉前宛宛中　天突穴之外　小灣橫骨旁柱之骨也

柱骨—膺上缺盆外　俗名鎖子骨　內接橫骨　外接肩解也

肩解—肩端之骨節解處也

髃骨—肩端之骨也　即肩胛骨臼上稜骨也　其臼接臑骨上端　俗名
　　　肩頭　其外曲捲翅骨　肩後稜骨也　其後稜骨在背肉內

肩胛—即髃骨末成片骨也　亦名肩膊　俗名鍬板子骨

　臂—上身兩大肢通稱也　一名日肱　俗名肌膊　中節上下骨交接
　　　處名日肘　肘上之骨曰臑骨　肘上日臂　骨臂有正輔二骨
　　　輔之上短細之外　正骨居下　長大偏內俱下　接腕骨也

　腕—臂掌骨交接處　以其宛曲故名　當外側之骨日高骨　一日銳
　　　骨亦名踝骨

掌骨—手之衆指之本也　名壅骨合湊成掌　非塊然一骨也

　魚—在外側之上　隆起形如魚　故謂之魚也

　手—止體所以持物也

手心—掌之中心也

爪甲—指之甲也

歧骨—凡骨之兩叉者　皆名歧骨　手足同

　臑—肩膊下內側對腋處高起　有白肉處也

　腋—肩下脅之上際　俗名隔肢窩

脅肋—脅下之肋骨盡處統名也曰肋　腋之單條骨之謂也　統脅肋之
　　統　又名曰胠

季脅—肋之下　小肋骨也　俗名軟骨

　眇—脅下無肋骨空軟處也

腦後骨—俗呼腦杓

枕骨—腦後骨之下隆起者　其稜或平或長或圓不一

完骨—耳後之稜骨曰完骨　枕骨下兩旁稜骨也

頸項—頸之大筋也　項者莖後也　名脖項

頸骨—頭之莖也　肩骨之上骨　俗名天柱骨

項骨—頭後莖骨之上　三節圓骨也

　背—後身大椎以下　腰以上通稱也

　膂—夾脊骨兩旁肉也

脊骨—脊膂骨也

腰骨—即脊十四椎下　十五六椎尻上之骨也　其形中凹　上寬下窄
　　方圓三寸許　兩旁四孔　下樓尻骨上

　胛—兩髁下堅起之肉

　臀—胛下尻旁大肉也

尻骨—腰骨下十七椎　十八十九二十二十一椎五節之骨也　上四節
　　　紋之旁　左右各四孔　骨形內凹如瓦　長四五寸許　上寬下
　　　窄　末節更少如人參蘆形名尾閭　一名穷骨　在肛門後其骨
　　　上外兩旁　形如馬蹄跗着兩踝骨上端　俗名骻骨

　肛—大腸下口也

下橫骨—少腹之下　陰器上　其形如蓋　故又名蓋骨　左右有二大孔
　　　向上分出

髁骨—即臀骨肛門後　向上外兩旁張出　形如蝶翅　脊骨插於上股
　　　骨連於下　人體之主骨盤也

腱骨—此骨在骨髁下　分兩支向前　居於臂內與尻骨成鼎足之勢
　　　爲身肋之主骨

　股—下身兩大肢之稱也　俗名大腿　小腿　中節上下交接處曰膝
　　　膝上之骨　曰髀　膝下之骨曰胻　脛之大骨也

髀骨—膝上之大骨　上端如杵　接住髀樞　下端如錐　接於胻骨

胻骨—俗名臁脛骨　其骨兩根　前曰成骨　又名髀骨形粗　膝突出
　　　之骨也　在後者名曰輔骨　形細　膝側之小骨也

伏兔—髀骨前上起　肉似俯兔　故曰伏兔

膝解—膝之觀節也

臏骨—膝上蓋骨也

連骸—膝外側二高骨也

　膕—膝後屈處　俗名腿凹

　腨—下腿肚也　一名腓腸　俗名小腿肚

踝骨—胻骨之下　足付上　兩旁突出之高骨　在外爲外踝　在內爲
　　　內踝

　足—下體以趨走也　俗名腳

跗骨—足背也　一名足付　俗名腳面　跗骨也　足跗本節之衆骨也
足心—即踵之中央

跟骨—足後跟之骨

趾—足之趾也　其數有五　名爲趾者　別於手也　居內之大者名
　　大趾　第二趾名次趾　三趾名中趾　四趾名小趾之次趾居第
　　五趾　居外之小者名小趾　足趾節與手指同其大趾　本節後
　　內側圓骨　形突者名曰核骨

三毛—足大趾爪甲後爲三毛　毛後橫紋爲聚毛

踵—足下面着於地之謂也　俗名腳底板

人身之度量標準

手足部取法（中指同身寸取法）——

　　取寸用男左女右　手中指第二節內廷　兩橫紋頭相去爲一寸　取稻
桿心量　或用箶葴量　　皆易折而不伸縮爲準　如用繩量則伸縮不準
此謂同身取寸法

頭部取法——

　　直寸用前髮際至後髮際　折作十二節爲一尺二寸　　前髮際不明者
取眉心直上三寸　前後俱不明者　折作一尺八寸　並依此法取之　橫
寸用目內眥角至外眥角爲一寸　並依此取

腹部取法——

　　直寸取心蔽骨（鳩尾骨亦即胸劍骨）下至臍　共折八寸　人參蔽骨
者取胸肢骨下至臍心　共折八寸　依此取之　橫寸用兩乳間　橫折作
八寸　悉依此取之

背部取法——

　　大椎穴至尾骶骨共計二十一椎　通作三尺　上七椎　每椎一寸四分
一共計九寸八分七厘　中七椎　每椎一寸六分一厘　共一尺一寸二分
七厘　下七椎　每椎一寸二分六厘　共八寸八分二厘直寸　恭依此取
之　取橫寸法與手足部同（第一四椎與臍平）

補腹部取法——

　　腹部直量無蔽骨（即正骨）者取歧骨下　分爲九寸　去一寸仍八寸
刺腹上下直用之

補頭部取法——

　　病人前眉心至大椎　分爲一尺八寸　刺頭面用之

人身之度量

　　善鍼灸醫術者　莫不知人身之度量　其於經穴之部位　則賴以確當
若取穴不準　如匠工之所製器具不正　人身之經穴亦然　須藉骨度
爲之標準　若取之失當　則收效不宏　且治病更有偏勝之弊　故有失
毫厘謬之千里之說　考靈樞經骨度篇所載俱屬古數　但人有長短骨有
大小　太過不及　亦因此而不同　是以予足之量法　有用手指寸法者

　　今以人身之骨度　約計全身　頭部　面部　頸部　胸部　腹部　背
部　側部　上肢部　下肢部　十種分而言之

　　頭部一頭頂骨之周圍　計長二尺六寸　前並眉　後並後頭突起處
作頭部橫寸之標準　今亦有以目內眥至目外眥　作一寸之標準　惟無
以上之量法準確　耳前髮際至後髮際　計長一尺八寸　或以眉上三寸
爲前髮際　大椎上三寸爲後髮際　以此推算之　耳後當完骨間廣九寸

　　面部一兩顴骨間廣七寸　耳前當耳門間廣一尺三寸

　　頸部一結喉以下至缺盆中　計長四寸　結喉乃喉頭隆起部份　缺盆
爲鎖骨之處　非穴名　乃指部而言也　穴法由喉頭隆起至天突穴量之

　　胸部一缺盆之下至髑骭中　計長九寸　當胸直寸之標準　所謂髑骭
之中　即鳩尾尖是也　胸之周圍　計長四尺五寸　胸脅橫寸之標準
須當從乳頭處平量之　兩乳之廣計長九寸半　當胸橫寸標準　穴法作
八寸　由左右乳中穴量之

　　腹部一髑骭至臍中　計長八寸　臍心至恥骨合縫部　計長大寸半
下腹直寸之標準　穴法作五寸　伸闕至曲骨穴量之　腰之周圍　計長
四尺二寸　上腹部橫寸標準　須當臍心橫量之

　　背部一自第一脊骨突起處　至尾骶骨計二十一椎　共長三尺　惟以

下之分寸　雖別上中下三部量法　悉屬脊椎之大概　人有長短與大小之分欲明確切之位置　即仍須用摸索之法　其法先囑病者俯伏　術者如取上七椎之穴道　由大椎下至至陽中　七椎穴道由命門而反　依次向上推算　下七椎穴道由命門而至腰兪　或取腰兪而上行向上計之

其取十四椎命門穴道　須令病者正立或端坐適當　在臍心之對過此屬背直寸之量法　則須採用手指寸法計之　庶不至誤　上七椎身大椎至至陽各一寸四分一厘　共九寸八分七厘　中七椎由至陽至命門各長一寸六分七厘　下七椎由命門至腰兪　各長一寸二分六　共八寸八分二厘

側部—杜骨下際至腋中　計長四寸　腋窩至季脇計長一尺二寸　季脇至髀樞共長六寸

上肢部—肩峰突起之肘尖　共計一尺七分　穴法作一尺　由曲池至陽谿穴　計之腋窩紋部至肘彎　計長一尺　由極泉上二寸至尺澤穴量之

下肢部—髀樞至膝　計長一尺九寸　由陽關至環跳穴計之　膝膕至跟骨下際　計長一尺二寸　由委中至崑崙穴計之　外輔下廉之內踝計長一尺三寸　穴法由陽陵至內踝尖處計之　內輔下廉自內踝　計長一尺三寸　穴法由膝眼至陽陵泉穴計之　內踝上際至下際　計長一寸四分　由踝骨上至照海穴計之　內踝下際至地共長三寸　由照海直下至盡處計之　外踝上際至下際共長一寸五分　由踝骨上至申脈穴計外踝下際至地計　長三寸穴法　由申脈直下至盡處計之　足蹠之長計一尺二寸　足蹠之廣計四寸五分

經穴之折量

　　古昔針灸醫家折量經穴位　取人身骨度爲之標準　日同身寸　標幽賦日：取五穴用一穴必端　取三經用一經必正　蓋謂並鄰經而正一經　聯鄰穴而正一穴　如切字之法　上用一音下用一音夾聲於中　人身之絡穴亦然　光取鄰經之穴　而後復取正經之穴　方爲準確　今人不明　每以手指寸法混用　則人之瘦而指長　肥而指短　豈不謬誤　其不知手指寸是狹義的　乃至全身各部之用法也　茲分述之

　　同身寸　此法以假定之尺　按照人身度量推算之　例如頭部之橫寸以二尺六寸爲標準　其人如太過　有二尺八寸六分　則照加一成即每寸以一寸一分計算　或以九分計算　如遇分寸之多寡　俱按標準而推算之　其他各部　亦須照上例行之　庶不致誤

　　手指寸　此法專供於四肢之用　其量法取中指屈曲　以中節兩端橫紋盡處　作一寸算之　不論大人小兒　概以病者本人　男左女右爲標準　若將此法統用於全身各部　則大誤矣

經穴學之術語

古人所定之井　榮　俞　經　合　以五臟六腑合心包配成十二經
分佈四肢　乃其循行之要穴也　其穴在手不過肘足不過膝　詳載內經
其屬於臟經者　爲井榮俞經合　腑經者爲井榮俞原經合　其腑經比一
臟經多一原穴　至於絡穴　郄穴則臟腑各經俱有之　惟俞穴在背　募
穴在腹　其意義互異　茲分述之

井　井者如水之源　言經絡之氣從此而發也　井以木應肝脾　位於
心之下　今邪入肝　肝侵脾　故其主病心下滿　靈樞經曰：二十七氣
所出爲井

榮　榮者如水之流　言經絡之氣從源而流出　由此過也　榮以火應
心肺屬金　外皮三毛　若心火灼於肺金　故其主病身熱　靈樞經曰：
二十七氣所溜爲榮

俞　俞者輸也　如水油上而下注　下復承上而流之　言經絡之氣由
此而輸注也　俞以土應脾　今邪在土　土必制水　水者腎也　腎主骨
故其主病體重節痛　靈樞經曰：二十七氣所注爲俞

原　原者言經之過也　陽經有原穴配五行　爲火陰經　無原穴以俞
穴代之

經　經者如經行之路　言經絡之氣由此通行也　經以金應肺　今邪
在肺得熱則喘　得寒則嗽　金必制木　木者肝也　肝性喜怒　怒者氣
逆而喘　故其主病喘嗽寒熱　靈樞經曰：二十七氣所行爲經

合　合者如水之會合　言經絡之氣　經過於此而循環啣接也　合以
水應腎　水不足　則冲脈易於上逆　若上逆不禁　則由此而下瀉　故
其主病逆氣而泄　靈樞經曰：二十七氣所入爲合

絡　絡者有聯絡之性質　猶路之支也　直行者謂經　支而橫出者謂絡　亦即此經與彼經有聯繫之關係也

郄　郄與還也　亦即閉門　言經氣之光陷而後復出也

兪　兪者非上述之兪也　此兪乃穴之在背者稱之

募　募者聚也　亦即會也　言經絡之氣結聚之處　其穴之在胸腹者稱之

合水　靈樞經曰：二十七氣所入爲合　毒問曰：治府者治其合　又曰陽氣在合　取合以虛陽邪　前腎註合字之意曰：合者如水之會也　所入爲合者　言經絡之啣接處　亦此經與彼經相應之處　所謂水者乃前人以五行中之水配經之合穴　無甚意義（地臟經配水　腑經配土）以下簡稱合水　合土意皆同

經金　血脈之直行者爲經　又曰經者如水之行也　靈樞經曰：二十七氣所行爲經　吉經脈之氣由此通行　毒問循上及下何必守經　經金者以五行之金配經也（在臟經配金　腑配火）以下簡稱經金　經火同

兪土　靈樞經曰：二十七氣所注爲兪　兪者輸也　如水之注也　言經氣由此而輸注　兪土者以五行之土配之也（在臟經配土　腑經配木）以下簡稱兪土　兪木皆意同

榮火　靈樞經曰：二十七氣所溜爲榮　溜者流行　言經脈之氣由此處急流而過也　榮火者以五行火配之也（在臟經配火　在腑經配水）以下簡稱榮火　榮水意皆同

井木　靈樞經曰：二十七所出爲井　井者泉也　水源之所出也　主經脈之氣由此起源發出也　井木以五行之木配之也（在臟配木　在腑配金）以下簡稱井木　井金意皆同

二十七氣　內經分十二經　十五絡（十二經名有絡　再加任督二絡　與脾之大絡　合爲十五絡）共爲經絡二十七也

募　募者聚也　言經氣之結聚也　凡募穴皆在胸腹　難經曰：募在陰　而兪在陽

陰臟 {				陽腑 {			六腑 {
井……木……肝		井……金			膽
榮……火……心		榮……水			胃
兪……土……脾		兪……木			膀胱
經……金……肺		原……火			三焦
合……水……腎		經			大腸
		合……土			小腸

古診以五臟六腑之脈氣　所出爲井　所溜爲榮　所注爲兪　所行爲經　所入爲合　井者脈氣由此而出　如井泉之發　其氣正瀉　故曰井溜急流也　榮小水也　脈出於井而流於此　其氣尙微者　故曰榮注灌注也　兪輪運也　脈注於此而輸於彼　其氣漸盛者　故曰兪經者脈氣大行　經營於此爲正盛之處　故曰經合者　脈氣至此漸爲收藏入合於內　故曰合馬之台　日不言原穴者　以陰經有兪而無原　而陽經之原以兪並之也

凡十二經之病　盛則瀉之　虛則補之　熱則疾之　寒則留之　陷下則灸之　不盛不虛　以經取之　所謂補者　如肺金虛則補本經之兪土大淵穴　以土生金也　又如肺金實則瀉本經合水　以金生水也　又如脾土　虛則補本經榮火之太都穴　以火生土也　若脾土實則瀉本經之經金商邱穴　以土生金也　總之生我者謂母　我生者謂子　虛則補其母　實則瀉其子

五行 {			陰陽 {			
金……肺……呼吸作用			陰……機能衰退……裡也內也			
木……肝……神經作用			（陰者五臟也）			
水……腎……生殖作用			陽……機能亢盛……表也外也			
火……心……大腦作用			（陽者六腑也）			

土……脾……四肢作用

凡人脈循十二經環八奇　據絡合長一十六丈二尺人　一呼脈行三寸　一吸脈行三寸　呼吸定息　合行六寸人　一日一夜　凡一萬三千五百息脈行五十度　周於身合行八百十丈　漏水下百刻　榮街行陽二十五度　行陰二十五度　每二刻則周身一度也

凡人兩手足各有三陰三陽脈　以合爲十二經乞　手之三陰　從臟走至手　手之三陽從手至頭　足之三陽從頭下走至足　足三陰從足上走入腹　絡脈傳注周流不息　故經脈者行血氣陰陽　以榮於身者也　其始從中焦法　手太陰陽明　陽明注足陽明太陰　太陰注手少陰太陽　太陽注足太陽少陰　少陰注手心　注少陽注足　少陽厥　陰厥　陰復還　注手太陰　其氣常以平旦爲紀　以漏水下百刻　盡從流行與天同度終而復始也

經言心者居主之官　神明出焉　肺者相傳之官　治節出焉　肝者將軍之官　謀慮出焉　膽者中正之官　決斷出焉　膻中者使臣之官　喜樂出焉　脾胃者　倉廩之官　五味出焉　大腸者傳道之官　變化出焉　小腸者受盛之官　化物出焉　腎強作之官　使巧出焉　三焦者決刼之官　水道出焉　膀胱者州都之官　津液藏焉　氣化則能出矣　凡此十二官不得相失者也

人之五臟六腑　百骸九竅　脈絡盡皆貫通　節節相續　無有間斷也腦者髓之海　諸髓皆屬於腦　上至腦下至尾骶　腎主之也
兩乳中間名膻中　爲氣聚之海　能分布陰陽不可損傷也
隔膜在心肺之下　肝腎之上　周回相隔如募　以庶濁氣便不薰蒸於上津液流入膀胱　滓穢流入大腸　膀胱有下口　無上口　係小腸津溺由小腸下焦滲入

井榮俞經合原主治表

病症經絡	井 心下滿	榮 身熱	俞 體節重痛	經 喘寒咳熱	合 熱而氣泄	原 總募	各　經　主　病'
肝	大敦	行間	太沖	中封	曲泉		淋溲便難四肢滿閉臍左右有動氣
膽	竅陰	俠谿	臨泣	陽輔	陽陵	邱墟	善潔　面青　善怒
小腸	少澤	前谷	後谿	陽谷	小海	腕骨	面赤　口千　善笑
心	少沖	少府	神門	靈道	少海		煩心　心痛　掌中熱　脘臍上有動氣
胃	厲兌	內庭	陷谷	解谿	三里	沖陽	面黃　善噫　善思　善咏
脾	隱白	大都	太白	商邱	陰陵		脹滿食不消體重節痛怠惰思臥四肢不收當臍自動按之牢若痛
大腸	商陽	二間	三間	陽谿	曲池	合谷	面白　善嚏　不樂欲哭
肺	少商	魚際	太淵	經渠	尺澤		咳嗽洒淅寒熱臍右有動按之牢若痛
膀胱	至陰	通谷	束骨	崑崙	委中	京骨	面黑　善恐
腎	湧泉	然谷	太谿	復溜	陰谷		逆氣小腸急痛泄瀉下重足脛寒而逆臍下有動氣按之牢若痛
三焦	關沖	液門	中渚	支溝	天井	陽池	
包絡	中沖	勞宮	大陵	間使	曲澤		

説　　明

井　　靈樞經曰：廿七氣之所行爲井，井者泉也，水源之所出也，主
　　　經脈之氣由此起源發出也。

滎　　靈樞經曰：廿七氣所溜爲滎，溜者流也，如水之流也，言經脈
　　　之氣由此處急流而過也。

俞　　靈樞經曰：廿七氣之所注爲俞，俞者輸也，如水之注也，言經
　　　氣由此而輸注也。

經　　血脈之直行者爲經，又曰：經者如水之行也，靈樞經曰：廿七
　　　氣所行爲經，言經脈之氣，由此通行也。

合　　靈樞經曰：廿七氣所入爲合，素問曰：治腑者治其合，又曰陽
　　　氣在合，取合以虛陽邪。合者，如水之會也，所入爲合者，言
　　　經絡之啣接處也，亦此經與彼經相應之處也。

原　　脈之所過爲源，原者如水之源也，經曰：瀉必針其原，言瀉該
　　　經之氣則針其原穴，考六腑有原穴，五臟之經無原穴以俞穴代
　　　。

十二經絡變化簡明一覽表

經絡 類則	手太陰肺經	手陽明大腸經	足陽明胃經	足太陰脾經	手少陰心經	手太陽小腸經	足太陽膀胱經	足少陰腎經	手厥陰心包絡經	手少陰三焦經	足少陽膽經	足厥陰肝經
左右竅	11	20	45	21	9	19	67	27	9	23	44	14
起穴	中府	商陽	頭維	隱白	極泉	少澤	睛明	湧泉	天池	關沖	瞳子髎	大敦
止穴	少商	迎香	厲兌	大包	少沖	聽宮	至陰	兪府	中沖	耳門	竅陰	期門
募穴	中府	天樞	中脘	章門	巨闕	關元	中極	京門		石門	日月	期門
絡脈	列缺	偏歷	豐隆	公孫大包	通里	支正	飛揚	大鐘	內關	外關	光明	蠡溝
補	太淵	曲池	解谿	大都	少沖	後谿	至陰	後溜	中沖	中渚	俠谿	曲泉
瀉	尺澤	二間	厲兌	商邱	神門	小海	束骨	湧泉	大陵	天井	陽輔	行間
主	太淵	合谷	沖陽	太白	神門	腕骨	京骨	太谿	大陵	陽池	邱墟	太沖
客	偏歷	列缺	公孫	豐隆	支正	通里	大鐘	飛揚	外關	內關	蠡溝	光明
至病	熱	熱	熱	熱	寒	痺	痺	寒	痛	熱	熱	痛
五行	辛金	庚金	戊火	己土	丁火	丙火	壬水	癸水	相火	相火	甲水	乙木
五色	黃	赤	赤	黃	白	黑	黑	白	青	紫	紫	青

説　　明

一　募　募者聚也　言經氣之結聚也　凡募穴皆在胸腹　難經曰　募
　　在陰而兪在陽
二　絡　支而横出者爲絡　十二經各有絡　別絡者由此經分支而與別
　　經相連續之路也
三主客　主客者　主病與客症　何謂主病　即其本經之主症　何謂客
　　症　因本經之症而涉及標病　標病即爲客症　譬如太陰肺與
　　陽明大腸爲表裡　太陰肺之本病而牽及陽明大腸病　則肺爲
　　主病　大腸爲客症　主病則刺本經之原穴　客症則刺客經之
　　絡穴　治時感病能認識其主客　按穴施治　無不應手而愈者

十四經禁針禁灸一覽表

經　　　名	禁　針　穴	禁　　灸　　穴	孕婦禁針灸穴
手 太 陰 肺 經	青靈	天府尺澤　經渠少商	
手 少 陰 心 經		少海	
手厥陰心包絡經			
手陽明大腸經	五里臂臑巨骨	和髎　迎香	合谷
手太陽小腸經		秉風　顴髎	
手少陽三焦經	會宗　三陽絡 角孫	陽池　天牖　絲竹空 和髎　顱息	
足 太 陰 脾 經	箕門	隱白　漏谷	
足 少 陰 腎 經			
足 厥 陰 肝 經	急脈		
足 陽 明 胃 經	承泣 乳中	人迎下關四白巨髎優 兔乳中承泣頭維犢鼻	缺盆　天樞 梁門
足太陽膀胱經	承筋	睛明攢竹五處承光大 杼承扶殷門委中僕參 申脈	崑崙
足 少 陽 膽 經	承靈　客主人 淵液	臨泣　客主人 地五會　陽關　淵液	肩井
任　　　脈	會陰　膻中 水分　鳩尾	會陰	石門　下脘 建里
督　　　脈	神道　神庭 腦戶	上星水溝兌端素髎風 府啞門強間　腦戶 齦交	

附註點穴法

十二時辰人神忌針秘密要訣

子	左右內外踝	午	左右兩脅
丑	在頭	未	在大小肚
寅	左右兩耳邊	申	在心胸膈
卯	在面	酉	左右兩膝
辰	在項	戌	在腰背
巳	在乳肩	亥	在兩股內外

附註解藥

川芎	二錢	在上午用酒泡服
田山七 八厘麻	二錢 二錢	在下午用開水燉服
小血藤	二錢	在上半夜用紅糖開水燉服
天花粉 生軍	二錢 二錢	在下半夜白糖酒泡服